За чужими
окнами

Читайте повести и рассказы
Марии Метлицкой
в серии «За чужими окнами»

Наша маленькая ***жизнь***

То, что ***сильнее***

Машкино ***счастье***

Беспокойная жизнь
одинокой женщины

Второе ***дыхание***

Испытание
медными трубами

Всем ***сестрам...***

И шарик ***вернется...***

Дневник ***свекрови***

После ***измены***

Ошибка ***молодости***

Дорога ***на две улицы***

Мария Метлицкая

Дорога
на две улицы

ЭКСМО
Москва
2013

УДК 82-3
ББК 84(2Рос-Рус)6-4
М 54

Художественное оформление серии
и иллюстрация на 1-й сторонке переплета *П. Петрова*

Метлицкая М.

М 54 Дорога на две улицы / Мария Метлицкая. – М. : Эксмо, 2013. – 352 с. – (За чужими окнами. Проза М. Метлицкой и А. Борисовой).

ISBN 978-5-699-68579-0

Если бы у Елены Лукониной спросили, счастлива ли ее семья, она вряд ли смогла бы однозначно ответить на этот вопрос. Счастье и горе, печаль и веселье всегда шли в ее жизни рука об руку. Елена, как могла, оберегала своих родных от несчастий – мирила, утешала, помогала пережить потери. Еще в молодости она поняла: всегда есть выбор. Жизнь подобна перекрестку, и только в конце пути станет понятно, по той ли улице ты пошел.

УДК 82-3
ББК 84(2Рос-Рус)6-4

ISBN 978-5-699-68579-0

Семь утра — ее самое любимое и счастливое время. Все еще сладко и безмятежно спят: дети — само собой, им положено, муж тоже — поздний прием снотворного гарантирует сон лишь под утро. В эти минуты абсолютного покоя и тишины она может побыть одна, наедине с собой, все обдумать, спокойно оценить и распланировать. Ленивый рассвет еще только раздумывает заняться, дымится легкий парок над чашкой кофе, и аромат, сладкий и густой, растекается по просторной и светлой кухне и начинает выползать в просторы квартиры. Она тихо прикрывает дверь, удобно усаживается в «Борино кресло» — так называется эта древняя и довольно шаткая конструкция с гобеленовой обивкой — и делает наконец первый глоток.

Закрываются в блаженстве глаза. Вот оно, счастье! Кофе и, главное, — тишина! Она знает, что ей отпущено совсем немного — какие-нибудь полчаса. Ну, если повезет, минут сорок. А вот потом начнется!

Появится кто-то из «вредителей» — скорее всего, Ольга. Самая ранняя пташка и самый ответственный человек — не дай бог опоздать в школу!

Или Никоша — что хуже. Потому что обязательно начнется Никошина болезненная суета — без этого никак.

Самое ужасное — появление Ирки. Но это вряд ли. Старшая дочь крепко и безмятежно спит. И разбудить ее будет огромной проблемой – как, впрочем, всегда.

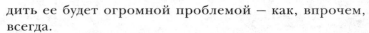

Нет уж, пусть спит до последнего, всем спокойней.

Если первым зайдет Борис, тоже не здорово. После снотворных голова тяжелая, мутная. Настроение – хуже некуда, потому что разбит и вял. В себя придет только на работе – там деваться некуда. А дома можно покапризничать и поканючить.

Она смотрит в окно и думает о том, что скоро зима – долгая и бесконечная. Дети начнут болеть – без этого не обойдется. Нужно ехать к маме – разобрать погреб, заклеить окна к зиме.

У Никоши совсем проходились ботинки, а у Ольги нет зимнего пальто. А что уж потребует Ирка... Вот об этом лучше не думать.

Бориса начнет мучить язва – застарелая и верная подруга. Уж осенью она обнаружится наверняка. Значит, опять картофельный сок по утрам и специальный рацион. Пареное, вареное.

Она гонит от себя все эти мысли, но они не собираются ее оставлять. Да и вообще – как можно запретить себе думать? Смешно, ей-богу!

Советы мудрейшей из мудрейших – Эли, разумеется: «Вспомни Скарлетт О'Хару: "Я подумаю об этом завтра"».

Да нет, и завтра, и сегодня. И послезавтра...

Она смотрит на часы, и в этот момент тишину дома разрывает резкий телефонный звонок.

Она вздрагивает и хватает трубку – господи, только бы никто не проснулся!

– Елена Сергеевна? – голос казенный и сухой.

Становится не по себе. Слава богу, все дома и спят – мелькает у нее в голове.

Нет, не все дома. И не все спят. Машка в роддоме. Сильный толчок в сердце.

– Да, – хрипло отвечает она.

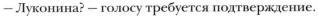

– Луконина? – голосу требуется подтверждение.

– Да, – еще раз повторяет она.

В трубке глубокий вздох – уже совсем человеческий.

– Примите соболезнования. Мария Луконина скончалась. – Голос совсем сник.

Она садится на стул и боится выронить трубку – так дрожит рука.

– Ой! – вдруг радуется голос. – А ребенок-то жив! Жив ребеночек! Девочка! Але! Вы меня слышите? Елена Сергеевна?

– Слышу, – отвечает она и кладет трубку на стол.

Частые гудки звучат так громко, так невыносимо громко – словно похоронный набат. На всю квартиру.

Первое, что приходит в голову, – Гаяне.

И еще – что же теперь со всеми нами будет? Жизнь, наверно, уже кончилась. Ведь после такого не живут!

Она в этом почти уверена.

Потом поймет – живут! Живут и после такого – и никуда не деться.

Потому что надо жить. Потому что выбора нет. По крайней мере – у нее.

* * *

Дверь распахнулась, и она вздрогнула. На пороге стояла сонная Ольга – байковая пижама с утятами, вязаные носки. Мерзлячка.

Ольга терла глаза и смотрела на мать.

– Маша умерла, – сказала Елена и не узнала свой голос.

Ольга опустилась на стул.

– Что ты такое говоришь? – хриплым шепотом спросила она.

Мать кивнула.

– Звонили из роддома. Полчаса назад. Ребенок жив. Девочка.

– Какой ребенок, мам? Зачем этот ребенок?

– Как зачем? – удивилась Елена. – Он родился. Для того чтобы жить, наверно.

– Жить? – переспросила Ольга. – А зачем ему жить, если умерла Маша? Как он может после этого жить?

– Дурочка ты, – ответила мать. – Он у нас разрешения не спрашивает. И он, вернее, она, и Тот, Кто сверху, – она подняла глаза к потолку. – А вот как нам теперь жить... Этого я не понимаю. А еще есть Гаяне. И отец. И – Юра. Что со всем этим делать, Леля? – Она беспомощно поглядела на дочь и заплакала.

Ольга сидела, глядя в одну точку. Она ничего не понимала. Как такое могло случиться? Обрушиться на их семью? Прийти и в их счастливый и мирный дом? Перевернуть и разрушить всю их жизнь? Что будет с отцом, господи? У него же сердце и язва! Что будет с Юрой, таким молодым и таким влюбленным?

А Гаяне? Про это думать вообще невозможно!

Но еще страшнее думать про Машу. Про то, что ее уже нет. И никогда больше не будет. Такой живой, смешливой, подвижной! Такой беспечной и шебутной Маши! Которая просто не может лежать холодной и неподвижной в гробу. Такой родной и близкой – ближе всех, после мамы. Куда там Ирке, родной сестре!

Маша – вот кто ее настоящая сестра! И ерунда и глупости, что она дальше, потому что у них разные матери! Маша – сестра и подруга. Лучший друг и советчик. Тайный поверенный во всех сердечных делах и секретах. Впрочем, какие там у Лели сердечные дела и тайны – глупость одна подростковая.

Господи! Про какие тайны она думает!

Маши *больше нет.* Как можно в это поверить?

Маши нет, а все остальные есть. По-прежнему есть. На своих местах. Все на своих местах. Спит отец, и, наверно, спит Гаяне. И не знают, чем их встретит этот кошмарный день. Все ЕЩЕ спят.

И Машин ребенок тоже спит. И ничего не понимает. Никогда у него не будет матери. Никогда.

И, скорее всего, бабушки тоже не будет. Потому что следом за Машей в гроб ляжет Гаяне.

Кто следующий? Отец? После его инфаркта?

И во всем виноват *этот* ребенок!

«Я его ненавижу! И буду ненавидеть всю жизнь», – подумала Ольга.

Слез не было. Только ненависть, выжигающая сердце, и страх.

Страх за всех и еще за то, как теперь поменяется вся их жизнь.

На пороге кухни возникла Ирка – привидение в короткой мятой ночнушке, со всклоченными кудрявыми золотистыми волосами.

Окинув взглядом мать и сестру, широко и сладко зевнув, она спросила:

– Ну и что с вашими лицами? По ком траур?

– По твоей сестре, – тихо ответила мать.

– В каком смысле? – переспросила Ирка.

– В прямом, – ответила Ольга. – Маша умерла.

– Шутишь? – Ирка вскинула брови.

Мать и сестра не ответили.

Ирка плюхнулась на табуретку.

– Вот тебе и доброе утро, – пробормотала она. – Неплохо начался день.

Елена Сергеевна резко встала и вышла из кухни.

Ольга покачала головой и укоризненно посмотрела на Ирку.

Ирка пожала плечами.

Ирка есть Ирка. Никуда не денешься.

Елена сидела в коридоре. Ольга подошла к матери и присела рядом на корточки.

– Мам, ну хочешь, я папе сама скажу?

Елена покачала головой.

– Нет, Лелька. Это не детское дело. Я сама. Попробую, – вздохнула она. – Иди полежи еще. Учеба на сегодня, как ты понимаешь, отменяется.

«Девочка моя! – подумала Елена. – Как всегда, хочет взять все на себя. Трудности для себя не отменяет. Леля и Ирка. Две сестры. Родные, между прочим. А разница между ними... Не разница – пропасть».

Она медленно, словно старуха, поднялась с табуретки и пошла в спальню. К мужу.

Он спал. Безмятежно и счастливо. Как может спать человек, полночи промучившийся бессонницей.

Она села на край кровати и посмотрела на мужа. Рот, как всегда, приоткрыт. У Никоши точно так же.

Она подумала: вот еще десять минут счастливого сна. Или – двадцать. Еще ТОЙ жизни. А потом начнется жизнь другая. Если вообще можно будет это назвать жизнью. Скорее всего, это будет длинный, темный и бесконечный кошмар. Из которого не выбраться уже никогда. И никому – ни ему, ни Гаяне, ни детям. Впрочем, Ирка не в счет. Может, и слава богу?

А Юра? Молодой, сильный и красивый Юра? Какая у них с Машкой случилась любовь... Кажется, такое выпадает далеко не всем. Только мечтать. Хотя кто, как не Машка, этого заслуживает...

Точнее – заслуживала. А чем она заслужила все остальное? Весь этот ужас...

Впрочем, что Юра... Крепкий, здоровый мужик. Что думать про Юру. Есть про кого думать.

И она опять посмотрела на спящего мужа.

Нет. Не могу. Слабая и безвольная. Лелька куда крепче меня. Она бы нашла силы.

Елена вышла из комнаты и притворила дверь.

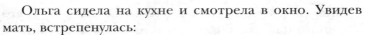

Ольга сидела на кухне и смотрела в окно. Увидев мать, встрепенулась:

– Чаю, мамуль?

– Какое... – Елена махнула рукой.

На пороге появилась Ирка – одетая и накрашенная.

– Мам! Я побегу?

Ольга и Елена молчали.

– Ну что вы насупились? Я-то при чем? И вообще, чем я могу помочь?

– Ты – ни при чем, – каменным голосом произнесла мать. – Ты всегда и во всем ни при чем. И помочь ты ничем не можешь. Это правда. Если у человека нет сердца, взятки с него гладки.

Ирка досадливо кивнула – все, как всегда. Недовольны и воспитывают.

Вышла. Точнее – выскочила. Подальше от неприятностей, подальше от проблем. От всего, что огорчает, – подальше.

Елена и Ольга переглянулись. Ольга махнула рукой – не обращай внимания.

Елена вздохнула: поздно пить боржоми, как говорит Эля. А Эля всегда права.

В дверь позвонили. Ольга вскочила и бросилась в коридор.

На пороге стояла Гаяне.

Смотреть в ее глаза было невозможно.

* * *

«Скорая» приехала удивительно быстро – буквально через десять минут.

Борис лежал лицом к стене. Кое-как измерили давление и сделали два укола – один от давления, второй – снотворный. Он ни на что не реагировал и на вопросы не отвечал.

Гаяне уложили в комнате Никоши.

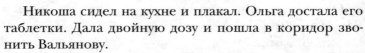

Никоша сидел на кухне и плакал. Ольга достала его таблетки. Дала двойную дозу и пошла в коридор звонить Вальянову.

Вальянов недовольно сказал, что простужен и приехать не сможет. Уточнил список лекарств и подтвердил – да, дозу увеличить. Но приступов, скорее всего, не избежать. Быть начеку и держать готовые шприцы.

Эля с Яковом появились к обеду. Яков пошел к Борису, а Эля писала на листке бумаги очередность предстоящих дел. Потом взяла телефон и принялась обзванивать – больница, морг; знакомые – это уже про поминки. Потом начались совсем невыносимые разговоры про колбасу, рыбу, вырезку – с директором продуктового.

Слушать это было невозможно. Ни про «батоны сырокопченой», ни про «дай голландского, на черта нам российский».

Все правильно. Кто-то должен заниматься и этим. И лучше Эли это не сделает никто. Но – только не слушать! И не слышать.

Елена заглянула в спальню – Борис повернулся к Якову и что-то тихо ему говорил. Яков держал его за руку и кивал.

В Никошиной комнате было тихо. Гаяне спала. Слава тебе господи.

Но ей предстояло проснуться.

Юре отправили телеграмму – без особой надежды, что он поспеет. Поди найди его в тайге.

А может, и к лучшему. Пережить весь этот ужас будет легче, не видя.

Елена понимала, все понимала – если бы не Эля... Как всегда – четко, грамотно, по делу. Да и кто ей

Маша? Не родня, это правда. Сделано все было... Впрочем, разве можно говорить о том, что сделано все было правильно? «Грамотно и достойно» – тоже из Элькиного лексикона.

А ведь сделано все было именно так. Как ни крути. Значит – ханжество? Если кроме благодарности еще какой-то внутренний упрек?

Слишком четко. *Слишком* грамотно. Даже карточки в кафе – где и как рассаживаться. Словно Эля занималась этим всю жизнь. Хотя, за что она ни возьмется – все у нее выходит. Как говорит Яша, «холодным умом». Ей бы в Совет министров – Борины слова.

И Яшин ответ – бедные министры!

Тогда еще шутили...

Теперь надо было пережить этот день – день похорон. А потом учиться жить заново.

И он настал, этот день. Не исчезло седьмое число в календаре. Не исчезло. Седьмое октября. «Страшный день календаря».

* * *

После похорон Гаяне увезла родственница, тетка Ануш, к себе в Монино. Единственная родня, сестра умершего отца. Странная, «полусумасшедшая», как говорил Борис. С редкими просветлениями сознания. Хотя какая разница. У них Гаяне оставаться отказалась.

Через два дня после похорон Борис вышел на работу. И это было выходом – для всех. И для него – в первую очередь.

А Юра приехал через пять дней. Страшный, заросший, черный. Сходил на кладбище и пил на кухне – один. Елена пыталась его накормить – он молчал и ни к чему не прикасался.

Через три дня стал собираться. Елена полезла по шкафам – вытаскивала какие-то банки из запасов: тушенку, шпроты, сгущенное молоко. Положила Юре в рюкзак. Он кивнул:

– Спасибо! – И ушел.

Ольга съездила в Монино к Гаяне. Не застала – тетка сказала, что «Гаяне все гуляет».

– В каком смысле? – не поняла Ольга.

– А в прямом, – ответила та. – Уходит рано утром – в поле, в лес. Видели ее на станции. Просто бродит как тень. Один раз пришла без обуви – говорит, потеряла. А на дворе холод, дождь. Я ее спиртом растерла и стакан влила внутрь. Не заболела. А говорила, что надеялась. У нее легкие слабые, а тут – ничего. Странно даже.

Ольга оставила денег и, выпив чаю, засобиралась на станцию.

Видела, как Ануш ловко смахнула деньги в карман передника.

* * *

В квартире было тихо – ходили на цыпочках, говорили шепотом. Ирка уехала в Ленинград к подружке – вот и славно, всем легче.

Никоша рисовал и почти не выходил из комнаты. Обошлись, слава богу, одним приступом.

Борис Васильевич молча съедал ужин и уходил в кабинет. Там же и ночевал – на диване. Елена заходила перед сном и желала ему спокойной ночи. Он поднимал глаза от книги или рукописи и вежливо отвечал: «И тебе также».

Елена клала на стол снотворное. Однажды он сказал:

– Бесполезно. Все равно не берет.

Она развела руками:

– Что же делать, Боря?

– Я бы тебе сказал, Леночка, да боюсь расстроить.

Теперь не спала она – по нескольку раз ночью вставала и заглядывала в кабинет.

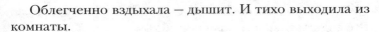

Облегченно вздыхала – дышит. И тихо выходила из комнаты.

Ольга спросила:

– А что будем делать с девочкой?

Елена поняла не сразу. А когда поняла, поперхнулась чаем.

– Надо ее забирать, – тихо, но решительно сказала Ольга.

Елена молчала.

– Она же наша, мам. Родная. И к тому же – в чем ее вина?

* * *

Странно – про девочку все забыли. В необъятном своем горе, ужасе, отчаянии.

Никто ни разу про нее и не вспомнил.

А ведь она была. Хотели они этого или нет.

Машки не было, а она была. И никуда от этого не спрятаться.

И опять – Эля, Эля. Все сделала, все оформила – в немыслимо короткие сроки. И даже поехала с ними за девочкой. За рулем, разумеется.

Девочку развернула там же, в больнице, и устроила скандал – у малышки были страшные опрелости, залитые гноем глазки, и явно начиналась пупочная грыжа – «наоранная», как тихо шепнула нянечка. Извиняться пришел главный врач. Ему-то Эля и пообещала «красивую жизнь». И все поверили моментально.

Девочка была точной копией Машки. Словно ту заменили и предложили прожить новую жизнь, с нуля. Те же брови – темные, не по-младенчески густые и длинные. Тот же нос – короткий и прямой. Даже ямочка на щеке та же – одна, непарная, слева. Тот же большой, четко очерченный рот – яркий, темный, с чуть выступающей верхней губой.

Приехали домой. Девочка спала на кухонном столе. Все сидели вокруг и молчали.

Малышка закряхтела. Все подскочили и бросились хлопотать.

– Машка, голодная, жрать хочешь? – спросила Эля.

Елена и Ольга посмотрели друг на друга.

Машка. Ну, значит, так тому и быть. Спорить с Элей бесполезно. Да и надо ли?

Это действительно была Машка. Без вариантов.

* * *

Борис Васильевич зашел в спальню, ставшую теперь детской, спустя неделю. Внимательно посмотрел на девочку и вышел.

Елена стояла замерев. Дыхание перехватило. Ольга погладила ее по руке.

– Привыкнет, мам. Никуда не денется.

– Не денется, – согласилась Елена.

– Потому что деваться некуда.

Узнали, что Гаяне в Москве, у себя. Поехали вдвоем – Елена и Ольга.

Елизавета Семеновна была в сердечном санатории – вызвать на похороны внучки ее не решились.

Гаяне сидела в комнате и смотрела в телевизор, работающий без звука.

Ольга достала термос с бульоном. Гаяне выпила бульон и сказала:

– Спасибо. Вкусно.

Ольга поменяла постель и пошла в ванную постирать мелкое белье – ночнушку, лифчик, трусы.

Елена повела Гаяне в душ. Та молча разделась.

Кожа да кости, вздрогнула Елена, увидев голую Гаяне.

Тело, словно старушечье, сморщилось и потемнело.

Потом пили чай.

– Гаечка! – тихо попросила Елена. – Поедем к нам, умоляю! Тебе будет легче, поверь! На людях, все вместе! Девочка такая чудная! Вылитая Машка.

Гаяне подняла на Елену глаза.

– Вылитая, говоришь? – она усмехнулась. – Может быть. Только это – не Машка. Машки больше нет. И уже никогда не будет. Нету Машки.

– Есть, – твердо сказала Ольга. – Есть и будет.

Гаяне покачала головой.

* * *

Летом перед последним курсом Боря Луконин отправился отдохнуть в Баку. Там, на апшеронском побережье, в Бильгя, у подруги детства его матери, Софьи Ильиничны, была роскошная дача. Впрочем, молодому и веселому Боре комфорт и роскошь были безразличны. Так же, как и его закадычному другу Яше, которого Боря, разумеется, позвал с собой.

Муж Софьи Ильиничны, тучный и одышливый молчун Владлен Степанович, служил большой шишкой в министерстве. В Доме правительства у него был большой и просторный кабинет. И служебная машина с водителем, и спецпайки из распределителя, и пресловутая дача – с довольно облезлыми павлинами, орущими безумными голосами, которых передразнивали приезжие, молодые московские балбесы, и прислуга – тихая, словно бессловесная, армянка Наирик, творящая на душной кухне истинные чудеса.

И городская квартира находилась в самом центре, на Торговой улице – огромная, светлая, с высоченными потолками. Сверкали хрустальные люстры на бронзовых основаниях, пах мастикой паркетный пол, матово блестела полированная добротная мебель – все из другой жизни.

С поезда приехали именно туда, в квартиру на Торговой.

Стол накрыли в столовой – хрусткая белоснежная скатерть, серебряные тяжелые столовые приборы, фарфоровая супница с дымящимся бараньим супом. Огромные помидоры – розовые, сахарные на изломе, малиновый арбуз, сладкий до невероятности. И – чурек. Иначе говоря, белая лепешка. Мягчайшая и свежайшая – десять минут как из печи.

Ребята, подавленные роскошью дома и царским приемом, голодные, с поезда, не особенно избалованные, особенно Борис – они с матерью жили более чем скромно, не позволяли себе лишний кусок. А очень хотелось!

Софья Ильинична, Софка, так называла ее мать Бориса, смеялась и подкладывала в тарелку добавки.

Назавтра была короткая экскурсия по городу на Владленовой «Победе» и спешный отъезд на дачу – стояла невыносимая жара.

Впрочем, «молодежь» (так называл их строгий хозяин) вовсе и не возражала. В конце концов, они приехали на море. А про город все ясно – составить представление времени вполне хватило.

Устроились в беседке – там прохладней и слышен шум прибоя. И еще – звезды на черном, чернильном небе. Низкие, словно можно дотянуться рукой, крупные и яркие – совсем не московские звезды.

Владлен приезжал только по воскресеньям. Софья Ильинична, Софка, почаще: «Как захочется покоя и прохлады!» – тяжело вздыхала она. Впрочем, про прохладу говорить смешно – даже там, на побережье.

Пропадали они на пляже с утра до вечера. Да еще и ночью бегали окунуться, если была особенно душная ночь.

Но бесконечное безделье никак не отменяло философских разговоров – обо всем. О будущей профессии каждого, о любви, о прогрессе, литературе, политике и, безусловно, – о смысле жизни.

Тогда, в пятьдесят пятом, Борис впервые увидел Гаяне — племянницу бессловесной кухарки Наирик. Пятнадцатилетняя девочка пришла к тетке в гости.

Борис обомлел и пропал сразу, минут через десять. Когда разглядел ее лицо, тонкое, словно выточенное искусным мастером, белоснежную, будто прозрачную, кожу, фиалковые глаза, острые стрелы черных ресниц, тонкие прямые брови, уходящие к вискам. И изящные, аристократические руки — княжьи, как говорил он потом.

Какие княжьи, боже мой! Девочка трудилась с двенадцати лет — подручной у швеи. Потому что бедность, страшная бедность — их с братом отец тянул один, давно похоронив жену, совсем молодую и очень красивую.

Девочка сидела на кухне и помогала тетке перебирать рис и виноградные листья.

Московские ретивые кавалеры предложили ей «прошвырнуться» по берегу. Она стала пунцовой и испуганно глянула на тетку. Та побелела от возмущения и тихо, но твердо посоветовала смельчакам заниматься своими делами. Выпроводила их из кухни, качая головой от возмущения, и попыталась объяснить, что здесь так не принято. И точка.

Девочка уехала рано утром, на первом автобусе. А Боря Луконин уже вовсю, с размахом, страдал.

Умная Софка ситуацию поняла почти сразу, правда, не без помощи Яшиных смешков и намеков. Подняла Бориса на смех, сказав, что эта история похожа на главу «Бэла» из «Героя нашего времени». Яшка, предатель, подхватил ее реплику радостно — смеялись вместе, долго и дружно.

А вот объекту насмешек было не до смеха. И сон был потерян, и аппетит — казалось, безвозвратно. Да и на море уже не хотелось. Тошнило от этого моря.

Гаяне он увидел еще один раз, почти мельком. Та привезла тетке какое-то лекарство и записку от отца. Выпила чаю на кухне и засобиралась в город.

Он бросился ее провожать. До автобусной остановки шли молча. Когда на пыльной дороге показался разбитый до неприличия автобус, приближающийся неотвратимо, Борис схватил ее за руку и заговорил быстро и страстно.

Он говорил ей о своей любви, о том, что она – его судьба, и в этом он не сомневается ни минуты. Что впереди у них светлое будущее. Что он вернется за ней, непременно вернется. И увезет ее с собой. Конечно, в Москву! Ну разумеется! Еще он спешил сообщить, что у него прекрасная мама, самая замечательная на свете! И что они наверняка – он в этом совершенно уверен – подружатся!

Она стояла, опустив глаза, и дрожала как осиновый лист. Когда подошел автобус, она осторожно вынула свою руку из его горячей и крепкой ладони, взглянула своими необыкновенными сиреневыми глазами, полными слез, и замотала головой. Все, что он услышал, было слово «нет». Три раза подряд.

Потом она ловко вскочила в автобус и махнула рукой. Оставив его в полном недоумении и... все-таки – счастливым.

Он долго смотрел на дорогу – белую, выжженную палящим без устали солнцем, таким ярким, почти белым, на столбы густой пыли. И, пожав плечами, сказал вслух:

– Нет? Почему нет? А я уверен, что да!

И почему-то очень бодро, даже весело, почти вприпрыжку, пошел к дому.

В замечательном настроении.

* * *

Софка, разумеется, была в курсе, впрочем, всерьез она все это не приняла – только отпускала едкие шуточки и веселилась. Он смущался, краснел и отводил глаза. А однажды прервал ее и сказал:

– Все не так, как вы себе представляете.

Софка вскинула высокие брови.

Он кашлянул и севшим вдруг голосом тихо сказал:

– Я женюсь на ней, Софья Ильинична! Вопрос решенный и обсуждению не подлежит.

Долго молчали. Яша смотрел на шахматную доску и, казалось, ничего не слышал. Потом Софка сказала:

– Бред, Бобка. Вот ведь чистый бред! Какое «женюсь»? Ты хоть понимаешь, что из всего этого может получиться? Точнее – что ничего не может получиться! Вы из разных миров, Боренька. И судьбы у вас разные. Через год или два девочку просватают. За хорошего – дай бог – армянского парня. Лавочника или обувщика. Соберут приданое – какое смогут. И сыграют свадьбу. Шумную, с народными песнями на всю улицу. А через год она начнет рожать чернявых и кудрявых малышей. И дай ей бог! А еще – ходить на базар, ощипывать кур, крутить долму, стирать в цинковом корыте, развешивать во дворе белье. А под ногами, в пыли, будут крутиться глазастые ребятишки. Три, пять, семь – сколько бог даст. А он даст, не сомневайся! Вечером придет муж – злой и усталый, и она, потупив глаза, нальет ему супа и стакан водки. И уложит спать. А с утра начнется та же колготня – базар, обед, стирка, дети. Да, еще цапанется с соседками – не там белье повесила, или еще что-нибудь. Начнется крик и скандал. А вечером о нем никто и не вспомнит – здесь народ пылкий, но отходчивый. Вечером все сядут пить чай – под алычой или тутом, в том же дворе. И так будет всегда, понимаешь? Потому, что это – ЕЕ жизнь. Та, для которой она рождена.

А ты – ты уедешь в Москву. Закончишь институт, получишь хорошую работу. Начнешь встречаться с умной и воспитанной девочкой. Из приличной, надо думать, семьи. Вы будете гулять по набережной. Ходить в театры и в музеи. Пить чай у нее дома. Дальше – предложение и свадьба. Надеюсь, детишки – один или два. Отпуск на курорте, Новый год, Первомай. Круг друзей – ну и посиделки, разумеется. И разговоры – общие разговоры, о том, что всем понятно и близко. И она, твоя жена, тоже понятна тебе и близка. На все вы смотрите одним взглядом. Потому что воспитаны в одной среде. Ты меня понимаешь, Боренька?

Он молчал. Софка нервно раскуривала папиросу.

Потом, спустя пару минут, он поднял на нее глаза и твердо сказал:

– Нет, все не так. Я женюсь на ней и увезу в Москву. И у нас будут дети, вы все правильно сказали, сколько бог даст. И я буду любить ее всегда! Понимаете? Потому что для любви разницы нет – по-разному мы смотрим на мир или одинаково! Мы не в Америке, где все делятся на богатых и бедных. И не в Индии, где существуют различные касты.

Софка прищурила глаза и усмехнулась:

– А ты дурак, Борька. Я и не знала. Ну-ну! Удачи тебе в этом мероприятии! – Она встала, затушила окурок и пошла к себе. По пути оглянулась: – Да, Лизе я, кстати, позвоню. Уж извини! Надо же ее предупредить о том, что ее ожидает!

Он пожал плечом и развел руками – дескать, ваше право.

Уезжали через пару дней. Софка, словно и не было того разговора, трепала его по щеке, посмеивалась над неуклюжим Яшей и покрикивала на шофера, чтобы он хорошо уложил под вагонные лавки коробки и мешки с южными гостинцами – фруктами, орехами, дынями и вином. Вот порадуется Лиза! И получит удовольствие!

* * *

С Яшей ничего не обсуждали. Не принято как-то было. Только уже при подъезде к столице Яша, красный как рак, пробормотал:

– Подумай, Борька. Подумай, прежде чем мать огорошить! Ведь Софа права. Умная женщина – никуда не денешься.

Мать открыла дверь и крепко его обняла – конечно, соскучилась. Бросилась на кухню разогревать борщ.

Подробно расспрашивала его про отдых и Софкино житье-бытье.

По матери ничего видно не было – может, Софка решила ей не звонить? Скорее всего.

Жизнь текла своим чередом – последний курс, диплом, тревоги по поводу распределения. Под Новый год предложил матери переклеить обои в комнате. Мать удивилась – и откуда такое рвение? Нет, ремонт будем делать весной, если будем. А потом начинала мечтать – вот закончишь учебу, будет полегче с деньгами. Купим новый шкаф и пошьем гардины! Ох, скорее бы! Две зарплаты – это уже две зарплаты. А больше зарплат – меньше заплат, радостно смеялась она.

И, вздыхая, почему-то грустно добавляла: «Вот и выучила тебя, дурня!»

Однажды спросила:

– А что у тебя с Таней? Давно про нее не слышно.

Он пожал плечами.

– Таня как Таня. На месте. Да, видимся – на лекциях. Ходили как-то в кино – всей группой.

И разговор закрыл. Не о чем было говорить.

Таня Ласкина – тонкая, гибкая, медно-рыжая и зеленоглазая – была предметом его вожделения все четыре курса. Он любил смотреть на ее профиль – нос с изящной горбинкой, высокие скулы и выражение вечного страдания и озабоченности на лице. Такой у нее был образ. Боря бывал в квартире у Тани на Чистых прудах. Огромная профессорская квартира Таниного деда. Бабушка в шелковой юбке до пят, кружевной блузке и очках на золотой цепочке. Прислуга в переднике. Библиотека – такая, что дух захватывало. Обед на белой скатерти, салфетки в серебряных кольцах.

Бульон бабуля называла «консоме». После консоме с малюсенькими пирожками они уходили в Танину комнату и до одури целовались. Потом Таня, красная и мокрая, начинала его гнать.

Он терялся, ничего не понимал и требовал объяснений. Она сидела на широком подоконнике, смотрела в окно и, не поворачиваясь, твердила, чтобы он уходил. И еще – что он ничего не понимает. Он пытался разобраться, но она была тверда как скала.

Обескураженный и злой, он хватал пальто и невежливо громко хлопал дверью.

Жаловался Яшке, что Танька – истеричка и самодурка.

Яшка покорно соглашался и кивал. И еще выводил сентенцию, что все бабы – истерички и самодурки. «Вот поэтому я никогда не женюсь!» – добавлял он уверенно и протирал носовым платком очки.

После Нового года Борис полетел в Баку. Мать, на счастье, гостила у подруги в Кашире. Деньги на билет дал Яшка – верный друг. Точнее – одолжил. «Вернешь, когда сможешь», – тяжело вздохнул он.

Деньги у Яшки, надо сказать, были всегда. Дед, гравер, для любимого внука ничего не жалел, подкидывал часто и не скупясь. А тратить тому было не на что – девиц по ресторациям он не водил, пить не пил, форсить не любил. Иногда только покупал книги в букинистическом – да и то нечасто. И еще монеты и марки – Яшка был страстный и не очень умелый коллекционер. Пока.

* * *

В Баку было холодно и очень ветрено. Моросил противный дождь. Море – серое, металлическое – казалось мрачным, обманчиво-спокойным и неприветливым. Ветер разносил по городу мелкий колючий песок.

Он купил букет гвоздик и отправился на Сарабского, 39. Сначала добирался на автобусе. Дальше пешком, довольно долго. Плутал по одинаковым дворам, тоже долго. Потом вроде с трудом, но двор тот нашел. Дом – точнее строение, узкое, длинное, состоящее из множества разновеликих, кривых, словно наспех прилепленных построек. Улица Сарабского совсем недалеко от центра, но район этот назывался Ямой – Похулдара. Точнее – вонючая яма. А еще точнее – яма с дерьмом.

Жили там в основном бедняки, разнорабочие – публика простая и очень отличная от Софкиных соседей по Торговой.

Он вошел во двор. На балконах сохло белье. В центре двора стоял огромный, кривой, почерневший от дождя стол. Поскрипывали на ветру кособокие и ржавые качели.

Старуха в теплом пальто и огромных кирзовых сапогах сидела на лавочке и дремала, положив голову на скрюченные руки, державшие деревянную клюку.

Он стоял и разглядывал балконы и окна. Одно окно распахнулось, и из него выглянула женщина в черном платке, повязанном по самые брови.

– Кого тебе?

Он назвал.

Она высунулась теперь еще больше, почти по пояс, и крикнула:

– А зачем?

Он растерялся и беспомощно оглянулся. Несколько окон уже были распахнуты, оттуда выглядывали женщины и дети разных возрастов.

Одно окно оставалось закрытым, но он увидел за легкой занавеской тонкий, еле различимый силуэт.

Он узнал ее сразу. Это была она, Гаяне.

Он облегченно вздохнул и улыбнулся — значит, адресом не ошибся.

Потом были долгие переговоры с Арсеном, отцом Гаяне, суровым мужчиной с тяжелым взглядом. Сначала тот хотел его просто выгнать — безо всяких там разговоров. Грозил родней — своими братьями и сватами. Потом, слыша плач дочери из соседней комнатки, смягчился и поставил на стол бутылку водки. Пили молча, не поднимая глаз — смотреть друг на друга не хотелось. Потом он сказал: «Черт с тобой, бери. Только свадьбу сыграем здесь. Без записи я вас не отпущу». И заплакал.

В загсе была очередь на два месяца. Пришлось звонить Софке — хотя очень не хотелось. Софка выслушала его и вздохнула — ох и упертый же ты хлопец! Весь в своего папашу, чтоб ему!

Сравнение с отцом ему не понравилось, но делать нечего — без Софки ему не справиться.

И она помогла. Расписали их через три дня. Свадьбу справляли во дворе. Соседки накрыли стол. Готовили все — грузинка Софико, русская Тоня, армянка Седа, еврейка Рахиль и азербайджанка Лейла.

Гаяне сидела потупившись. Ее тетки плакали, соседки тоже. Только одна соседка, по прозвищу Умная Седа, громко сказала: «Чего ревете? Не на поминках! Ну едет девочка в столицу — и слава богу! Не будет с вами собачиться — уже хорошо. Да и жизнь у нее там будет полегче! Дай-то бог!»

Соседки и родня притихли, и прокатился шепот: «Дай-то бог! Может, и вправду нашла свое счастье?»

А он не мог на нее налюбоваться — просто глаз не отводил. Правда, счастью его мешала предстоящая встреча с матерью. Понимал, что сделал все некрасиво и даже подло по отношению к ней. А потом — отодвинул, отмахнул от себя все муторные мысли. А куда она денется? Свыкнется, смирится. Ведь он привезет жену. Да какую жену!

В поезде он рассказывал Гаяне про Москву. Про широкие проспекты, огромные магазины, музеи и театры. Она слушала его замерев. Только в огромных глазах плавали страх, тоска и тревога. И еще – восторг, радость, нетерпение и ожидание.

Он крепко ее обнимал и обещал, что все у них будет прекрасно! Так прекрасно, что она даже и представить не может! И впереди у них... Господи, сколько всего у них впереди!

Потом жизнь показала – действительно невозможно. И какое счастье, что никому не дано увидеть свое будущее. Кто бы, интересно, мог с такими знаниями не сойти с ума, не свихнуться...

Впрочем, он был искренен. И только это его оправдывало. Только это.

* * *

Мать сидела за столом и, по обыкновению, смолила свой «Беломор». Рядом на столе, на подкладке из старого бархатного «салопа», оставшегося в наследство от давно умершей свекрови, стояла кормилица – печатная машинка. Мать резко отодвинула рукой пачку бумажных листов – готовой уже работы.

Они стояли на пороге комнаты, не решаясь войти.

– Что застыли? – спросила мать. – Робкие какие! – она усмехнулась.

Обиделась, конечно, обиделась. Все вполне понятно. Он увел ее на кухню и встал на колени. Она вытерла слезы и махнула рукой.

– Вставай, дурак. Мне-то что. Я переживу. Я все переживу. А вот ты, Борька... – И еще раз повторила: – Ох, дурак!

Потом ужинали, и мать расспрашивала невестку о семье и о прошлой жизни. Потом постелила им постель и ушла ночевать к соседке. Уходя, усмехнулась:

– Ширму купите. Завтра-то я вернусь, как бы там ни было.

И ширму купили, и какую-то одежду молодой, и плащ, и ботинки.

Борис с матерью уходили на работу, а его молодая жена оставалась дома. Даже в магазин ходить поначалу боялась.

Соседи на кухне принюхивались – пахнет-то как, с ума сойти! И удивлялись, сколько разных душистых трав кладет молодая в казанок с мясом.

А она старалась. Ох, как старалась. И мужу угодить, и свекрови.

Только свекровь ее как будто не замечала – поест, попьет, скажет «спасибо», и к телефону или за книжку. Поняла – не о чем свекрови с ней говорить. Не обиделась – она была не из обидчивых. Мужа своего любила. Вернее, если бы ее об этом спросили, растерялась бы. А что такое любовь?

Да, скучала. Ждала его с работы – не отходила от окна. Ночью прижималась к нему, и ей все в нем было приятно – и запах его тела и волос, и его руки, которые он клал ей на грудь.

Она подходила к зеркалу и повторяла его имя – шепотом и по складам. И это тоже ей было приятно. Свекрови она побаивалась. Хотя понимала, что та – женщина не злая и не вредная. Ни к чему не придирается, замечаний не делает. Всегда – «спасибо» и «было очень вкусно».

И все-таки Гаяне понимала, чувствовала, что пришлась не ко двору. И еще – что чужая. Абсолютно чужая. И что свекровь ее просто терпит. А как иначе? Жена сына. У таких людей все прилично, без скандалов. Все будут молчать и терпеть. Так у них принято.

Конечно, муж ее «выгуливал». Показывал Москву – и сердце у нее замирало от восторга. Ходили в театры и музеи. Изредка – к его друзьям. И вот там ей казалось, что он немного нервничает. Стесняется, что ли? И она молчала – потому что всегда, *всегда* чувствовала себя там чужой. Правильно говорил ее отец. И еще – лишней.

Впрочем, лишней она чувствовала себя всю жизнь.

* * *

Мать упрекала его:

– Привез девочку, посадил дома, у горшков. А ей надо учиться. Мало ли что?

– Что? – спрашивал он с вызовом.

В душе понимал – мать права. Куда с образованием в восемь классов в столице?

И отправил жену в вечернюю школу. Пусть закончит – а там посмотрим. Видно будет.

Посмотрели. Через год Гаяне родила дочку. Назвали Машей.

Вечерняя школа кончилась, и начались другие хлопоты.

Слава богу, через полтора года дали вторую комнату, освободившуюся после смерти одинокого соседа. Крошечную, семиметровую. Но и это было счастьем. В нее въехала мать – и никакие уговоры не помогли. А они обустроились в прежней, пятнадцатиметровой, с двумя окнами. Роскошно! И никаких ширм!

* * *

Отца он встретил случайно. Бежал на встречу по Чистым прудам, торопился. Взгляд уткнулся в знакомую до боли сутулую спину. Чуть скошенный затылок, крупные руки, шаркающая походка.

Остановился и вздрогнул. Сомнений не было – отец. Смотрел ему вслед и лихорадочно думал – догнать? Окликнуть?

Догнал. Дотронулся до плеча. Отец оглянулся. Оба молчали.

Борис спросил первым:

– Как ты?

Отец пожал плечами:

– По-всякому. Тася умерла, жена моя. Под машину попала. А такая была здоровая... – И отец хлюпнул носом.

Опять замолчали. Он начал рассказывать ему про свою жизнь, торопливо, сильно смущаясь, – женился, родился ребенок, дочка. Работой доволен, зарплатой – не очень.

Сказал, ничего не имея в виду, а отец нахмурился, насторожился.

Про мать – ни слова. Пожелал успехов и протянул руку.

Он сел на скамейку, пытаясь прийти в себя. Чуть не плакал – расстроился, как сопливый мальчишка. Стыдоба какая!

Душили и стыд, и злоба, и обида. Как он так может, как? Ведь была семья! Была мать – молодая, прекрасная, с черными бровями вразлет, сероглазая и кудрявая. И еще – веселая! Всегда смеялась. Была коляска – низкая, голубая. И в ней лежал он, его сын. Его первенец. Еще Борис помнит, как получили комнату – и сколько было счастья! И как отец стоял на подоконнике и вешал гардины – тяжелые, темно-красные, плюшевые. А мать покрикивала на него и сердилась: «Какой ты косорукий, Вася!»

А потом мать приносила сковородку с жареной картошкой, и садились ужинать. После ужина отец рисовал Боре корабли и самолеты. И засыпал на диване. А сын тормошил его и обижался: «Пап, ну пап!»

И еще – цирк на Цветном. Клоуны и медведи на длинной цепи. И шарики мороженого в овальных вафлях – шоколадного и ванильного. И сладкий лимонад. И каучуковый мячик на резинке: стукнешь об асфальт – и он подпрыгивает до неба!

Все кончилось в один день. Отец молча собирал чемодан, а мать курила у окна. Когда он открыл дверь, чтобы уйти, мать не обернулась. А Борька заревел, тринадцатилетний балбес, и закричал: «Папа! Не уходи!» Отец дернулся и хлопнул дверью.

Потом Борис узнал, что отец ушел к другой женщине. Ее звали Тасей. Она работала с отцом в управлении делопроизводителем – так странно называлась ее должность. Любопытство разбирало – он стоял в подъезде напротив и караулил отца с этой Тасей. Увидел – полноватая, простоватая, в нелепом голубом пальто, с высокой «башней» на голове. Отец держал ее под руку, и они оба смеялись.

Странно, подумал он, раньше отец никогда не смеялся. Во всяком случае – Боря не помнил. Смешливой была мать. А отец – отец всегда раздражался и одергивал ее: «Лиза! Ну и что тут смешного?» Видно, везло ему на смешливых.

К ним отец не приходил. Никогда. Иногда звонил ему – поздравить с днем рождения или с октябрьскими праздниками. Алименты мать получала по почте.

Однажды сказала:

– А у отца твоего родилась дочка. Не хочешь поздравить?

Он буркнул:

– Да пошли они все!

Мать усмехнулась:

– Ну и правильно! Ну их к чертям!

Тогда он захотел поменять фамилию. Мать отговорила:

– С фамилией Луконин жить проще. А с моей – хлопот не оберешься! Видишь, даже я не меняю. А мне с его фамилией ходить... не очень приятно, прямо скажем.

Он тогда не понял – почему не оберешься хлопот? Отличная фамилия – Розенцвет.

Розовый цветок. Хотя какой он цветок? Тем более – розовый.

Он помнил, как мать ждала с фронта отцовских писем. Так ждала! Письма были редки – да слава богу, что доходили до уральской глуши, в деревню Вязкое, куда они попали в эвакуацию. Мать работала в сельсовете – и бухгалтером, и счетоводом, и помощником председателя – старика Лукьяна, хамоватого пьяницы, резкого на язык, но честного и справедливого. Мать он называл Лизаветой и очень ценил и уважал.

– Кто забидит – мне скажи, – требовал он, – лопатой пристукну.

Никто не обижал – некому. Одни старухи, дети и эвакуированные.

В сорок четвертом вернулись в Москву. Он смотрел в окно вагона и радостно поскуливал, как щенок, – скоро Москва. Столица. Его родина. Там есть комната. Теплая, с нормальной кроватью – так рассказывала мать. А не с лежанкой на печке, из вонючих тюфяков и старых одеял. Там остался его грузовик – тот, что подарил ему перед войной отец. И плюшевый медведь Степка. И еще – скоро придет отец! Живой и невредимый! С фронта. И заживут они... Как у Христа за пазухой, как говорила бабка Дуня, хозяйка избы и потемневшей печки. Та, что терпела их почти три года.

Отец вернулся – почему-то загорелый, немногословный и чужой.

Боря даже побаивался его. Отец много ел и подолгу пил чай с сахаром вприкуску.

Однажды ночью Боря проснулся от громкого, яростного материнского шепота, переходящего в сиплый, приглушенный крик. Мать говорила про какие-то письма, про полевую жену, обзывала отца негодяем и гнала из дому.

Отец отвечал глухо, ничего не разобрать. Услышал только: «Не гони, *там* уже ничего нет. Было, и прошло. Война».

Они долго не разговаривали. Вернее, не разговаривала с отцом мать. Потом как-то все наладилось и, вероятно, забылось. Отец подарил маме часы на тонком ремешке и свозил их на море, в Крым.

У матери постепенно стала расправляться жесткая поперечная складка на переносице — появлявшаяся, когда мать сердилась или у нее болела голова. Правда, смеялась она теперь гораздо реже.

Весной отец побелил потолок и выкрасил белой краской оконные рамы. К осени собирались купить новый шифоньер и кровать для него, Бориса. Мечтали съездить под Одессу, к отцовской родне. В село со странным названием Пирожное.

А в августе отец ушел. К той самой пухлявой Тасе. Делопроизводителю.

Как потом мрачно шутила мать — дело она свое произвела, нечего сказать. Умело и четко. В смысле — побыстрому увела отца. Как бычка из стойла.

* * *

Матери про ту встречу на Чистых прудах он ничего не сказал. Может, зря? Может быть, ее бы утешило, что отец вдовец и совсем не выглядит счастливым?

Хотя вряд ли. Мать никогда не радовалась чужому горю. И его бы начала жалеть. С нее станется. В общем, правильно. Чего ей душу бередить? Она вся в Машке, во внучке. Да и слава богу! Только радоваться жизни начала. Даже невестку свою молчаливую вроде как приняла. В смысле — сердцем. Теплее к ней стала, заботливей. Тревожится все: «А ты поела? А как спала?»

Мать приняла, а он... Даже думать боялся — так было страшно. Думать о том, что...

Что не все в порядке у них. Не все. Нет, внешне все так же, без перемен. Жена послушна и доверчива. Смотрит на него по-прежнему — глаза распахнуты, всегда кивает и соглашается.

А вот он... У него... Как-то все не так, что ли. И домой не рвется, и по ней не скучает. Тяготиться как-то стал. Заботой ее, ласками, жаркими и неумелыми. И стыдно от этого всего так... Что жить не хочется. Себе ненавистен. А поделать с собой ничего не может. Ночью отворачивается – устал. Уходя на службу, рассеянно чмокает – в лоб или в щеку.

И еще одна мысль в голове – стучит в мозгу, как дятел по деревянному стволу: «Что я наделал, господи! Что я наделал!»

А в деревянной кроватке гулит Машка. Дочка. Вот что он наделал!

* * *

Еще отметил – стал приглядываться к женщинам. Казалось бы – нормально. Какой молодой и здоровый мужик не обращает внимание на женский пол! Правильно, любой. Только внимание обращают все поразному. Кто-то отмечает стройные женские ноги и красивую прическу, а кто-то... Кто-то мысленно раздевает эту женщину и представляет ее... Ну, все понятно – как и что он себе представляет.

Вот здесь был тот самый случай. И было от этого стыдно, плохо и муторно. Так стыдно и так муторно, что Борис опротивел сам себе. Опротивел до ненависти.

Хорошо, что мать находилась в другой комнате – вот она бы углядела ситуацию сразу, от нее не скроешь – даже потайных мыслей.

А Гаяне... Казалось, она ни о чем таком и не задумывается. Хлопочет с дочкой и по хозяйству – когда ей задумываться?

А может, только казалось?

Да и мать стала смотреть на него с тревогой. Материнское сердце не обманешь.

Однажды поймала его за руку на кухне и прошипела:

– Выбрось блажь свою из головы! Девочку эту ты привез почти насильно. Вырвал ее из привычной жизни. Увез от родных. И теперь за нее отвечаешь! У вас дочь! Или скучно стало, наигрался? Кровь поганая луконинская заиграла?

Мать сверкала глазами и крепко держала его за руку.

Он руку выдернул:

– Мам, ты о чем? Устал просто. Машка кричит по ночам. Не высыпаюсь. Да и две операции были сложные, срочные. Понимать надо!

Мать бросила вслед:

– Смотри, Борька! Обидеть их я тебе не дам!

* * *

В больнице, старой, огромной Первой градской, он довольно скоро был допущен в операционную. И даже ассистировал асам. Однажды повезло – ассистировал самому Гоголеву. Тот остался Борисом доволен и даже удостоил короткой суховатой похвалы. А попасть к нему в ученики, тем паче – в любимчики, было совсем непросто.

Профессор Гоголев в урологии был царь и бог. И с этим не спорили даже его враги. А их было предостаточно – Гоголев отличался жутким характером.

Нетерпимый к любой халтуре или небрежности, на коллег он кричал при пациентах и младшем персонале. Понимал, разумеется, что это неправильно, но, видя любую несправедливость, сдерживаться не мог. Или не хотел.

К тому же заслуги Гоголева были неоспоримы – блестящий хирург, профессор, автор статей и монографий, да еще и фронтовик. Отчаянный храбрец и правдолюбец.

Злопыхатели посмеивались (разумеется, за глаза) – чего бояться Гоголю? Аденому простаты еще никто не отменял, и страдали урологическими недугами партийные боссы еще как! Было тому и объяснение – тогда еще, кстати, не вполне научное: чиновничье старье вечно боялось интрижек «сбоку» – кресло, власть, блага и подати куда дороже! А простата требовала «ухода» – регулярной и активной половой жизни. Верные подруги, жены, пациентов давно не интересовали, а вот юные прелестницы... Те были недоступны.

Профессор Гоголев пользовал эту публику без удовольствия, понимая: если что серьезное, рассчитывать на них можно вряд ли. Тут же попрячутся по норам – трусливы как зайцы. А по мелочам помогут, не сомневайтесь. Нужный звонок, указание, просьба. Да и потом – поди откажи! Вот тогда точно хлопот не оберешься.

И они, эти serолицые, обрюзгшие, с затравленными мертвячьими глазами и тихими, но твердыми голосами дядьки терпели неприветливость и даже грубость профессора, послушно кивая и суля свою помощь – непременно и во всем! Только обратитесь!

Правда, однажды и этот столп закачался – завел профессор на старости лет интрижку в отделении. Даже не интрижку – вполне себе роман. Героиня романа – молоденькая медсестричка Наденька Арбузова. Хорошенькая, как ангел. Тоненькая, беленькая, глазки распахнутые, удивленные.

И на пятиминутке краснел Гоголев, как подросток, и боялся на Наденьку поднять глаза.

А Наденька – девица скромная, тихая. Чуть что – краской заливается, как все белокожие блондинки, до свекольного цвета. И из семьи нищей: мама – нянечка в больнице, папаша пропал без вести. А еще двое братишек-хулиганов. Мать от горя и нищеты попивала. И замуж Наденьку гнала – твердила: найди богатого! Пусть старого, но богатого! Чтоб не маяться, как она, мать родная. «Смотри на меня и запоминай!» – твердила мать.

Наденька оказалась послушной дочерью. И быстренько профессора обработала. На кожаном диванчике в профессорском кабинете. А через пару месяцев предъявила справку о беременности. Деваться некуда – влип Гоголев по самые уши.

Наденька не поднимала на него свои небесные очи. Только, заливаясь пунцовой краской, тихо повторяла, что аборт она делать не станет – ни за что на свете. Жизнь свою молодую корежить не даст – тоже ни за что на свете. И обмануть себя не позволит. Не такая она дура.

– Заделали ребеночка – отвечайте! – тихо, как заведенная, повторяла она.

И в тот же день наведалась Наденькина мамаша – страшная тетка с отекшим лицом и гнилыми зубами.

Тетка сипела, что нищету обидеть каждый может. А сироту – тем более. Но! Есть на это советское государство и родная коммунистическая партия. И еще справка – что отец Наденьки фронтовик. Даром, что служил папаня в штрафбате. Служил же! Кровь проливал.

Гоголев смотрел на страшную тетку с ужасом и впервые почувствовал дикий, почти животный страх. Так страшно не было в военном госпитале на передовой и в санитарном поезде под бомбежкой «мессершмиттов», так страшно не было даже тогда, когда подвез его черный воронок к известному особняку на тихой зеленой улице, почти черному, светящемуся, как подбитым глазом, одним окном. Тогда он понял, кто его пациент. Понял моментально и не ошибся.

В тот раз обошлось. Ночью он даже вспомнил слова молитвы, которые шептала его старенькая деревенская бабка.

А после визита Наденькиной мамаши даже появились мысли о самоубийстве. Такой позор и такой кошмар!

Гоголев был женат на своей однокласснице и первой любви. Ниночка Скворцова пошла за ним в медицинский – не по зову сердца, а только чтобы быть рядом. Впрочем, наверное, это и был зов сердца. Ждала его с фронта. Слава богу, дождалась. Перед самой войной родилась дочка Леночка, по-домашнему Елка.

И все было хорошо! Даже к характеру мужа, ох какому нелегкому, Нина притерпелась. Говорила – знаю, за что терплю.

Получили большую квартиру на Гоголевском, смеялись: Гоголевы на Гоголевском. Муж работал, Нина вела хозяйство – замечательно, надо сказать, и очень рачительно. Он не переставал удивляться – избалованная девочка из «художественной», почти богемной, семьи. Теща Гоголева, беззаботная мадам Скворцова, была известной московской театральной художницей. Сразу после свадьбы объявила смущенному зятю, что обращаться к ней по отчеству не стоит – все зовут ее Татка. Он, краснея как рак, тихо пролепетал: «Попробую». С тестем, довольно известным скульптором, было еще проще – все, включая его многочисленных учеников, называли его Ефремыч – хотя это было вовсе не отчество, а имя. Мужик он был простодушный и веселый.

Оба, и Татка и Ефремыч, погибли при бомбежке – в бомбоубежище они, разумеется, не спускались – было просто лень.

Дочка Леночка росла умненькой и послушной.

И ничего не предвещало беды.

Нина узнала обо всем сразу – нашлись доброхоты. Села напротив мужа и сказала – тихо и твердо:

– Сережа! Не ломай себе жизнь! Они так просто не успокоятся. Доведут тебя до могилы. А до этого потеряешь отделение. И позор на всю Москву.

– Я не хочу, – тихо, не поднимая глаз, сказал он.

– Давай не будем про «хочу» и «не хочу», – усмехнулась жена. – Вот и плати теперь за свои «хотелки». А я в этом кошмаре и унижении жить не стану. Наденька твоя уже к нам приходила. Слезы крокодильи лила. Сначала лила, а потом грозилась – и тебе, и нам с Ленкой.

Нина с Леной уехали в Елец, к родне. Собрались спешно и уехали – одним днем. Гоголев пришел с работы домой, а там пусто – ни одежды, ни Елкиных игрушек и книг. Больше не взяли ничего – даже из посуды и постельного белья.

Нина устроилась в поликлинику и получила комнату. А потом в комнате осталась повзрослевшая Лена, а Нина перебралась в дом тетки – ухаживать за ней и ее огородом.

Лена заканчивала школу и мечтала о медицинском. И еще – о Москве, которую хорошо помнила. И Красную площадь – яркую, пеструю, наряженную и украшенную к Первомаю. И широкие плечи отца, на которых она сидела и махала красным флажком. И мороженое в вафельном стаканчике с шоколадной шапочкой, и вареную колбасу под названием «Докторская»: «Это для нас, да, пап? Для докторов?» И спектакль «Синяя птица» – чудной, странный, волнующий, просто завораживающий – своими чудесами и декорациями, который она не очень поняла: почему Сахар – живой? И Хлеб? И даже папа не мог доходчиво объяснить.

И их огромную квартиру, бывшую квартиру. Куда приходил полотер Костик, и после его ухода полы блестели, словно ледяные, и, словно ледяные, скользили, и еще очень вкусно пахли мастикой.

И гости – на Новый год и прочие праздники. Много гостей, целая толпа нарядных и веселых людей. И запах пирогов с капустой. И звуки танго, которое танцевали прекрасные женщины и восхитительные мужчины.

А дальше был спешный отъезд в Елец. И она спросила у матери: почему?

Мать ответила:

– Так надо. У папы скоро появится другой ребенок.

Все это было страшно и непонятно, и она закричала:

– Какой «другой»? У папы есть я!

– И ты есть, – вздохнула мать. И попросила: – Не рви мне душу, Елка. Силенок наберусь – объясню.

Отец в Елец приезжал дважды. Мать хватала с вешалки жакет и убегала на улицу. Лена сидела за столом и делала уроки. На вопросы отца отвечала односложно – да, нет.

Он сидел недолго – прием оставлял желать лучшего.

Однажды попытался рассказать Лене про свою жизнь. Она перебила – мне это неинтересно.

Больше отец не приезжал. Она знала, что у него растет сын Миша. Который живет в их квартире. Наверно, в ее комнате с видом на Гоголевский бульвар. И теперь его, Мишу, отец держит на плечах на Первомай и с ним ходит на «Синюю птицу».

Мать удивлялась:

– Даже чаю не предложила? Ну и стерва ты, Елка. – И почему-то улыбалась и трепала дочь по щеке.

В десятом классе решили, что поступать Елена поедет в Ярославль. Там прекрасный медицинский. И неплохое общежитие.

А на майские в десятом классе Елена поехала с экскурсией в Москву.

И поняла, что поступать она будет в столице.

Это было так ясно, что обсуждению не подлежало.

Да мать не особенно и спорила – решила так решила. Твоя жизнь.

* * *

Гоголев пил. Сначала дома, вечером, понемногу. Пару рюмок «поднесенного» коньяка или водки. Иногда позволял себе на работе, правда, после операций. Но и это было недопустимо. Потом срывался в запои – редкие, но крепкие.

Недоброжелатели и завистники ухмылялись – слетит Гоголь, слетит! Как пить дать! И не помогут ему его пациенты!

Пошли анонимки, доносы. Вызывал на ковер главный. Песочил, как мальчишку. Гоголев молчал, уставившись в красный с зелеными разводами ковер.

Дома Наденька кричала и грозилась милицией. Однажды он замахнулся на нее – она вздрогнула и замерла с открытым ртом. Испугалась, подумал он. Ничуть. Просто опешила. А потом развопилась еще пуще. Пошли оскорбления – и старый пень он, трухлявый и жалкий. И пьянь беспролазная, и инвалид «по мужской части».

Предложил развестись и разменять квартиру. Наденька сунула ему под нос жирную фигу.

– Подожду, пока ты сдохнешь!

Сын Миша рассмеялся и показал ему язык.

Той же ночью профессор Гоголев выполнил Наденькино пожелание. Повесился в ванной комнате.

* * *

Гроб выставили в больнице, в огромном актовом зале. Начальство распорядилось – все по высшему разряду. И панихида, и похороны.

Главврач все усердно исполнял, чувствуя при этом огромное облегчение – с уходом Гоголева будет только спокойнее. Ни скандалов, ни писем в вышестоящие организации по поводу ведения лечебного процесса и отсутствия препаратов. Не будет склок недовольных резкостью профессора сотрудников. И, наконец, не будет его жены! Ее истерик и жалоб на мужа – в устном и письменном виде.

На похороны приехали Нина и Елена. Вначале, никем не опознанные, они тихо стояли у стенки, и Нина плакала.

Елена во все глаза смотрела на худую, вспыхивающую красными злыми пятнами женщину в черном шелковом платье, с высоким начесом травленых, безжизненных волос, и думала: Вот на эту мымру он нас променял! Злобную, нервную...»

К ней и к матери стали подходить люди, коллеги отца. Отцовская жена смотрела на них с нескрываемой ненавистью и требовала закрыть панихиду. Речи быстро свернули – от греха подальше. Боялись скандала.

На кладбище ни Елена, ни мать не поехали. «Попрощались – и довольно», – сказала мать.

И правильно – долг отдали. Елена не плакала – слез почему-то не было.

Ненависти к отцу тоже уже не было – в гробу лежал сморщенный и какой-то мелкий старик. Да, так и было – мелкий и жалкий старик, а не ее любимый и сильный папа.

Ненависти не было, а вот обида была. Точнее – осталась. Никуда не делась. И еще – недоумение. И немного – презрение. Зачем и ради чего человек так искорежил свою жизнь?

И еще – ради кого?

* * *

Елена легко поступила в институт – сдала все на «отлично». В приемной комиссии перешептывались: дочка Гоголева? Ну да, похоже. А когда задали этот вопрос напрямую, вскипела:

– А что, есть разница?

Задавший вопрос стушевался и на дерзость не ответил.

Тридцатого августа Елене выделили койку в общежитии. Кровать у окна, тумбочка, вешалка.

Еще три койки. Какие будут соседки? Интересно и страшновато – уживемся ли?

* * *

Елену Борис увидел на похоронах Гоголева. Увидел и понял — его женщина. Господи, какая глупость! А жена?

Его жена была теперь совсем чужой, непонятной женщиной. Он никогда не знал, что у нее в голове. Ее покорность раздражала, а не умиляла, как прежде.

И еще понимал — никуда не деться. Мать права — за все надо платить. За торопливость и необдуманность своих поступков — тем паче.

Стыдился этих мыслей — ах, если бы уехала! Навсегда. Все поняла и уехала. Она и уехала в Баку к родне, в сентябре, когда спала жара. Мечтал — а вдруг... Вдруг не вернется! Вернулась. И, по глазам видел, соскучилась.

Нет, он по дочке, конечно, тоже скучал. Но... Понимал, и было опять невыносимо стыдно: не будет их в его жизни — переживет. Точно, переживет. И даже облегченно вздохнет.

Сволочь он, настоящая сволочь. Правильно мать говорит — тухлая луконинская кровь.

Только и это вряд ли оправдание. Вряд ли. Все равно — сволочь. Подонок.

Такой вот Борис вынес себе вердикт. Легче не стало.

Елену с того дня он не забывал — перед глазами стояло ее лицо. Холодноватая среднерусская красота. Серые глаза, светло-русые волосы. От нее исходило какое-то спокойствие, уверенность, что ли. Такая возьмет за руку и развеет все сомнения. Сразу. И станет на душе легко и просторно.

Яшке он сказал:

— Устал я от персидских миниатюр.

Тот, как всегда, сморщил лоб, кхекнул, поправил очки и осторожно спросил:

— Ну и как ты будешь со всем этим разбираться?

Ответа не было. Была одна тоска, мутная, тягучая, словно топкое болото. Засасывала медленно, будто наслаждаясь его терзаниями и муками.

Дома все молчали – Гаяне, мать. Шумела только Машка – приставала с бесконечными вопросами. Гаяне брала ее за руку и уводила к бабушке.

Иногда он оставался у Яшки. Пили коньяк или водку, закусывали шпротами из банки и трепались за жизнь. Впрочем, Яшка, по обыкновению, был немногословен.

Женитьба в его планы не входит, говорил, вообще. Объяснял, что он – убежденный холостяк. Удивительно! И это при том, что Яшкина семья была образцом семейного благополучия.

У Яшки была своя теория – жена обязательно должна быть красавицей. По-другому никак. А красавица-жена ему не грозит – при его-то внешности и комплекции. Яшка был типичным тюфяком – шлемазл, как называл его отец. Полноватый, неуклюжий губошлеп с отвратительным зрением – бифокальные очки тоже не красят. А вот его «драгоценного» внимания удостаивались только самые признанные красавицы. Борис называл его главным теоретиком: романы Яшка не заводил. Вернее – с ним романы не заводили.

Девушки обходили его вниманием, даже самые невзрачные. Ловелас из него никакой. Следовательно – одиночество. Да и слава богу! Насмотрелся он на «счастливые» браки друзей и близких. Увольте!

* * *

Елена училась с упоением. Нравилось все, даже занудные латынь и фармакология. В анатомичке не дрогнул ни один мускул – словно бывала там регулярно. Девчонки да и ребята бледнели, зажимали носы и выскакивали за дверь. Елена, выйдя, деловито достала бутерброд с колбасой и съела его там же, на скамейке у двери анатомички, где даже в коридоре пахло формалином и всем прочим, чем и должно пахнуть в подобном месте.

На каникулы ездила к матери — дома вдыхала аромат печки, куриного супа и пирогов. Ела и спала. И еще — говорили с матерью, говорили. До рассвета. Обо всем. Не касались только темы отца.

Елена видела — боль за столько лет не прошла. Может, только притупилась, стала глуше.

Соседки по комнате были вполне себе нормальными девчонками.

На третьем курсе Лиля, общепризнанная королева лечфака, вышла замуж за преподавателя, старше, разумеется, на добрый десяток лет. Да нет, гораздо больше. Лиля переехала в отдельную квартиру и через полгода уже медленно ходила, поддерживая рукой беременный живот. После родов в институт она не вернулась.

Наташа, казачка из кубанской станицы, тоже выскочила замуж — вслед за Лилей. За водителя троллейбуса. На вопрос соседок зачем, Наташа бесхитростно ответила: «А из-за прописки! Не хочу после института в село возвращаться. Нажилась!»

Остались вдвоем с Алией Гафуровой — тихой, словно мышка, зубрилой и отличницей. В субботу Алия жарила беляши. В их комнату рвались соседи — на запах. Приносили сухое вино, и начинался пир. Алия, поставив на стол таз с беляшами, ложилась на кровать и читала учебник.

Не соседка, а подарок! Повезло, что и говорить.

* * *

Борис встретился с Еленой на юбилее друга профессора Гоголева. Академик Солнцев поступок друга осудил, уход из семьи не одобрил, но дружить с ним не переставал – видел, что тот несчастлив. Жалел и настаивал, что ситуацию можно повернуть вспять.

Гоголев отвечал, что он не герой, мужества не хватит. И еще, почти перед самой смертью, попросил друга не оставлять его дочь. «Помоги, чем сможешь», – сказал он тогда. И это был их последний разговор.

Солнцев предлагал Елене помощь – любую. Предложил переехать из общежития к ним, в высотку на Котельнической. Елена отказалась, естественно. Однажды, сильно смущаясь, Солнцев предложил денег. Елена расплакалась и убежала. Он ждал ее у института и просил прощения. Помирились.

Юбилей отмечали в ресторане «Националь».

Елена в сшитой за одну ночь юбке и новой кофточке шла чуть прихрамывая. Невыносимо жали одолженные у соседки лодочки на шпильке – почти на два размера меньше. Просто слезы из глаз. Мысль была одна – скорее бы сбежать, скорее!

Даже есть не могла, а сколько там было всякой вкуснятины!

Бориса она, разумеется, не узнала. Он подошел и пригласил ее на тур вальса.

Она растерялась – какие танцы, подумать страшно! Но женское победило – нащупала под столом ненавистные лодочки и пошла...

После танца она торопливо простилась и заспешила к выходу. Разболелись не только ноги, но и голова. Он бросился за ней на улицу.

На лестнице она потеряла туфлю-мучительницу. Пока спешно, красная от смущения, она натягивала свой «испанский сапожок», он догнал ее и улыбнулся:

– Золушка.

– Да уж! – раздраженно бросила она.

Он все понял. Выскочил на улицу и остановил такси.

Ни к кому в жизни она не испытывала такую благодарность!

Ночью, вытянув измученные ноги, закрыла глаза и счастливо улыбнулась. И поняла, что влюбилась. В первый раз в жизни.

* * *

Он ждал ее возле знакомого здания в переулке Хользунова. Она выбегала – легкая, быстрая, близоруко щурила глаза, отыскивая его в толпе. Увидев, вспыхивала и не могла скрыть счастливую улыбку.

Про то, что женат и у него растет дочь, он сказал ей после их первой ночи, в полупустом общежитии, – все разъехались на каникулы и практику. Сказал и в очередной раз почувствовал себя подонком.

Истерик она не устраивала. Сказала, что ни о чем не жалеет и что это их последняя встреча. И еще попросила его поскорее одеться и уйти прочь.

Так и сказала – прочь.

Он просил прощения и пытался объясниться. Она молча слушала его сбивчивый монолог о том, что женился он по молодости и глупости, что жену давно разлюбил, отношения соседские. Жена – человек прекрасный, но... Чужой абсолютно. Никаких перспектив на дальнейшую жизнь. Никаких.

И что полюбил Елену еще тогда, на похоронах ее отца и его любимого учителя. И вспоминал все время, ежедневно. Твердил, что бывают ошибки, бывают. И надо быть милосердными – понимать и прощать. Потому, что есть во имя чего – во имя любви.

Она молчала. Потом сказала – спокойно, слишком спокойно:

– Невозможно. Категорически невозможно.

И добавила, что никогда она не разрушит чужую семью. Никогда. Потому что все прекрасно помнит: и слезы матери, и свое детское горе, и отъезд в Елец, нищету и неприкаянность – всю разрушенную жизнь.

– Да, все так, как ты говоришь, – проговорил Борис. – Я сам прошел через это. И не мне объяснять про эту боль. Но разве счастье того не стоит? Даже такой высокой платы? Счастье и любовь?

Она покачала головой – нет, не стоит. Потому что чужое горе глубже, чем это самое пресловутое счастье. Счастье измерить можно, а горе без дна.

Борис приходил в Хользунов каждый день. Елена проходила мимо него не останавливаясь, под обе руки с подружками, – держала оборону.

Он смотрел ей вслед и, молча, понурившись, брел к метро.

Гаяне по-прежнему молчала. Мать перестала с ним разговаривать. Когда он был дома, в их комнату не заходила. Свою запирала на ключ изнутри. Открывала только Машке.

Однажды он спросил жену:

– Слушай, а тебя все устраивает?

Она пожала плечами:

– Нет. А что?

– Как что? – Он усмехнулся. – Ничего поменять не хочешь?

– Я – нет, – тихо ответила она. – Это ты хочешь.

– Правильно! – крикнул он. – Я – хочу! Потому что все это – не-вы-но-си-мо!

Она вздохнула:

– Все выносимо. Есть вещи и куда страшнее.

– Да! – опять крикнул он. – Это когда ты ничего поменять не в силах! А когда изменить что-то можно?

– Меняй, – ответила она и вышла на кухню.

В этот же вечер он ушел к Яшке. С вещами.

Через три месяца в суд вместо невестки пришла мать. Бросила ему вслед:

– Дрянь ты, Борька. Какая же ты дрянь!

Ему было все равно. Он схватил «освобожденный» паспорт с печатью о разводе и бросился к Елене.

И ничего больше его не интересовало. Ничего. Только бы она открыла ему дверь!

Открыла.

* * *

На пороге стояла изможденная женщина с гримасой боли на узком иссохшем лице. Елена не узнала ее, совсем.

– Надежда я, – сказала женщина, прислонившись к дверному косяку. – Немудрено, что не узнала, – усмехнулась она. – Надежда я. Жена твоего отца, вспомнила?

Елена кивнула и отступила в комнату. Та вошла, опустилась на стул и проговорила:.

– Слушай внимательно и не перебивай. Говорить тяжело.

Елена кивнула.

– Ухожу я. Совсем скоро уйду. У меня – никого. Мать померла, братья в тюряге. Один вроде помер, точно не знаю. Сын Мишка в Суворовском. Друзья твоего папаши устроили. Не справлялась я с ним. Умру – у него никого, один как перст. Только ты. Сестра. И квартира еще. Папаши твоего, на Гоголевском. Та, где ты родилась. Короче – прописать тебя хочу. Не потому, что благородная, – она опять усмехнулась. – Благородными рождаются. Это не про меня. Просто о Мишке думаю – пацан еще. Да и характер... Волчонок. Отец ведь его не любил – тебя любил. От него отмахивался. Не принял. – Она замолчала и посмотрела в окно. – Да и виновата я перед тобой, что говорить. Вот, может, искуплю. А то – с Богом страшно встречаться. Так страшно, что... А ты за Мишкой присмотри! Не забудешь про него?

Елена покачала головой.

– Верю. Ты врать не станешь, не такая. Завтра паспорт бери и ко мне. Поняла? И не тяни, времени нету.

Совсем. – Жена отца тяжело поднялась со стула и пошла к двери. У двери обернулась: – Про гордость забудь. Волю предсмертную исполнить надо, правила такие. И еще запомни – старайся никому плохо не делать. Поняла? Потому что это «плохо» потом к тебе вернется. Ты уж мне поверь! И так вернется, Господи не приведи! Ни одного дня я с твоим отцом не была счастлива. Ни одного. Только мука одна была – и у меня, и у него. А я все наесться мечтала! Так у мамки голодала, что только о еде и думала. В больнице за больными подъедала, и противно не было. А потом наелась. До тошноты. Такие дела.

Когда она вышла из комнаты, Елена заплакала. Какая там радость от внезапно свалившегося богатства! Никакой. Одна боль. Да такая...

* * *

Она поехала в Елец, к маме. Потому что не понимала: что делать? Ситуация с пропиской и въездом в их бывшую квартиру казалась ей странной, непонятной, с душком. И все-таки сомневалась. Сразу ведь не отказалась!

Мать долго молчала, раздумывая о своем. А потом вынесла вердикт – соглашаться, безусловно. Безо всяких терзаний и сомнений. Квартира была получена на их семью. Елена там выросла – или почти выросла.

– Да и воля умирающей, – грустно усмехнулась мать. И добавила со вздохом: – Вот как, Ленка, вышло! Столько поломанных судеб! Бедная баба, даже жаль ее.

Елена удивилась – жаль! Хотя, конечно, жаль. Уходит совсем молодая женщина, которая ни одного дня в своей жизни не была счастлива. И уходит с такими муками! Страшная судьба. И у нее, и у отца. Раньше она была врагом. Вот только сейчас – какой из нее враг! Враг тот, у кого сила.

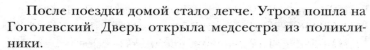

После поездки домой стало легче. Утром пошла на Гоголевский. Дверь открыла медсестра из поликлиники.

Надежда лежала в спальне. Увидев Елену, обрадовалась – не обманула!

Дошли до ЖЭКа, все, что нужно, написали и подписали. Домой – в соседний дом, всего-то пару шагов – Елена тащила Надежду на себе.

Та все повторяла, что теперь она спокойна, просто камень с души. Елена предложила остаться на ночь – Надежда отказалась. Только попросила еще один укол – чтобы хватило до утра.

И еще селедки – жирной, с зеленым луком и подсолнечным маслом. Да, и еще с горбушкой черного.

– Мечтаю просто! Уж извини, – сказала она.

Елена глянула на часы – все давно закрыто.

– Доживу до утра, – улыбнулась Надежда.

Ровно в девять Елена открыла дверь – своим ключом. На кухне принялась чистить селедку. Вошла в комнату и все поняла – медик.

Не дожила Надежда до утра. И селедки не поела – не успела.

* * *

На похоронах Надежды Елена познакомилась с братом Мишей – хмурым и неразговорчивым подростком в черной шинели и фуражке с красным околышем.

Она погладила его по руке – руку он отдернул. Попрощаться с матерью не пожелал, а в кафе – помянуть – пошел. Ел жадно и много. Елена поняла – недоедает. Дала ему денег. Он взял, не поблагодарив.

– Можно тебя проведывать? – спросила она.

– Ни к чему, – буркнул он и пошел к метро.

Одинокий и несчастный мальчишка. Жалко до слез. Впрочем, всех жалко. Никто и ничего не выиграл, все проиграли.

И еще поняла – просто с парнем не будет. Такое вот наследство – в придачу к квартире. Или – наоборот?

Из общежития долго не съезжала – было как-то не по себе. Подругам ничего не рассказывала, не хотелось досужих разговоров и зависти. Потом, когда собралась, сказала, что будет жить у дальней родни, выдумала какую-то тетку.

Первую ночь на новом месте не спалось. Зажгла везде свет и бродила по комнатам. С рассветом принялась за уборку. Вещи Надежды, пару костюмов отца, Мишины игрушки сложила в отцовский кабинет – пусть распоряжается он.

С Борисом встретились, как обычно, на Кузнецком, и Елена пригласила его в гости.

На пороге квартиры он опешил.

– Ну ты и скрытница, Ленка! – И даже слегка обиделся: – Не поделилась.

Остался на ночь. И больше не ушел.

Через пару дней Яшка привез его вещи – пару рубашек, сменные брюки, китайский плащ – подарок Софки, одеколон «Шипр» и связку книг.

Началась семейная жизнь. Новая семейная жизнь. Ну или почти семейная. В загс они не спешили. Вернее, не спешила Елена.

Расписались через полтора года, когда Елена была беременна Иркой. Их первым ребенком.

* * *

Всю жизнь, всю дальнейшую жизнь она помнила слова Надежды – про то, что каждый платит по счетам.

Оправдывала себя – не хотела уводить его из семьи, ей-богу, и мыслей таких не было! Это была правда. А ведь увела! И это тоже была правда.

А расплаты боялась всю жизнь. Когда поняла все про Ирку, подумала: вот, началось. Пункт первый.

А после рождения Никоши совсем стало плохо. Это был пункт второй.

Может, последний? Хватит?

А потом умерла Машка. И это было уже слишком.

* * *

По воскресеньям Елена гнала мужа в «ту семью». Заранее покупала девочке подарки – игрушки и сладкое. Совала сэкономленную пятерку – положи незаметно, обязательно положи.

Со свекровью познакомилась в роддоме, когда забирали Ирку.

Сухой кивок головы, никаких разговоров. Когда та взглянула на девочку – не по-младенчески хорошенькую, кстати, – Елена поняла: для Елизаветы Семеновны существует одна внучка – Машка. И других ей не надо.

Не обиделась, но осадок остался. И еще – непонимание: при чем тут дети?

Борис с удивлением наблюдал, как его мать, ставшая с возрастом человеком сухим, сдержанным и неласковым, сюсюкает с внучкой. Машка отлично этим пользовалась и крутила бабкой, как хотела.

И еще понял – мать до смерти боится, что Гаяне заберет Машку и уедет в Баку.

Несколько раз попытки были. Но пока она умудрялась ее отговорить.

Научила ее печатать на машинке, и Гаяне оказалась способной ученицей – скоро стала неплохо зарабатывать.

Жили довольно сносно – у каждой своя комната, денег хватало. Машка в сад не ходит – Гаяне работает на дому и ведет хозяйство.

Когда бывший муж приходил к ребенку, они со свекровью из дома уходили – в кино или просто прогуляться.

В окно он видел, как они идут под руку и мать поправляет на Гаяне платок или одергивает жакет.

– Идиллия просто! – усмехался он, вспоминая, как мать приняла Гаяне вначале. Как отказывалась с ней разговаривать, что шептала своим приятельницам по телефону, прикрыв трубку рукой, с каким презрением, недоверчивостью и сарказмом отнеслась к невестке, как крутила пальцем у виска, укоризненно глядя на непутевого и бестолкового сына.

И – нате вам! Впрочем, жалость – главное материнское качество. Сирых и убогих она жалела всегда – глубоко, яростно, от души.

Здесь – точно жалость. Вряд ли любовь. Хотя кто их, женщин, поймет!

И еще ощутил укол ревности. И – обиду. С ним она была по-прежнему суха. Не простила.

* * *

Яшка, смущаясь и лепеча что-то невразумительное, пригласил на свадьбу.

Вот это новость!

Борис рассмеялся:

– И тебя, убежденного холостяка и бурундука, затащили под венец!

Яшка оправдывался:

– Да уж, случилось.

Свадьба была пышной – тут уж постарались Яшкины родители от души. Родни много, знакомых море. Яшка – единственный сын. Да и денег в семье никто не считал – тетя Рива, Яшкина мать, работала маникюршей в «Красном маке» – популярное у московских модниц место.

Отец, Ефим Самойлович, трудился на торговой ниве – директор большого универмага. И ниву эту обрабатывал, надо сказать, успешно.

Свадьбу справляли в «Арагви». У подъезда на улице Горького останавливались «Волги» и «Победы». Из них появлялись объемные мужчины с не менее объемными спутницами. Шелковые платья, меховые горжетки, блеск украшений – все это было в избытке.

Тетя Рива и Ефим Самойлович встречали солидных гостей на улице. Принимали тяжелые картонные коробки с сервизами, вазами, столовыми приборами и постельным бельем. Конверты с деньгами шустрая Рива, оглянувшись по сторонам, прятала в лаковую, с бантом, сумочку.

Яшка, в нелепом костюме и ярком галстуке, жался сбоку, у стенки. Рядом с ним стояла невеста – в белоснежном платье выше колен и с живой белой розой в темных волосах.

Невеста смотрела на все, иронично усмехаясь. Губы у нее были полные, ярко накрашенные, очень красивые.

Впрочем, красивы у молодой были не только губы. Красивой – бесспорно, сомнению не подлежит, критике тоже – она была вся. С головы до ног.

Тоненькая, очень стройная и ладная, кудрявая, с огромными зелеными, как яркий малахит, глазами, изящным, аристократическим носом и темными, вразлет, бровями.

Хороша она была так, что важные гости мужского пола замирали и открывали полные золотых коронок рты.

Одному такому впавшему в ступор наглая молодая велела: «Отомри!»

Кто-то рассмеялся, в том числе и жених. А кто-то растерянно посмотрел на соседа и не понял, как реагировать на подобное хамство.

Среди вторых была, разумеется, и будущая свекровь – тетя Рива. Для молодой – Рива Марковна.

Рива Марковна, подхватив пару подружек, уединилась и принялась сетовать на «идиота Яшку» и новоявленную родственницу.

Подруги горячо ее поддержали.

Мало того, что нахалка, так еще и нищенка! Сирота, принятая сердобольной родней. Правда, и родня эта...

Тетя Рива тяжело вздыхала и утирала скупую слезу.

И родня эта – врагу не пожелаешь. Голь перекатная. Живут в бараке в одной комнатухе, пьют чай с сухарями. Тетка – инвалид, дядька – сапожник и пьяница. Породнились, нечего сказать! Привел сыночек в дом, осчастливил!

– Зато красавица! – пискнула одна из товарок.

Рива Марковна вспыхнула благородным огнем негодования – вот это-то и плохо! Поди знай, что ей в голову придет! Знаем мы этих...

Подружки яростно закивали.

Что правда, то правда. Знаем мы «этих» – красивых и нищих. И вдобавок наглых.

И Риву Марковну все пожалели. Искренне ли – вот в чем вопрос?

Невеста, закурив сигарету, подошла к Елене.

– Как тебе? – спросила она, кивнув подбородком на гостей. – Зоопарк, не иначе! – Она засмеялась.

Елена, опешив от откровения и обращения на «ты», пожала плечами:

– Что поделаешь, люди на свете разные. И потом, не с ними жить, а с Яшкой. А он, Яшка, замечательный! И друг, кстати, тоже! Они с Борисом со школьной скамьи. Всю жизнь неразлейвода!

– Это ладно, про «неразлей», а как мне с этими уживаться? – Невеста кивнула на разгоряченную событиями и хлопотами свекровь и свекра, важно беседующего с такими же тузами.

– У любого мужа есть родственники, – улыбнулась Елена. – Приложение, так сказать. И эти, поверьте, не худшие.

– Сомневаюсь. – Невеста затушила бычок в тарелке. А потом улыбнулась: – Ничего, справимся, опыт имеется! Не съедят! Поперхнутся!

Елена вздрогнула от таких откровений. Что поперхнутся – точно. Да просто подавятся. Елена не сомневалась ни минуты.

Только вот про то, что подавится Яшка, думать не хотелось. А мысли такие были.

Свадьба веселилась, пела и плясала – и сытно ела, и много пила, и шумно плясала.

Всем было весело. Грустили четверо – Елена с Борисом, невеста и, собственно, сам жених. Вот интересно, он-то почему?

Ну и, разумеется, Рива Марковна. Правда, недолго и временами – отвлекаясь на тосты, танцы, разговоры с подружками и распри с официантами.

В целом все прошло нормально, если можно так выразиться. Без эксцессов. Уже хорошо.

Из ресторана вышли за полночь. Сели в скверике, и Елена положила голову на плечо Бориса – устала, да и, конечно, объелась:

– Вкусно ведь, да?

– Да, вкусно, – задумчиво проговорил Борис. – Но тревожно как-то. Неясны мотивы – как жениха, так и невесты. Впрочем, с женихом проще...

Домой пошли пешком. Денег совсем не было – до зарплаты четыре дня. Начали вспоминать, что есть в «закромах родины». Оказалось – совсем неплохо: банка зеленого горошка, банка сардин и банка соленых ельцовских грибов. И еще картошка, зеленый лук и огурцы, тоже с ельцовского огорода. Совсем развеселились – проживем! Да и еще как! Роскошно!

* * *

Яша с Элей в первые же выходные напросились в гости. Именно напросились. Было совсем не до гостей — болела Ирка.

Эля, со свойственным ей напором, объявила, что зайдут на полчасика, просто дух перевести и глотнуть свежего воздуха — иначе кислородное голодание и коллапс.

Долго ходила по квартире — оценивала. Потом вынесла вердикт:

— Вы — балбесы. Такие хоромы, а вида никакого. Уж я бы тут развернулась!

Вот в этом никто не сомневался! Еды особой не было — не до готовки. И тогда Елена впервые увидела ловкость и умение Эли создавать из ничего что-то. Причем это «что-то» было необыкновенным. Например, салат из моркови — что может быть банальней? Тут же, на ходу, Эля придумывала какие-то новшества. В салат добавляла изюм, яблоко, чуть корицы, пару капель лимона, тертый подсохший сыр и тонко нарезанную, почти нашинкованную, ветчину — маленький кусочек, оставшийся с завтрака.

— Хлеб? — коротко бросала она.

Елена с готовностью кивала и доставала полбатона рижского.

Кружочек помидора, сардинка, веточка укропа — и в духовку на двадцать минут.

Эля ловко взбивала белки, и через полчаса на столе появлялись крошечные безе.

Елена восхищалась — за какие-то сорок минут был накрыт роскошный стол.

— А я бы начистила картошки и нарезала селедки, — грустно вздыхала она. — Совсем я без фантазии! Скучная, как... — она обвела глазами комнату. — Как этот торшер!

Эля глянула в угол. Торшер, вернее, то, что от него осталось, выглядел убийственно жалко – мятый, выцветший абажур грязно-серого цвета, гнутая нога, перевязанный изолентой шнур.

– На помойку!

Елена растерялась – торшер она помнила с их «доразводной» счастливой жизни с родителями. Помнила, как покупали его вместе – мать и отец. И как радовались покупке.

Эля, видя ее замешательство, настойчиво повторила:

– На помойку! Без разговоров, раздумий и воспоминаний!

Елена грустно вздохнула и поволокла торшер на лестничную клетку.

Эле и вправду удавалось то, что Елене было абсолютно недоступно. В магазине она сразу находила нужную ткань на юбку или платье – занимало это каких-нибудь пару минут. В хозяйственном умудрялась углядеть приличную кастрюлю, стоявшую во втором ряду на тесной полке. В магазине электроприборов хватала шелковый абажур, висевший там не один месяц. И на Еленино удивленное: «А это еще зачем? Какой-то анахронизм!» – Эля усмехалась – и только. А дома, заставив Бориса приладить этот самый абажур на кухне вместо белого светильника, отдающего казенщиной и скукой, важно кивала и получала искренние слова восхищения от незадачливых и обрадованных хозяев:

– Ну надо же, какая красота! И как стало уютно! И кто бы мог подумать! Чудеса! Нет, ты, Элька, определенно – гений!

Она не спорила. К ее-то красоте и такой вкус! На улице оборачивались не только мужчины, но и женщины.

Эля цокала острыми каблуками по асфальту и, чуть прищурив глаза, смотрела поверх голов.

Хороша она была настолько, что у бордюра шумно притормаживали редкие машины. Не всегда с нелепыми предложениями, чаще всего – просто посмотреть на владелицу этих сногсшибательных ног, потрясающей талии, фантастических волос, ну и так далее.

Элю мужчины совершенно не интересовали – по крайней мере, на повышенное внимание со стороны мужского пола она реагировала абсолютно спокойно. Привыкла – это понятно, и все же...

Их отношения с Яшкой тоже были для Елены загадкой – ровные, спокойные, вполне доброжелательные. Дружеские – скорее так.

Нет, разумеется, Яшке льстило, что рядом с ним гордо несет себя такая равнодушная и неприступная красавица. Безусловно. Он уважал ее за жизненную приспособленность и практичность, почти кошачью. За волшебные способности домашней хозяйки. За умение налаживать контакты – любые, настаивать на своем, спокойно, без крика и истерик. За расчетливость и при этом широту натуры – и такое в ней превосходно уживалось. Что, согласитесь, бывает крайне редко. За прекрасный вкус и просто умение жить.

А Эля... Эля тоже относилась к Яшке терпимо. К нелепому, толстому, неуклюжему, неряшливому Яшке. Ну так, прикрикнет иногда для острастки – но без злобы, с легким раздражением. И добавит: на критику надо реагировать спокойно.

И все же брак этот был странным и очень странным – на Еленин взгляд. Брак без любви.

На чем держатся такие браки? Есть тысяча причин, это понятно, и все же...

И никогда, никогда Елена не видела, как они обнимаются, целуются или просто касаются друг друга – как все люди, которые друг другу приятны. Впрочем, Яшка всегда, даже в детстве, по словам Бориса, был «замечательной флегмой».

Шумную и суетливую свою свекровь Риву Марковну Эля быстро укротила и привела в чувство. В их комнату Рива уже не влетала как пуля, а осторожно три раза постукивала в дверь. Рубашки сыну гладила по-прежнему она, мать. И обеды варила и подавала тоже она. Эля в этих процессах не участвовала.

И Рива молчала! Вот это было смешнее всего! Яшка смеялся – укротить маман не удавалось пока никому! И аплодировал жене.

Эля свекрови не грубила, не скандалила – никогда. А просто поставила на место – раз и навсегда. Рива Марковна оказалась, ко всеобщему удивлению, крайне понятливой.

Только сетовала подружкам по телефону, когда невестки не было дома, и все же – шепотом, что терзают ее тяжелые раздумья. А не продать ли свои бриллианты? Чтобы «этой гадине» ничего не досталось. В смысле – после ее смерти. А смерть ее, похоже, не за горами – с такой-то невесткой!

Эля ситуацию разрешила одним коротким вечерним разговором. Жить вместе невыносимо для всех обитателей квартиры. Несмотря на просторные комнаты. Значит, молодым нужна отдельная квартира. Если они, родители, хотят, чтобы сохранилась молодая семья. Здесь Рива Марковна скорчила такую гримасу, что впору расхохотаться. Впрочем, невестка предпочла этого не заметить. Так что квартиру следует разменять. На две равноценные. И желательно там же, в центре. Рива Марковна от возмущения и обиды ловила ртом воздух, словно выброшенная на берег рыба. Но ничего не сказала. Свекор, суровый и понятливый Ефим Самойлович мрачно, с усилием, выдавил: «Подумаем!» И, стукнув – впрочем, негромко – кулаком по столу, удалился в опочивальню. Рива торопливо засеменила за ним.

Яшка стоял у окна спиной к жене. Эля выкурила сигарету и вымыла пепельницу. Погасила на кухне свет и пошла в ванную. Когда она вошла в комнату, ее муж Яша крепко спал. Видимо, ничего его не мучило и не удручало. Он уже почти привык доверять жене. Хотя не «почти». Привык. И это было крайне удобно.

Квартиру разменяли, Эля осталась вполне довольна. Ключи Риве Марковне выданы не были. Прием только по предварительному звонку. Яша с женой не спорил – то ли до фонаря ему все это было, то ли сам устал от своей суетливой мамаши, то ли просто отдал все на откуп жене. Да и силами мериться было бесполезно, это он понимал. Свой новый дом Эля обставила со вкусом, денег не жалела. Подобных квартир в те времена было совсем немного.

В то время все срывали с потолков и стен старинные светильники с бронзой и радостно тащили их на помойки, прихватив еще и бабкины, темного дерева, резные буфеты, кровати с высокими спинками, кушетки с облезлым бархатом или шелком, тяжелые комоды и легкие, почти невесомые, венские стулья, а в доме с еще большей радостью вешали разлапистые металлические конструкции польского производства – растопыренные, нелепые, шаткие, с пластмассовыми разноцветными колпачками, не выдерживающими ярких ламп и начинающими оплавляться и издавать запах жженой пластмассы в первый же вечер. Вслед – если не на помойку, то, к счастью, в комиссионку – за люстрами и канделябрами, пуфиками и козетками отправлялись вазочки, блюда, старые, пожелтевшие скатерти в кружевах, фарфоровые чашечки с чуть стертым рисунком и оттого объявленные негодными, металлические кофейники, тяжелые чугунные сковородки. Все было признано устарелым, немодным и ненужным. Сплошное мещанство!

А Эля моталась в комиссионный, караулила старинные кресла, секретеры из карельской березы, лампы в стиле модерн, где полуобнаженные женские фигуры эротично оплетали бронзовые лилии.

Яша на все это реагировал спокойно – чем бы дитя ни тешилось.

Елена недоумевала – как можно тратить на всю эту чепуху такие деньги? Да что деньги – всю свою жизнь! И еще раз убедилась: они с Элей – люди с разных планет. Это не осуждение, просто констатация факта. А то, что две такие разные женщины, просто несовместимые на первый взгляд, прекрасно общаются, ходят друг к другу в гости и даже ездят вместе отдыхать – это не взаимный интерес, а исторический факт: мужья дружат, и им деваться некуда. И потом – они же не ненавидят друг друга, они весьма терпимы, ну а если интересы не совпадают, так уж что поделаешь!

Елена понимала, что она для Эли продукт скучный, тоскливый, серый. Но, что странно, больше подруг у Эли не было. Ни одной. Ни с одной «комиссионной» дамой по интересам она не сошлась.

Периодически Эля устраивалась на работу. Нужно было так, часа на три-четыре в день, а рабочих дней – ну максимум три в неделю. Деньги ее интересовали мало – на все хватало. Ефим подбрасывал нерадивому сыну сотню-другую в месяц, Рива потихоньку от мужа совала Яшке пару четвертаков в неделю, Яшка махинаторствовал со своими марками и монетами – короче, хватало.

Пару месяцев Эля проработала в кафе на Горького администратором. Еще полгода – завсекцией в художественном салоне. Потом посидела в ювелирном на Арбате на кассе. Отметилась и в институте красоты на Калининском – в регистратуре. Пройдя по этому кругу, еще больше обросла связями и полезными знакомствами – и успокоилась. Больше в присутствие не спешила.

Яшка тоже работал через пень колоду – сидел в каком-то НИИ, название которого Эля выучить так и не сумела. Говорил, что там, на службе, удается и поспать, и почитать, и сплетни послушать. Короче гово-

ря, синекура. Да к этому безделью прилагались еще два раза в месяц выплаты – небольшие, но не лишние – пятого и двадцатого, аванс и получка.

Общество Елены Элю вполне устраивало. Лишнего и дурного не несет, не фальшивит, откровенна в меру, «детями» не грузит. Ничего от нее не хочет и ничего не просит. Елена и корысть – это вообще смешно! Два-три телефонных разговора в неделю – так, ни о чем, дежурные фразы тоже.

Да и Елене было не до подруг – дети, муж, работа. Разобраться бы со всем этим. Ей, неловкой и не очень приспособленной к бытовым трудностям.

Кухню Елена не любила – готовила скучно, однообразно, по надобности и из чувства долга. Чистоту любила, а вот порядка не было – так, чтобы все по стопочкам и на своих местах.

Украшательством дома не занималась: и шторы, и посуда – все из обычного магазина, ее вполне устраивало. Да и Бориса тоже. На быт внимание он не обращал, в еде был неприхотлив.

Из домашних «удовольствий» Елена признавала только глажку. Говорила, что она ее успокаивает. Белье отглаживала так, что жалко было складывать в стопки.

Из мебели ничего не меняли – все осталось как прежде. И добрым словом вспоминали профессора Гоголева, оставившего в наследство кабинет с книжными шкафами до потолка, которые позволяли пополнять библиотеку.

А через четыре года после свадьбы и обустройства квартиры Эля родила мальчика. Мальчика назвали Эдгар. Пошутили:

– Впервые Элю посетило дурновкусие.

Мальчик был красив, как Аполлон. Красив до неприличия. Зачем мужику такие ресницы? А кудри такие зачем? А пухлый, бантиком, рот?

Спустя годы Эля скажет: «Вот в кого он красавец, я понимаю. А в кого такой дурак...»

Это было правдой. Эдгар научился складывать слоги и читать почти в восемь лет. Книг в руки не брал, не рисовал и не лепил. Машинки ломал через полчаса, конструктор самый элементарный собрать не мог. Спортом не увлекался, да и вообще ничем. Главные радости жизни – вкусно поесть, поспать и посмотреть телевизор.

Такой вот получился мальчик.

* * *

Только однажды у Елены с Элей случился откровенный разговор. В августе поехали в Елец к маме. С Иркой, маленьким Эдиком и Олькой в животе. Впрочем, о том, что там находится именно Оля, никто не знал.

В Ельце ходили за грибами. Эля, собиравшая грибы в первый раз в жизни, была в восторге от самого процесса. В корзинку, наряду со съедобными, попадали и поганки. В грибах Эля не разбиралась. Усвоила только, что не надо брать мухоморы. Здесь все ясно, красные в горошек. Странно, самые красивые! А вот другие запомнить не могла.

Елена с матерью веселились, выбрасывая из Элиной корзинки несъедобный и опасный хлам.

Эле даже понравилось такое муторное занятие, как чистка этих самых грибов. С черными «грибными» руками, спутанными от ветра волосами, ненакрашенная, одетая в старые тренировочные штаны и резиновые кеды, она говорила, что абсолютно спокойна и счастлива здесь. Как не была спокойна и счастлива никогда в жизни.

И это было похоже на правду.

Мать пекла пироги с вишней, жарили картошку с грибами и луком, пили парное молоко.

Тот август был холодным и дождливым, но каждое утро в пять часов, уже в предосеннюю темноту, Эля бегала на речку и купалась. После купания выпивала сто граммов коньяку и ложилась спать.

И – надо же – не заболела! При воде в двенадцать градусов!

Как-то вечером, после грибов и коньячка, засиделись допоздна на террасе. Нина Ефремовна, махнув рукой, ушла спать – сидите, полуночницы! Спали и дети.

Сначала болтали ни о чем, так, всякая ерунда. А потом, удивляясь самой себе, Елена задала подруге вопрос – впервые в жизни! По поводу ее брака с Яшкой.

Эля недобро усмехнулась:

– Правду хочешь?

Елена неуверенно пожала плечами.

Элин монолог был спокоен и нетороплив. Она рассказала про то, как умерла ее мать, – об отце она никогда и не слышала. Крепко выпив с подружками, такими же горемычными работницами-путейщицами, она попала под поезд. Всю жизнь проработав «на рельсах», как сама говорила.

Эле было шесть лет. Начали собирать документы в детский дом. Девочку забрали в дом ребенка. А там было голодно, хотя ей не привыкать, с пьющей матерью тоже перебивались с хлеба на воду. Но было еще и страшно. Так страшно, что девочка начала писаться. До утра лежала в мокрых простынях и тихо плакала. Знала – накажут. Утром, после подъема, нянька била «обоссунов» мокрыми ледяными простынями. Еду отнимали старшие дети. Малыши воровали в столовой хлеб и прятали под подушку.

По ночам рассказывали страшные истории, что в детдомах житуха еще хуже, еще страшней. Эля плакала и хотела убежать. Но не успела – объявилась дальняя родственница, какая-то троюродная сестра матери. Она Элю и забрала, «оформила».

Из приюта Эля уходила без сожаления, но со странным предчувствием, что дальнейшая ее жизнь будет не слаще. Так и оказалось. Тетка, потерявшая когда-то малолетнюю дочь, Элю полюбить не смогла. Все вспоминала свою «бедную Женечку» и сравнивала ее с Элей – разумеется, не в пользу последней. Эля вжимала голову в плечи и мечтала исчезнуть или испариться. Туда, куда отправилась неизвестная ей Женечка.

Тетка попрекала ее и куском, и порванной юбкой. Ничего из одежды не покупала – все перешивала из своего старья. Даже трусы и маечки. Обувь Эля снашивала до дыр – в буквальном смысле, когда большой палец прорывает истончившуюся кожу сандалий или отлетает подошва.

Тетка жила в маленьком среднерусском городке с плохой почвой и отвратным климатом. Дожди лили все лето, осень и весну. На огороде, в размякшей и раскисшей глине, ничего не росло. Тетка стояла по щиколотку в рыжей топкой грязи и посылала проклятия господу богу.

Картошкой и свеклой размером с орех она заставляла торговать на базаре маленькую Элю. И странное дело – у хорошенькой и чумазой девочки эту мелочь покупали! Жалели, наверное.

Однажды Эля утаила от тетки гривенник и купила брикетик самого дешевого мороженого. За что была бита мокрым полотенцем.

Тетка тогда работала кассиршей в единственном занюханном, сыром кинотеатрике. Ни разу – ни разу! – она не провела девочку в зал. А дети уборщицы и билетерши пропадали там целыми днями.

Тетку муж бросил сразу после смерти дочери. Ни разу не написал ни письма, ни открытки. А потом явился. Страшный, пропитой, оборванный и вонючий.

Тетка носилась по дому и не знала, как ему угодить. Счастлива была, как невеста перед свадьбой. И все боялась, что он опять уйдет. Крутилась на кухне, накупила обнов – рубах и штанов «законному», накручивала волосы на железные бигуди и поливалась резкими духами.

По ночам Эля слышала их возню, и ее начинало тошнить.

И еще она поняла, что жизнь *до* была совсем неплохой. Если сравнивать ее с жизнью теперешней.

Та жизнь, голодная, оборванная, нищая, была сахарной по сравнению с той, какая наступила теперь. В тринадцать лет теткин муж, это чудовище, этот грязный и вонючий упырь, ее изнасиловал.

Тетка, замученная работой и вечными поисками денег для удержания мужа, совсем потеряла человеческий облик. За малейшую провинность била ребенка пастушьим кнутом, раздобытым у соседа. Правда, и ей самой доставалось этим же самым кнутом от любимого муженька.

В четырнадцать лет Эля забеременела. Тетка не пытала от кого. Скорее всего, догадывалась и боялась скандала. Отвезла ее к бабке в деревню, и там ребеночка вытравили. Эля помнит только толстую железную спицу и мутный раствор в бутылке.

Три дня она провалялась в избе этой умелицы, похожей на ведьму из детских книжек. Бабка давала ей настойку, пахнувшую куриным пометом, и протирала ее самогоном. Девочка горела огнем.

Через три дня приехала тетка и забрала ее домой. Мужа ее дома не было. Эля поняла, что он испугался и сбежал.

Теперь тетка твердила, что она, Эля, разрушила ее жизнь. И еще было очевидно, что тетка теперь ее боялась. Куском не попрекала, торговать не гнала.

Через полгода Эля попала в компанию местной шпаны. Влюбилась до одури в главаря – Сашку Зотова. Он научил ее пить дешевый портвейн и курить папиросы «Шипка».

Лето проводили на развалинах старого кладбища. Там пили и закусывали тем, что тайком приносили из дома или воровали у местных. Там и любили друг друга – подстелив ветхую Элину кофту на чью-то могильную плиту со стершейся эпитафией.

Когда она стала «ходить» с Зотовым, все попритихли – и молодежь, и старики. Зотова боялись – знали его жестокий и ревнивый нрав. На Элю не смели и взглянуть. Тетка просто захлопнула рот и Элины гулянки до утра и безделье сносила молча.

А потом Сашку забрали в армию. И все облегченно вздохнули. Но к Эле по-прежнему никто не подходил: понимали – Зотов вернется, и всем мало не покажется.

Эля писала Сашке длинные письма. Скучала, ждала – единственного человека на свете, которому она была нужна. Сашка не отвечал – служил на подводной лодке и Элиных писем не читал.

Про то, что лодка не всплыла и не всплывет никогда, Эля услышала ранним утром – кричала Сашкина мать. Истошно, на всю улицу.

Через два дня Эля бросила в сумку два своих платья и старый плащ, не сказала тетке не единого слова, молча взяла из ее заначки пятнадцать рублей и уехала в Москву. О том, что будет делать в столице – без денег, знакомых и теплых вещей (стоял октябрь), – она не задумывалась. Вернее, так: понимала, что хуже будет вряд ли.

Потому что страшнее ее жизни представить трудно.

В Москве она провела неделю на Курском вокзале, обороняясь от многочисленных мужских предложений. От местных, приблудных алкашей, трусливых, вечно оглядывающихся по сторонам командированных – до местных милиционеров, наглых, разъевшихся и привыкших к халявным ласкам.

Однажды подошла немолодая цыганка и предложила ей ночлег: «Жалко тебя, девка, дочка у меня такая, как ты». Выхода не было, и Эля поволоклась за ней. В двух кварталах от вокзала зашли во двор. Спустились в подвал. На полу, без белья, на полосатых матрасах вповалку спали мужчины разных лет.

Цыганка налила Эле горячего супа и отрезала большой кусок колбасы. Когда та поела – жадно, торопясь, – старая карга открыла ей карты:

– Крыша над головой будет, тарелка горячего супа тоже. А вот деньги получишь, когда отработаешь.

– Как? – спросила Эля.

– Дурой прикидываешься? – усмехнулась цыганка.

– Спятила, старая сука? – закричала Эля и швырнула в нее миску из-под щей.

Цыганка увернулась и прошипела:

– А куда ты денешься? Кому ты тут нужна? На вокзал тебе дорога заказана. Продали тебя служивые, обратно не пустят. Или в каталажку хочешь?

– Сдохнешь ты скорее, – бросила Эля и рванулась к двери.

Пробежав пару кварталов, она остановилась и оглянулась. Никто ее не догонял. Свои жалкие тряпки она забыла в страшном притоне.

Еще пара ночей на Казанском, потом на Ленинградском и Ярославском. Когда примелькалась, сбежала на Рижский, а потом на Белорусский. Все, вокзалы кончились. И терпение тоже.

Выхода было два. Первый – вернуться домой, второй – к старой цыганке. Нет, был еще третий – прыгнуть с моста в серую мутную реку или под поезд. Последнее было куда милей.

Ночевала она теперь в подъездах. Хлеб ей давала сердобольная продавщица булочной – тот, что не продался и идет на списание.

В сыроватом и прохладном подъезде на Кировской ее увидела дворничиха Маня-хромая. Приютила. Огромная, переваливающаяся на больных ногах, как старая утка, рябая, усатая, беззубая и страшная, как Элина жизнь.

На деле Маня оказалась человеком добрейшим и безобидным. Делилась с жиличкой последним куском. Эля помогала ей мести двор, собирать мусор, скалывать со ступенек наледь. Помогала и уборщице Верке – длинной, как жердь, и такой же сухой. Тоже одинокой и почти глухой – последствия травмы головы, причиненной пьяницей-мужем.

Маня и Верка были землячками, из одной деревни. Верка жила в подвальной каморке по соседству с дворницкой. Такая вот образовалась компания – три одинокие и несчастные женщины разных лет.

Эля таскала из дворницкой горячую воду для Верки, полоскала старую мешковину, пахнувшую прелью и соломой, отжимала эти тяжеленные вонючие тряпки – жалела Верку, у которой руки были скрючены тяжелейшим полиартритом.

Вечером варили картошку, чистили селедку и открывали чекушку водки. Эле пить не давали: «Мала́я еще!» – цыкала Маня.

Пила Маня, Верка только пригубливала. Глотала и морщилась – отрава! А потом добавляла: «Отрава, а душу отпускает!» И удивлялась этому ежедневно.

Маня важно кивала – а то!

После второго глотка Верка начинала вспоминать прежнюю, деревенскую, жизнь и бывшего мужа.

Рассказ был всегда один и тот же – жизнь в деревне была хорошая, сытая. Муж был веселым, кудрявым, играл на баяне. Девки вокруг него хороводом, а он выбрал ее, Верку. «Потому что самая скромная!» – гордо заключала она и оглядывала подруг победным взором.

Маня молчала минут десять, тяжело и недобро вздыхая. А потом начинала орать:

– Жизнь, говоришь, сытая? А как жрали лебеду и от голода пухли? Веселый, говоришь, был? А как с топором за тобой по деревне гонялся, забыла? Али память тебе тогда отшиб, когда об сарай головой шмякал? И когда тя у сарая того подыхать бросил? Всю в кровище?

Верка мотала головой и принималась плакать. Потом обижалась, громко шваркала граненым стаканом и шла к себе. А наутро ничего не помнила – может, и вправду память ей тогда отшибло? Или просто Верка предпочитала скандал замять – кто у них, кроме друг друга, есть на белом свете? Она да Маня. Да еще эта девулька приблудная, Элька. Тоже нахлебалась – господи не приведи!

* * *

С *ним* она столкнулась у подъезда – с метлой в руках. Закутанная по самые глаза в Манин платок, в калошах и в ватнике.

Увидев ее, он остановился, присвистнул, улыбнулся, закурил и весело осведомился:

– Боремся за звание «Лучший двор района»?

Эля неласково взглянула на него и буркнула:

– Боремся! А вам-то что?

Незнакомец окончательно развеселился:

– Как это «что»? Я, между прочим, здесь живу!

– Ну и живите дальше, – бросила она и пошла прочь.

Вечером в каморку хромой Мани постучали. На пороге стоял давешний незнакомец с тортом в руках:

– А это вам, к чаю!

Маня таращила на него блеклые рыбьи глаза и ничего не понимала. Молча взяла торт и смущенно пробормотала:

– Спасибочки.

Он вежливо поклонился и вышел.

Теперь он караулил Элю во дворе. Однажды она заболела и отлеживалась в дворницкой. Растерянная Маня внесла в комнату чай, масло, брикет пряно пахну-

щего сыра, банку малинового варенья и сетку с апельсинами.

— Тебе вот, — сказала она и почему-то покраснела.

Эля отвернулась к стене.

Через пару месяцев — а он был терпелив и настойчив — Эля приняла приглашение на чашку чая.

Влад — так звали молодого человека — жил в квартире на третьем этаже. Огромной, в четыре комнаты, с окнами-фонарями и блестящим паркетом. Там она впервые увидела старинную мебель, бронзовые люстры, мягкие, слегка потертые, но сохранившие акварельную свежесть красок ковры.

И тончайшие чашки, светящиеся на просвет, и резные щипчики для сахара, и полотняные, с кружевом салфетки. Да много всего она увидела там впервые в жизни. И поняла — жизнь бывает другой. Абсолютно другой. Тут же, рядом, по соседству. Всего-то в десяти метрах от Маниной дворницкой. И пахнет ТА, другая, жизнь тоже иначе. Не прелой мешковиной и кислыми щами, а кофе, булочками с корицей, душистым мылом и белоснежными и хрусткими простынями с нежным и мягким, сливочным кружевом — свежими, словно с мороза.

Больше в дворницкую она не вернулась.

Маня, встретив ее во дворе в новом розовом пальто и черных блестящих ботиночках, тяжело вздохнула и сказала:

— Ну, попляши покуда. А про то, что дальше будет, не думай. А то праздник себе испортишь.

— Ты о чем? — спросила она.

Маня не ответила, только махнула широкой, словно клешня, рукой и яростно взялась за метлу.

Эля пожала плечами, засмеялась и побежала прочь. Через десять минут *он* ждет ее у метро. И они пойдут в кино. А после — в кафе-мороженое. Влад обещал. Потому что знает — она так любит мороженое! Особенно шоколадное и лимонное! И еще – ситро. Обязательно с эклером, обсыпанным пестрой крошкой. Такая вот сластена.

И это тоже его умиляло. Ох как умиляло! Просто в горле щипало.

И она это видела, чувствовала. И была еще счастливей. Хотя – куда же больше? Больше не бывает. И вообще – она и придумать не могла, что так бывает!

А ведь было! Было.

Влад рассказал, что его отец – дипломат. Они в командировке в Иране. Матушка – так он величал свою мать – никогда не работала, всю жизнь за могучей отцовской спиной. Дама избалованная – по рангу отцу всегда полагалась прислуга и даже повар. Но она дело свое знает – этакая светская дама, всегда при параде, и роль эту освоила прекрасно. На дипломатических раутах равной ей нет.

Влад – студент и разгильдяй, его же определение. Получает от жизни сплошную радость, и это ему прекрасно удается. Вопросами философского толка не задается, так как давно понял – жизнь, по сути, проста, если самому ее не усложнять. А он этого делать точно не собирается.

Она слушала его, затаив дыхание. Поразило ее то, как, оказывается, можно относиться к жизни. Конечно, она – далеко не дура – понимала, что такие выводы может сделать только человек, которого нужда и беды обошли стороной. Этакий баловень, везунчик ее новый знакомый.

Знакомство с ним было важным и огромным открытием – все в жизни не так трагично. Бывает *другая* жизнь. Совершенно другая. Сытая, гладкая, хорошо пахнущая, нарядная и просто приятная. Не «жисть» – как говорила Маня-хромая, а жизнь. Просто жизнь. Только надо в эту ароматную жизнь попасть. Вписаться. И самое главное – в ней задержаться.

Эля старалась забыть все то, что с ней когда-то было. Мать, которую она помнила плохо, как в тумане, и все же помнила – стол, не покрытый даже самой дешевой клеенкой, как у всех соседей, хромоногий, липкий, в порезах от ножа. На этом уродце – вечно початая бутылка, мутный стакан со следами жирных пятен от пальцев, засохшая половинка луковицы, горбушка с плесневелой коркой. Рваная серая простыня и одеяло с клочьями желтой ваты. У двери, которая никогда не запиралась по причине выломанного замка, материны резиновые боты с засохшими комками рыжей глины. А на гвозде халат. Бурый, байковый, с разнокалиберными пуговицами и оторванным подолом.

И саму мать – со спутанными волосами, губами, косо накрашенными морковной помадой, пахнувшей хозяйственным мылом. С почти беззубым гребешком в немытых волосах и вечными пьяными слезами.

Потом гроб матери – простой, обитый красным сатином, и пьяный вой ее подруг, таких же несчастных и пьяненьких одиноких баб. На столе-инвалиде водка, винегрет и селедка – все, чем поминали покойницу.

Потом – тощая тетка в черном пиджаке с каким-то значком, который она все время поправляла рукой, похожей на птичью лапу. Тетку эту она сразу начала бояться, но та крепко и больно держала ее за руку.

Тетка говорила ей, что жить она будет теперь в приюте, что там будет «сытно и сухо, и много веселых ребятишек». Таких же, как она. Тетка наклонялась к ней, и изо рта у нее пахло тухлыми яйцами. Опять больно дергала Элю за руку и тащила к выходу.

А потом приехала родная тетка и тоже дергала ее за руку, и еще кричала, и называла ее «чертовым отродьем». И больно драла расческой ее спутанные волосы. Так больно, что Эля орала в голос.

А дальше – дорога в теткин городишко, поезд, сухой пирожок с мясом, такой вкусный, что она просила еще, а тетка гаркнула: «Хватит!» И она опять заревела – от голода и от обиды.

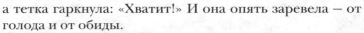

Ну а дальше – базар, стыд перед остальными детьми, жалобный шепот торговок.

А после – приезд теткиного муженька... Про подпольный аборт, про стальную спицу, озноб, выбирающий до дна последние силы, про бегство в Москву, про вокзалы, косматую цыганку – тоже хотелось забыть. Вот чудеса – Маня, страшная, убогая и нищая, оказалась светом в окне. Какая же до этого была жизнь, если Манина каморка с метлами и ведрами, с пустыми щами, тусклым, в изморози, окном, оказалась единственным раем на земле? Про это вспоминать просто нельзя. Потому что, если об этом думать, можно сразу сойти с ума. Или – еще проще – сдохнуть. А эти мысли появлялись у нее не раз.

* * *

В понедельник приходила Аглая, домработница. Бросала на новую жиличку суровые взгляды и что-то бурчала себе под нос.

Влад посмеивался:

– Не обращай внимания. Аглая вредная, но безвредная.

– Это как? – не понимала она.

– Побурчит, погремит тарелками, и ладно. Участковому не донесет, что тут «непрописанная».

Эля пугалась – а вдруг донесет? Вдруг он ошибается? И боялась каждого дверного звонка.

Но – нет. Это был не участковый, а многочисленные друзья хозяина – художники, студенты, режиссеры, операторы, модные поэты.

Они вваливались шумной толпой – яркие, веселые, с бутылками под мышкой, в обнимку с такими же яркими, веселыми и модными девушками.

Она сначала очень робела, а потом успокоилась. Когда поняла, что ничуть не хуже этих громких и наглых красоток. А может быть, и лучше – такой тонкой талии не было ни у кого, таких ресниц тоже. Да и на ее роскошные волосы девицы бросали завистливые взгляды.

И одета она была, благодаря ему, ничуть не хуже их.

Вот только вступать в их разговоры стеснялась. Многого не понимала – о чем это они?

Но никто над ней не насмехался. Все ласково улыбались и чмокали ее в щеку – при встрече и расставании. Принято у них было целоваться с малознакомыми людьми. Привыкла она не сразу.

А она ими всеми восхищалась. И сразу начала обожать. Влад опять посмеивался:

– Не обольщайся! Все они – те еще фрукты!

Девушки начесывали высокие «бабетты», утягивали широкими ремнями пышные юбки и носили в ушах пестрые пластмассовые клипсы.

Она тоже попыталась соорудить эту самую «бабетту». Он рассмеялся и заставил ее «размочить весь этот ужас».

Еще у девушек почему-то были клички – Русалка, Перо, Белуга.

– Почему Перо? – удивлялась она.

– Стишками балуется, – усмехался Влад.

– А Белуга? – не успокаивалась Эля.

– Ревет как белуга, – объяснял он.

– Не слышала, – пожимала плечами она.

Влад хохотал:

– И не услышишь! Слышно это только в определенном месте и при определенной обстановке.

– Какой? – опять не понимала она.

Он уже раздражался:

– Отстань. Какой надо.

– А ты откуда знаешь? – терялась она.

– Рассказывали!

Влад называл ее «дурачок». «Мой дурачок». Это было нежно и совсем не обидно.

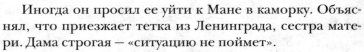

Иногда он просил ее уйти к Мане в каморку. Объяснял, что приезжает тетка из Ленинграда, сестра матери. Дама строгая – «ситуацию не поймет».

Она прятала свои вещи в Аглаин чулан и безропотно уходила в дворницкую. Маня тяжело вздыхала, но ничего ей не говорила. Через несколько дней он за ней приходил и объявлял, что пути свободны.

На день рождения он подарил ей золотые сережки с маленьким зеленым камешком – сказал, под глаза.

А спустя месяц, грустно вздыхая, объяснил, что приезжают родители – в отпуск. На целых два месяца – у дипломатов отпуск большой.

Она спросила, когда собирать вещи.

Влад опять вздохнул и сказал:

– Завтра, дурачок, завтра.

И еще попросил, чтобы она пожила в мастерской у его друга Загорского.

Она удивилась:

– Почему не у Мани?

– Не место тебе там, – жестко отрезал он.

К пьянице Загорскому ехать не хотелось. На целых два месяца! В его холостяцкую берлогу, заваленную мольбертами и пустыми бутылками.

Но делать нечего – назавтра она уехала на Чистые пруды.

Загорский встретил ее равнодушно.

– Прибыла?

Она смущенно кивнула.

Устроилась на раскладушке в углу, отгороженном старыми плакатами.

С Загорским они почти не разговаривали – за обедом, неумело приготовленным ею, он выпивал полбутылки водки, остальное оставлял на вечер. Молча все съедал и коротко бросал: «Спасибо. Уважила».

А Влад не появлялся. Она вздрагивала от каждого шороха. Ждала. А он все не шел! Она уговаривала себя, что все время он проводит с родителями – гости, поездки на дачу. Не виделись целый год. Да и матушка его – человек властный, капризный. Не хочет отпускать от себя дорогого сынулю.

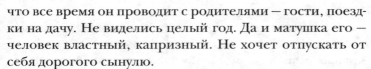

Но кошки на душе скребли. Ну хоть на полчаса! На десять минут! Ведь мог бы заскочить и просто напомнить о том, как он любит ее, своего «дурачка»! Валялась на раскладушке, читала книжки и плакала. Целыми днями плакала.

Загорский, слыша ее всхлипы, кричал:

– Выпить хочешь?

Она не отвечала.

Он вздыхал и резюмировал:

– А вот это зря. Полегчало бы.

Однажды она поехала в тот двор. Просто хотела посмотреть в его окна. Напоролась на Маню.

Та обрадовалась:

– Пошли почаевничаем.

Сели за стол. Молчали. Маня смотрела на нее с жалостью и страхом.

Слово за слово.

– А ты что, не знаешь? – удивилась Маня.

– Про что? – устало спросила она.

– Так ведь *твой* женился! Свадьба была! Невеста такая беленькая, тощенькая. Куды ей до тебя! – продолжала бесхитростная Маня. – А вот платье было богатое! Такое платье, что весь двор любовался.

Эля медленно встала и побрела к двери.

– Пошла, что ль? – удивилась Маня. – А то обожди, Верка скоро придет. Винца выпьем.

В тот день она впервые напилась. С Загорским. Напилась так, что не помнила себя. До самого вечера следующего дня.

А хотелось бы себя не вспомнить никогда. И себя, и всю свою жизнь. Забыть, как не было.

Как очутилась в постели с Загорским, она не помнила. Проснулась от нестерпимой похмельной жажды, хорошо знакомой крепко выпившему человеку. Не открывая глаз, нашарила бутылку прокисшего ситро и жадно присосалась к стеклянному спасительному горлышку.

– Оставь малость, – услышала она хриплый голос.

Испуганно обернулась. Загорский тянул к ней большую волосатую лапу.

Эля вздрогнула и протянула ему бутылку.

«Начало конца», – спокойно подумала она.

Уйти? Куда? Остаться? Другого выхода нет. Противно, омерзительно. Но ведь того, что случилось, вполне можно избежать. К тому же Загорский не был классическим бабником – брал то, что само шло в руки, никогда ни на чем не настаивал – наверное, как любой алкоголик.

Оба пытались сделать вид, что ничего не случилось. Он даже ее смущенно утешил – ну бывает, мать. Не бери в голову.

Она дернулась и ничего не ответила.

А на следующую ночь, после очередной бутылки водки, она сама пришла к нему. Он тяжело вздохнул, откинул потертое верблюжье одеяло и, кряхтя, подвинулся.

Теперь она приходила к нему сама, когда была нужда. Когда боль и одиночество становились совсем невыносимы. Когда горло сжимала жгучая, беспросветная тоска. Когда просто хотелось почувствовать чье-то, пусть пьяное, дыхание и тепло человеческого, пусть чужого и нелюбимого, тела.

Он все понимал. И жалел ее, жалел. Гладил по голове, как маленького ребенка. Слов утешения, правда, не говорил – стеснялся. Да и вообще он был довольно стеснителен и косноязычен.

А Эля тихо плакала, лежа на его рыхлом белом плече. И ей становилось легче.

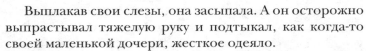

Выплакав свои слезы, она засыпала. А он осторожно выпрастывал тяжелую руку и подтыкал, как когда-то своей маленькой дочери, жесткое одеяло.

Потом долго курил, пил остывший черный чай – почти чифирь, покрытый плотной масляной пленкой, пытался прибраться в закуте, громко называемом кухней, и шел спать на ее раскладушку. Чтобы ее не тревожить.

Нет, влюблен он в нее не был. Просто жалел – она тоже из пострадавших, как и он.

Влада, своего приятеля и ее возлюбленного, он знал отлично. И все его поступки мог просчитать с точностью до миллиметра. В том числе и увлечение красавицей-дворничихой, как тот называл Элю. И про его свадьбу с бледнолицей дочерью посла, папашиного начальника, давно запланированную мудрыми родителями, тоже знал. И мучился оттого, что не предупредил Элю. Просто не смог, не хватило духа.

Ее ночные визиты в свою постель он воспринимал как простой человеческий долг. Который ему самому был достаточно в тягость. Но жалость и «поддержка» пострадавшей была важнее.

И все-таки он тайно мечтал, чтобы эта разбитая, покалеченная, несчастная женщина поскорее исчезла из его жизни. И он бы опять погрузился – с большим удовольствием! – в свое одиночество, успокоительную и желанную пьянку, в любимую, по его же определению, «мазню» и покой. Без чужих страданий и слез.

Потому, что хватало своих – выше крыши.

Она к нему прилепилась, привыкла, как привыкала к любому, пусть даже слегка проявившему милость, несчастному, потерянному и одинокому человеку.

То, что она приходила к нему ночью, она ошибочно считала благодарностью. За все: за кров, кусок колбасы, бутылку дешевого вина, подтаявший и помятый стаканчик сливочного мороженого – тебе, ты же любишь! Это была *забота.* Именно то, чего так недостает недолюбленному и одинокому человеку. И эту ЗАБОТУ она научилась ценить больше всего. Вернее, жизнь научила – быть благодарной.

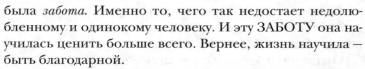

То, что она начала по-серьезному пить, она поняла однажды утром. Когда ходуном заходили руки и эту дрожь было невозможно унять. И когда дрожь прошла после того, как Загорский дал ей стакан теплого пива. Дрожь унялась сразу, вместе с тошнотой и тупой головной болью.

Она вспомнила мать и слово «опохмелиться». И вот тут ей стало по-настоящему страшно. Так страшно, что опять затошнило.

Она поняла, что отсюда, из этого полуподвала, прохладного даже в самую жуткую жару и сырого даже в теплую зиму, ей надо бежать. Опрометью, не оглядываясь. Успев, разумеется, сказать слова благодарности доброму хозяину. Иначе – обрыв. Край.

Маня-хромая из недоброй столицы уехала к брату в деревню. Верка, верная подружка, поспешила за ней. Дома лучше, как ни крути. В дворницкой теперь проживала большая и шумная татарская семья, вызванная из села дружными родственниками.

Ушла она от Загорского через месяц. С его другом, оператором детской киностудии. Ушла в один день, приняв приглашение посмотреть на его новую, только что полученную комнату на Мосфильмовской.

Все трое понимали – и она, и Загорский, и лысый тощеватый оператор в модном нашейном платке, – что она *уходит.* От Загорского, от прежней жизни, в новую.

Впрочем, новая оказалась практически такой же, как старая. Только здесь была не мастерская в полуподвале с низкими и мутными окнами, а вполне приличная комната в тринадцать метров, с большим окном над козырьком подъезда, где зимой практичный и находчивый оператор охлаждал авоську с бутылками пива и водки.

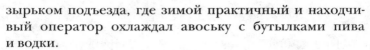

Соседка оператора, глуховатая бабулька с трясущейся головой, вечно отиралась под их дверью, морщась от натуги, — слух подводил, видимо, сильно. Вторым соседом был водитель такси — низкий, кривоногий мужичонка с завистливыми и беспокойно бегающими глазами, ворующий у соседей то яйцо, то хлеб, то кусок колбасы. Все молчали — почему-то его побаивались. И оператор — первый.

И Эля молчала, хотя видела все его непотребства собственными глазами. Он дернулся и буркнул: «Ты здесь непрописанная, участковому укажу».

Оператор был говорлив, в отличие от молчуна Загорского. Особенно его развозило после выпитого — тут уж было не остановить. Он рассуждал о смысле жизни, о ее бесполезности и жестокости, сплетничал про успешных коллег, и в голосе его сквозили презрение и зависть.

Продукты он покупал сам, без нее. Словно боялся дополнительных расходов — а вдруг что попросит?

Она ничего не просила, тем более денег. Ей даже и в голову это не приходило при виде того, как каждый вечер он пересчитывает медяки и серебро.

И еще она вздрагивала, когда ночью он к ней прикасался — холодными и слабыми руками. Слабыми, а не вырвешься. А самым омерзительным был его вопрос после: «Тебе было хорошо?» Она начинала давиться от смеха и его наивности.

Хорошо с ним быть не могло. Даже при очень большой любви. Да и вряд ли ей с кем-нибудь будет хорошо. Потому что все, что связано с этим интимным вопросом, ей было глубоко, до отвращения противно.

Так противно, что начинал болеть живот и к горлу подступала мучительная тошнота.

Она не ошиблась – теперь так было всегда. Всю дальнейшую жизнь.

И не влияло ничего – ни смена партнера, ни даже симпатия или благодарность к нему. Ничего.

И все-таки участковый появился. Проверил паспорт и пригрозил неприятностями.

– Жилплощадь освободить в течение двух суток! – И было это сказано так, что возражать, спорить или упрашивать оказалось совершенно бесполезно.

Оператор юлил, потел, пытался оправдаться и аккуратно складывал ее вещи в чемодан.

Она сидела на тахте и молчала.

– Отвезу тебя к Сеньке, – сказал он. – Там чудо что за место. Воздух, природа! – оживился он. – Белки по деревьям скачут! Кабаны, лисы. Словом, чудное место.

Она посмотрела на него и усмехнулась.

Они вышли в коридор. Шоферюга курил на кухне.

– Счастливого пути! – ухмыльнулся он. Она не ответила.

Ехали на электричке. Долго, почти четыре часа. Не разговаривали. Ей было противно на него смотреть. Трус, негодяй, приспособленец. Нет, все-таки самое омерзительное, что трус.

От платформы шли минут сорок по узкой лесной, слегка размякшей от осенних дождей дороге. Потом началось бесконечное, бескрайнее, серое, коротко стриженное, как голова новобранца, поле. За полем – мелкий пролесок с пестрыми сыроежками. А за ним – деревня.

Черные, покосившиеся домишки. Заброшенные палисадники с мокрыми, поникшими золотыми шарами.

Было видно, что деревня пустая, словно мертвая. Окна заколочены или выбиты, деревья почти скинули листву, и только мрачно поскрипывали от ветра высокие сосны с глянцевыми мокрыми стволами.

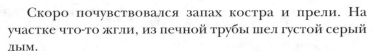

Скоро почувствовался запах костра и прели. На участке что-то жгли, из печной трубы шел густой серый дым.

Оператор толкнул разбухшую некрашеную калитку.

На поляне перед домом действительно догорал костер. У костра стоял высокий человек в огромном, словно плащ-палатка, плаще с капюшоном и помешивал кочергой тлеющие угли.

Это и был тот самый Сеня – школьный приятель оператора. Их приезду, казалось, он совсем не удивился. Просто кивнул и предложил пройти в дом.

Дом – это было сказано слишком громко и слишком самоуверенно. Крохотная полутемная прихожая – сени, по определению хозяина. На полу огромные резиновые сапоги, комья засохшей глины, какая-то солома, перья, старые газеты, пустые бутылки и инвалидного вида ведра и кастрюли с проросшей картошкой и подгнившей капустой.

– Живем натуральным хозяйством, – усмехнулся хозяин.

В комнате с низким потолком, оклеенной пожелтевшими обоями в мелкий цветочек, было душно. По окнам медленно ползали одуревшие осенние мухи. В углу висела полка с иконами, украшенная восковыми, выгоревшими от времени цветами, похожими на кладбищенские.

Хозяин снял огромный, словно картонный, плащ и предложил располагаться.

Она увидела комнату за марлевым пологом – узкая кровать с металлическим ребристым изголовьем, табуретка у кровати, гвозди на стене, на которых висели рубашки и брюки, и темный, почти черный от времени комод, на котором тоже были икона и стопка книг.

Больше комнат в доме, судя по всему, не было.

Хозяин выглядел старовато для однокашника оператора. А может, виной тому была густая, темная, с редкими белыми нитями седины борода.

На обветренном красноватом лице выделялись глаза – ярко-синие, неестественно василькового цвета.

Он неумело пытался собрать на стол. Картошка в мундире, вареные яйца, головка лука и блюдце с толстыми кусками желтоватого сала. Смущаясь, пригласил незваных гостей за стол. Но оператор заторопился, ссылаясь на расписание редких электричек. На предложение заночевать замахал руками.

И еще – попросил Элю освободить чемодан. Она вытащила свои вещи и пнула пустой чемодан ногой:

– Забирай, гад.

Хозяин смущенно кашлянул и вышел во двор. Оператор притворно обиделся, покачал головой и тихо объявил, что неблагодарность – худшее из человеческих качеств.

Потом она видела в окно, как оператор что-то жарко объяснял школьному другу, а тот молча курил и смотрел в сторону. Потом кивнул, бросил папиросу и пошел в дом.

Оператор, не оглядываясь, поспешил со двора.

Эля расплакалась. Что на этот раз приготовила ей жизнь? Какое испытание?

Было страшно оттого, что она боялась этого Семена. Что за личность непонятная? Живет в деревне один как перст, не работает, потом эти иконы... Может, от прежних хозяев остались? А где она будет спать? Кровать-то в доме всего одна!

Но все оказалось не так страшно. Комнатку за марлевой занавеской он ей уступил. И даже дал чистое постельное белье – ветхое, в неровных заплатах, пахнувшее прелью и почему-то лекарством. Сам ушел в баню – так называлось крошечное строение с закопченными дочерна низкими потолками.

Через пару дней за чаем Семен объяснил ей, что дом это бабкин, бабка давно померла. С родителями связи нет, хотя они живы-здоровы и живут в Москве, в высотке, между прочим. Отец из больших начальников, коммунист и ярый сталинист. С развенчанием культа вождя категорически не согласен. Мать – тихая забитая домохозяйка, безропотная отцовская прислуга, дрожавшая от одного его взгляда.

* * *

Зима оказалась теплой и малоснежной. Бывало, что Эля и Семен молчали по несколько дней. Но это совсем не было тягостным. Он уходил в лес, надолго. Иногда удавалось подстрелить зайца или какую-нибудь птицу. Один раз забил огромного лося. Тогда у них был праздник. Мяса хватило почти на два месяца.

Однажды нагрянул местный участковый. Потребовал у нее паспорт. Она вынула из ушей сережки и протянула ему. Он долго и внимательно их разглядывал, потом тяжело вздохнул и буркнул: «Живите пока. Только чтобы тихо было».

Ждали весны, тепла. Он рассказывал, как много в лесу ягод – земляника, черника, брусника, малина. А по осени на болоте полно клюквы. И грибов – море. Да и рыба в речке имеется.

И они стали ждать лета. Иногда она ловила на себе его взгляд – и все понимала. По этой части она была явно опытней его. Он смущался и быстро отводил глаза. А она... Она прислушивалась к его дыханью по ночам. Стирая его рубаху, подносила ее к лицу. И ей нравился острый мужской запах его пота.

Она наблюдала за ним из окна – как рубил дрова, или растапливал костер, или освежевывал зайца. Когда они случайно касались друг друга рукой или плечом, оба, точно обжегшись, вздрагивали.

Она понимала, что происходит – и с ним, и с ней. И эта история была не похожа на все предыдущие. Совсем не похожа. И еще она знала, что никогда-никогда не пойдет к нему первая ночью. Потому что у них все не так.

Ей было очевидно, что та жизнь, которую они сейчас делят на двоих, скоро, совсем скоро непременно переменится. И станет ясной, спокойной и счастливой. И все же главное, что окончательно ясной. Не потому, что ясно ей было теперь, в новой жизни, все. Вопросов было множество. Просто эта ее нынешняя жизнь была прозрачной и чистой. Честной. Такой, про какую она и не мечтала. Не мечтала потому, что раньше о ней и не слыхивала.

Эля совсем не вспоминала о Москве. А если и вспоминала, то с таким ужасом, отвращением и страхом... что гнала от себя эти воспоминания поскорее.

Потихоньку от Семена она тоже взялась за чтение бабкиной Библии. Непонятно было почти все. И она не стеснялась задавать ему вопросы.

Он объяснял. Так ясно и просто, что все вставало на свои места.

Иногда по ночам ее охватывал ужас за всю прошлую жизнь. Про то, как она ею распоряжалась.

Конечно, она ждала. Ждала от него слов и каких-нибудь действий.

А Семен только чаще и внимательнее теперь ее разглядывал – словно о чем-то глубоко раздумывал. А однажды бросил:

– Не спеши, всему свое время. Все будет хорошо, – улыбнулся он.

Она успокоилась и сразу в это поверила.

В начале мая, неожиданно теплом, он собрался в дальний лес – возможно, на пару дней. Сказал, что пошли грибы – сморчки и строчки. И возможно, появились кряквы. Эля положила ему в рюкзак хлеба, яиц, вареной картошки, пачку заварки и котелок – закопченный и помятый с боков.

Эля принялась за уборку – вымыла маленькие тусклые окошки, отскребла ножом полы, проветрила матрасы и подушки. И даже испекла пирог с сухими грибами – кривобокий и пригорелый с боков.

Семен не появился ни через два дня, ни через три, ни через неделю. Она почти не спала и все выходила на дорогу. Через три недели поняла – он не вернется. Что-то случилось. Идти по следам было страшно – да и какой из нее следопыт!

Пошли дожди – сильные, сплошные, плотной стеной.

По ночам она сидела, поджав ноги, на скрипучей кровати и плакала. От страха, обиды и боли. Понимала, что и этот ветхий приют отказал ей в гостеприимстве. И это недолгое и, наверное, мнимое спокойствие закончилось. Она опять одна – на всем белом свете. И опять надо что-то придумывать и как-то выживать.

Ночью она смотрела на икону и молилась, чтобы он вернулся.

А однажды подошла к киоту и сказала:

– Обманул! Я ведь почти в тебя поверила! А теперь не верю! Ни Тебе, ни в Тебя! Нету Тебя и не было! А если бы был – Ты бы так со мной не смог!

Схватила икону и со всего размаха шваркнула об пол.

В конце июня она собрала свои нехитрые пожитки, написала записку, понимая, что адресат ее не прочтет, закрыла дом и уехала в Москву. В Сенином доме оставаться ей было страшно.

* * *

Устроилась на кондитерскую фабрику – там давали койку в общежитии. Фасовала зефир. От запаха ванили тошнило и кружилась голова. Сладкое она с тех пор возненавидела на всю жизнь. Даже кофе пила горький.

Очень крепкий и очень горький — как моя жизнь, шутила она.

Соседки по комнате ее не любили — молчунья, в разговоры не вступает, себе на уме.

Они наряжались по вечерам, душились терпкими, невыносимыми духами, завивали горячим ножом волосы, отчего в комнате вечно пахло паленым. И спешили в кино или на танцы. После танцев жарко обсуждали кавалеров и соперниц. Ссорились, бранились, пили пиво и жарили яичницу.

Она лежала на кровати и читала. На нее бросали презрительные и осуждающие взгляды.

С кондитерской фабрики она ушла через полтора года — устроилась на швейную. Там хотя бы не было невыносимых запахов карамели, ванили и шоколада. Пахло только тканью и пылью.

А в общежитии было все абсолютно так же — те же разговоры, те же духи и те же скандалы.

Она скопила немного денег, экономя абсолютно на всем, и ушла с фабрики. Устроилась продавщицей в галантерею и сняла угол — койку за ширмой у старушки на Арбате.

Старушка была глухая и невредная. Одна из ТЕХ арбатских старушек, которые постепенно уходили в другой мир и забытье. Эля убирала комнату и приносила продукты. Эльза Федоровна — так звали хозяйку — готовила три блюда: куриный бульон, рыбные котлеты и печенье с корицей. Говорила, что больше ничего не умеет и не любит — так ест всю жизнь. Даже мужа покойного к этому приучила.

Эля смеялась и с удовольствием поглощала бульон и котлеты. Тогда она впервые за прошедший год почувствовала себя уверенно — ну или почти уверенно.

Эльза Федоровна уговаривала ее приодеться: «Ходишь как нищенка». А она копила. Откладывала каждую копейку на черный день. Которого она боялась как огня. Слишком хорошо знала, что такое этот «черный день».

А однажды посмотрела на себя в зеркало и ужаснулась. Бледная, под глазами синяки, роскошных волос не видно – убраны в старческий пучок. Застиранная кофточка и старая серая юбка. Сирота казанская, Эльза права. Плюнула на все и залезла в заначку. Купила шелковое платье, белые босоножки, тушь, помаду – яркую, сочно-красную. Побежала в парикмахерскую и сделала короткую стрижку.

Разглядывала себя в зеркало и удивлялась. Как можно изменить женщину! Чуть ухищрений – и возникает красотка. Впрочем, и правда – совсем чуть-чуть. При ее-то природных данных!

Теперь Эля шла по улице, высоко подняв прекрасную голову и отмечая боковым взглядом восхищенные взгляды мужчин и завистливые – женщин.

Она встретила Загорского прямо там, на Арбате. Тот был по-прежнему спокоен, нетороплив и небрит. Обрадовался ей вполне искренне. Говорил, что все волновались, куда она так резко и внезапно пропала. Просто испарилась с горизонта.

– Кто «все»? – спросила она.

– Все наши, – неопределенно ответил он и пригласил ее в гости.

Она почему-то пришла. Там, в мастерской, было все так же. Словно время там замерло, остановилось. Так же накурено, шумно, тесно, так же пахло коньяком и портвейном. Ей обрадовались – на пару минут, а через пару минут о ней забыли.

Она хотела уйти, но отчего-то осталась. Стала пить коньяк, закурила предложенную кем-то сигарету, откинулась в кресле и положила ногу на ногу.

В тот вечер она ушла с новым знакомым, высоким темноволосым очкариком Левой. В такси, везущем их на Солянку, он разговорился. Болтал охотно, рассказывал про то, что он режиссер, пока второй, но все впереди. Сейчас работает у мэтра – и назвал знаменитую фамилию.

Она молчала, смотрела в окно. Мимо пролетала ночная Москва, и ей казалось, что все повторяется. А той жизни, которой она жила последнее время, в деревне, и вовсе не было. Все это ей просто приснилось.

Они подъехали к длинному серому дому, поднялись в квартиру, не зажигая верхний свет. Он раздел ее и повел к дивану. Она не сопротивлялась – от выпитого ноги ее почти не держали и в голове было пусто и гулко.

Потом почему-то она громко, навзрыд, плакала, а он закрывал ей рукой рот – боялся соседей. Потом почти насильно влил стакан водки, укутал одеялом – и опять умолял утихнуть. А она вырывалась, почти дралась, пока он не залепил ей звонкую и сильную пощечину. Она крикнула: «Ненавижу!» – и сразу утихла, заснула и спала долго, до полудня. Пока он не растормошил ее и не прикрикнул, что пора одеваться.

Через три дня она опять пришла к Загорскому, и этот Лева сделал вид, что с ней незнаком. На коленях у него сидела полная блондинка и выпускала тонкой струйкой папиросный дым.

В тот вечер Эля уехала с лысоватым зрелым толстяком, имени которого она не запомнила. И снова была комната, теперь уже где-то на Таганке. В ней почему-то не было света и горела свеча. Широкая кровать была застелена несвежим бельем. Она сдернула это белье и легла на голый матрас, а толстяк растерялся и долго сидел с краю, рядом, неловко поглаживая ее по груди.

Ей очень хотелось плакать, но она смеялась – громко, в голос, неестественным, истерическим смехом. А он уговаривал ее замолчать и неловко путался в брючных пуговицах.

Все, что она запомнила, – терпкий запах пота и мягкие, торопливые, словно женские, руки толстяка.

И снова началась круговерть ее ада. Она говорила, что просто не понимала, как снова сорвалась. С работы ее выгнали, разумеется. На Арбате она не появлялась. Снова начались попойки, случайные встречи и ночевки. Были минуты трезвости и прозрения – нечастые и кратковременные, когда она не могла вспомнить, как оказалась в незнакомой постели, и с удивлением смотрела на мужчину, спящего рядом. Одному из них, рослому красавцу с холодными, льдистыми глазами, у которого она проживала последние пару недель, она задала вроде бы шуткой вопрос: «А в загс сходить со мной не хочешь?»

Он курил у окна, обернув красивый торс спортсмена в узкое полотенце. Услышав ее вопрос, обернулся и удивленно приподнял брови.

– С тобой? Не ослышался, матушка?

От смущения она дернула плечом и, гордо вскинув голову, ответила:

– Не ослышался, милый!

Он рассмеялся:

– Ну ты даешь, старуха! Вот уж развеселила, ничего не скажешь! В самый голодный год не придет в голову! Жениться на тебе! Шутница ты, милая. Кто ж на тебе женится? В здравом уме и твердой памяти? Где ж найти такого извращенца? Ты хоть сама посчитать в силах, сколько мужиков через себя пропускаешь? Арифметику в школе проходила?

Она встала, молча оделась и пошла к двери. Долго возилась со старым замком. Он вышел в коридор и одним щелчком отворил дверь. Вдогонку ей бросил:

– Ты же жизнь свою разменяла, Элька, на пятаки. Красивая ведь баба и не дура. Да еще пьянки эти... – сказал он, будто бы с сожалением, брезгливостью и с жалостью.

Она вышла во двор. Ноги отказывались нести ее дальше. Она села на скамейку и просидела до самого вечера. Очнулась, когда на голову упали первые крупные капли дождя. Медленно дошла до метро и поехала на Арбат.

Эльза открыла ей дверь. Ни слова не спросила, постелила постель и принесла чашку крепкого чая.

Потрогала лоб – испугалась. Эля была горячей, как раскаленная плита. Приехала «Скорая». Сделали укол. Она провалилась, как в черную яму.

Когда открыла глаза, за окном кружила метель. Она испугалась – господи, сколько же она пролежала?

– Пролежала недолго, – успокоила ее Эльза, – всего-то две недели. И это не снег, Эличка! Это – тополиный пух.

Эля сползла с кровати и подошла к окну. За окном было лето. Зеленели тополя, во дворе галдела детвора. Она с усилием распахнула тяжелую скрипучую раму, и в комнату полетели хлопья нежного тополиного пуха, закружились, заплясали, садясь на волосы и плечи. Она села на пол и стала ловить пух руками. Потом и уснула – там же, на дощатом теплом полу, уже прогретом щедрым июньским солнцем.

Пролежала она еще почти месяц. Вставать не хотелось, выходить на улицу тоже. Эльза кормила ее своим неизменным и спасительным ныне бульоном. Вопросов по-прежнему не задавала, только однажды тихо сказала:

– Жизнь – это перекресток, девочка! Всегда есть дорога на две улицы. Всегда. Ты уж мне поверь! Даже если сначала ты этого не увидишь.

Через пару недель, в августе, оказавшемся небывало дождливым и душным, в молочной на Арбате, в длинной очереди за кефиром она познакомилась с Яшей.

Потом он сказал ей, что смотрел, не отрываясь, на ее затылок и ложбинку на шее под небрежно собранными волосами. Эта тонкая шея и завиток, лежащий на ней запятой, словно парализовали его волю.

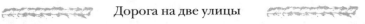

Он шел за ней до самого дома. У подъезда она резко остановилась и обернулась.

Он споткнулся, замер и испуганно произнес:

– Девушка! Выходите за меня замуж! – И жалобно добавил: – Пожалуйста!

Эля говорила, что давно так не смеялась. Она покачала головой и покрутила пальцем у виска. Он вздохнул и пожал плечами.

Теперь он стоял у подъезда каждый день.

Через три месяца изнурительной осады она вышла за него замуж.

– Ну а дальше ты все знаешь, – усмехнулась Эля и, прищурившись, посмотрела на Елену. – Он меня спас, – объяснила она, имея в виду Яшу. – Ты представляешь, где бы я была, если бы не он! И за это я буду благодарна ему всю жизнь. Благодарна и верна. Тем более что та сторона жизни, в смысле интимная, мне абсолютно и давно безразлична.

Молчали долго. Костер догорел, и небо стало медленно светлеть.

Потом Елена обняла ее за плечи. Эля вздрогнула:

– Только не надо меня жалеть! Да и потом – жизнь свою я устроила. Грех жаловаться. О куске хлеба не думаю. Даже ребенка родила – значит, простили мне ТАМ мои грехи! А что людям не верю... Так это мое дело. Личное, так сказать.

Елена ответила:

– А я тебя не жалею! Я просто тобой горжусь! Да и за что тебя жалеть? Ты – самая умная, самая красивая и самая талантливая!

– Интересно, в чем? – ухмыльнулась Эля. И добавила: – Можешь не отвечать.

Потом опять молчали, и совсем уже на рассвете, когда лениво, словно нехотя, поднялось круглое и розовое солнце, они ушли в дом.

Никогда больше об этом ночном невыносимом разговоре они не вспоминали. Словно его и не было.

В дальнейшем, когда Елену раздражали и даже коробили Элины действия или поступки — напористые, наглые и хамоватые, — она спохватывалась и одергивала себя, вспоминая ту ночь в Ельце, после которой она пересмотрела всю свою жизнь, да и жизнь матери тоже, и утвердилась в мысли — *они счастливые.* И все, что было в их судьбах: их страдания, горести и обиды — все чепуха и тлен. И полная ерунда.

И еще почему-то испытала чувство неловкости и стыда — за все свои прошлые обиды на жизнь.

* * *

Те годы можно было смело назвать самыми, как ни странно, безоблачными и спокойными. Самыми счастливыми и радостными в ее и их жизни.

Они с Борисом еще познавали друг друга, открывали. Радостно, нежно, иногда с удивлением. Их ночи еще были бессонны, по-хорошему тревожны и волнительны.

Они еще скучали друг по другу, расставаясь всего лишь на рабочий день. Какая, казалось бы, малость и ерунда! А она стояла в темноте у окна и выглядывала его силуэт — знакомый до боли, до звонкого толчка в сердце. Она еще бросалась к двери и обеими руками обнимала его за шею.

Они еще мечтали о многом. О маленьком домике в деревне, у озера, окруженного густым и темным еловым бором. О поездке на Байкал и в Самарканд — разумеется, всей семьей. А вот в Сухуми одним, только вдвоем. Чтобы есть горячий и сочный шашлык на набережной, в крошечной кафешке, и еще чебуреки, истекающие прозрачным и обжигающим соком, и запивать все это прохладным и кислым молодым вином. И смотреть на темное, чернильное море и яркие низкие звезды. А после торопиться в душную, крошечную комнату с пыльной марлей на узком окне. И рухнуть от усталости и счастья в скрипучую и неудобную кровать с волглым бельем – чепуха, наплевать! На все наплевать! Потому что они будут любить друг друга. И сердце еще будет останавливаться от его слов, а голова – кружиться от его поцелуев.

Потому что они еще так отчаянно молоды и так бездумно, наивно уверены, что все у них будет хорошо и даже замечательно – во всем, абсолютно во всем.

Потому что по-другому, иначе в молодости и не бывает – такова, слава богу, жизнь.

* * *

Она видела, как он тогда торопился домой. Просто бежал к подъезду с высоко задранной головой. И, увидев ее силуэт в окне, начинал так яростно размахивать руками, что на него с удивлением оборачивались случайные прохожие.

Как он скучал по ней! Сутки на работе были невыносимы. Он запирался в ординаторской и, если была возможность, говорил с нею так долго, что в дверь начинали ломиться дежурные врачи и сестры.

Ночью он иногда просыпался в поту от страха: а вдруг эта прекрасная жизнь с ней ему только приснилась?

Нет, она была тут, рядом. В двадцати сантиметрах от него. Спала, свернувшись улиткой, и сладко причмокивала губами. Он касался ее прохладного лба, проводил осторожно рукой по волосам и блаженно откидывался на подушку.

Слава богу, не сон – реальность.

Он все еще любовался ею – ее прохладной и ненавязчивой красотой, которая не возбуждала, а скорее успокаивала. Ему нравилось, как она смущалась от его взгляда – как девушка-подросток, мгновенно краснея.

Елена думала, как сказочно ей повезло в жизни. Как заботлив, нежен, умен и щедр ее муж. Ее возлюбленный. Как ей просто с ним, как легко. Как быстро они понимают друг друга, как моментально улавливают малейшие колебания настроения другого, ловят, словно локатором, испуг, неприязнь к кому-либо, недовольство или радость.

Они на одной волне. И смотрят в одну сторону. В общем, муж и жена. Одна сатана. А как по-другому?

По-другому нечестно, неправильно, плохо.

А у них все хорошо! Даже подумать страшно, как хорошо!

* * *

Ольгу, по-семейному Лелю, Елена родила легко. Ну разумеется, вторые роды. Всего-то за какие-то три часа. Спокойно, без разрывов и прочих сопутствующих неприятностей.

Новорожденная дочка смотрела на нее спокойно и внимательно. Елена, повидавшая предостаточно младенцев, удивилась разумному и не по-детски осмысленному взгляду девочки.

Дочка не капризничала, не плакала, не морщилась, не сучила ножками. Она была всем и всегда довольна – удивительный ребенок! Она внимательно, по-взрослому смотрела на мать, и взгляд ее обещал поддержку, помощь и понимание – всегда, в любое время и в любой ситуации. Она исполнила все то, что молчаливо обещала. И ни разу не подвела.

Почти ни разу.

А вот Ирка была совсем другой. Фокусы у нее начались с малолетства. Капризы и нытье, выпрашивание новых туфелек, заколочек и платьев. Ну, здесь оправдание найдет любая мать – растет маленькая женщина. А вот вранье – бесконечное, безо всякого веского повода, наглое, нахальное вранье – Елену обескураживало и приводило в панику и ступор.

Она пыталась вести разъяснительные беседы: врать нехорошо, за правду ругать никто не будет, какая бы она ни была. В нашем доме врунов никогда не было, мы всегда все поймем и тебе поможем, ну и так далее.

Все тщетно – Ирка продолжала бессовестно врать. И это было именно вранье – подлое, гнусное, мелкое, – а не какие-нибудь детские фантазии.

Обнаружилось, что Ирка завистлива и злоязыка. Жадна. Любительница обсудить и осудить. Злобно, не по-детски, насмехаться – над бедной одеждой, старостью, физическими недостатками. А самое страшное обнаружилось в восемь лет – Ирка вытащила деньги из отцовского кошелька и духи из Элиной сумки.

Духи нашли по запаху из-за неплотно завернутой золотой пробочки. Там же, в ботинке, спрятанном под кроватью, обнаружилась и мятая десятка, уведенная из отцовского кошелька.

Ирка ревела белугой и пыталась оправдаться: «Духи, да, взяла. А что? У тети Эли много! Вот не сдержалась – так вкусно пахнут! Нюхаю перед сном и засыпаю. А про деньги – так это же тебе, мамуля, на подарок. Ты же так мечтала о новой сумке в универмаге у метро. Помнишь, как ты ее разглядывала? Белая такая, с черной блестящей пряжечкой? Ты еще говорила, что она так подходит к новым босоножкам! Вот я и подумала: куплю тебе сумку! А где мне было взять денег?» – И она удивленно распахнула свои прекрасные глаза, в которых блестели слезы искренней обиды и искреннего же непонимания.

Елена не знала, как реагировать. Слова словно испарились, растворились, их не было вовсе. Она молча сидела на тахте, уронив голову в руки.

Ирка подошла и обняла ее за шею. Елена разжала ее руки: «Уходи. Не могу тебя видеть».

Дочь пожала плечом, вздохнула и пошла к себе.

Минут через двадцать, когда Елена нашла в себе силы подняться, она приоткрыла дверь в детскую. Ирка сидела на полу и наряжала куклу. Очаровательный ребенок с золотистыми кудрями, абсолютный ангел. Она подняла на мать голубые, вполлица глаза и безмятежно спросила: «Обедать, мамочка?» Елена резко закрыла дверь. Что делать? Может быть, правда не понимает? Издержки возраста? Перерастет, поймет, осознает. Всякое в жизни бывает! Из самых оголтелых хулиганов и врунов вырастают приличные люди.

Она старалась успокоить себя, утешить, но... Внутренний голос вещал – ничего не поймет и не осознает. Рождена с пороком сознания, сбой каких-то генов, цепочки ДНК.

Понимала – это ее крест. На всю оставшуюся жизнь. И ничего с этим не поделаешь.

Но не может быть для матери страшнее приговора, что твой ребенок с гнильцой. И что ты только можешь себе представить, а скорее всего, и нет, что может выкинуть этот ребенок впоследствии.

Вот тут были и страх, и горечь, и чувство вины, и обида – словом, всего понемножку. Или – не понемножку.

И вопрос – когда? Когда мы ее проморгали? Когда пропустили?

А ответа нет.

Первый блин комом – было бы смешно, если бы...

От мужа она многое скрывала – наверное, была не права, и это тоже ее мучило. Но – жалела его, себя и эту маленькую дрянь тоже. Как ни странно. И не хотела скандала.

Элька только посмеивалась в ответ на ее жалобы и испуг – брось, нормальная девка, да, хитрованка, врушка – подумаешь! И за духи не осудила – с кем не бывает!

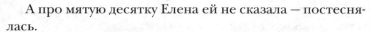

А про мятую десятку Елена ей не сказала – постеснялась.

В дальнейшем, когда Иркины выкрутасы становились все изощренней, усмехаясь, говорила:

– Ну да, выросла стервой. Люди на свете разные, и всем хватает места. Зато в жизни устроится – с ее-то хваткой! Вот в этом ты не сомневайся!

Елена болезненно морщилась:

– Ну почему – моя дочь?

– Не строй из себя святошу! – жестко обрывала разговор Эля.

С Борисом они старались поведение старшей дочери не обсуждать – Елена видела, как болезненно он реагирует на Иркины фокусы, как страдает и мучается. Как стыдится ее поступков и... предпочитает о них не слышать и не знать.

Чисто мужская логика. Страусиная политика.

Вначале это ее коробило и обижало, а потом и ему нашла оправдание – замотан, занят, столько проблем на работе. Столько неприятностей.

В конце концов, она мать и воспитатель. И это ее главное жизненное дело. И ошибки, и удачи – тоже ее заслуга. Что вложила (господи, какой бред!), то и получила.

Он обеспечивает семью, она с девчонками дома. Вот с нее и спрос. А мужчины, в конце концов, в основном теоретики воспитания, а практики, увы, женщины.

Потом поняла – и это было ошибкой.

Спустя много лет, уже в старости, вдруг пришла в голову совсем неожиданная мысль: а ведь отношения с Борисом стали угасать, портиться именно тогда, с первыми серьезными Иркиными фокусами.

Нина Ефремовна однажды, внимательно посмотрев на собственную внучку, вынесла определение, не пожалев родную дочь: «У нее, Лена, глаза прожорливые. Хочет все и сразу. И к цели своей будет идти беспощадно, не сомневайся. Будь к этому готова».

Хорошее утешеньице! Елена на мать тогда обиделась, а потом часто вспоминала – и правда «прожорливые». Точнее не скажешь. Мать всегда умела не в бровь, а в глаз.

Радовала Леля. Умница – с малых лет. В три года убирала игрушки – за собой и за сестрой. В четыре, забравшись на табуретку, мыла посуду. В пять ходила с авоськой в булочную перед домом. Тогда же и научилась читать – сама, без Елениной помощи. И с тех пор с книжками не расставалась. В семь, изучив кулинарную книгу, толстую, неподъемную, испекла на день рождения отца яблочный пирог. Вполне съедобный, кстати. Без колебаний отдала старшей сестре крошечную лаковую сумочку, подаренную Элей на день рождения.

Ирка эту лаковую Лелину красоту и мечту потеряла на следующий же день. Леля сутки молчала. Но сестре ничего не сказала – поплакала в одиночку и успокоилась. Поверила Ирке, что сумку украли завистники.

Когда родился Никоша, Леля во всем старалась Елене помочь. Стирала пеленки, варила кашу, пела колыбельные. Пугалась, когда Никоша особенно громко кричал или заболевал. От страха за его жизнь у нее поднималась температура.

Ирка, когда начались проблемы с Никошей, зло ухмыльнулась – родили инвалида, а теперь всем мучиться!

Тогда Елена впервые в жизни дала ей звонкую пощечину. Та не расплакалась, а рассмеялась ей в лицо. И Елене в очередной раз стало страшно.

* * *

Елена после рождения Ольги мечтала выйти на работу. По ночам ей снился гулкий ночной коридор отделения, тусклый свет лампочки на сестринском посту, короткий и обманчивый покой и тишина, прерывающаяся редкими криками о помощи из «тяжелых» палат, запах карболки, хлорки и подгоревшей овсянки, раннее утро, звуки советского гимна из радиоточки – утро, как всегда, суетливое и торопливое, пятиминутка с докладами и отчетами, свежий крепкий чай в ординаторской и мечта, всего лишь одна – поскорее добраться до дома и рухнуть в постель. А потом, несмотря на усталость и свинцовую тяжесть в опухших ногах, отоспавшись до полудня, приниматься за домашние дела и... Опять думать о работе. Мечтать, как через день, поднявшись в шесть утра, будет торопиться к метро, бежать до больницы, надевать крахмальный белый халат, влетать в конференц-зал и, сосредоточив все свое внимание, вникать в старые и новые проблемы.

Планы были такие – Лелька пойдет в первый класс, а там уж – извините! Продленка, няня или наконец удастся уговорить непокорную маму, и она приедет в Москву помогать. Но планы кардинально поменялись, когда она обнаружила, что опять беременна.

Потом было и вспоминать стыдно, как она не хотела третьего ребенка! Сначала она даже не хотела говорить мужу – были и такие крамольные мысли. Сказала только Эльке.

Та поддержала: и правильно, знать ему ни к чему. Это наши, бабьи дела. Да и вообще – ерунда. Есть врачи – никаких проблем. Не хочешь в его больнице – устроим. Комар носу не подточит.

Елена раздумывала. Понимала, что Эля права – куда им третьего? К тому же вечная нехватка денег. Девчонок нужно одевать, везти на море, помогать маме, Гаяне и Машке. У Бориса барахлит сердце, да и она не девочка – опять все по новой. Как представишь себе бессонные ночи... В общем, против логики не попрешь. Но... Кроме разума и логики, оставался еще маленький червячок, головастик внутри ее. Который уже дышал и у которого билось крохотное сердечко. Как быть с этим? Приговорить его этой самой логикой?

Да и скрыть от Бориса было совсем не в ее стиле. Думала, конечно, о себе – как потом с этим жить? Это ведь не ложь, не обман и не хитрость. Это – преступление и предательство их отношений и их любви.

Был еще и страх: а если случатся осложнения? И вернуться домой в тот же день не удастся? И тогда откроется весь ее страшный обман. Борис этого не простит.

А если – того хуже? И девочки останутся без матери, сиротами? Разве мало после этого осложнений?

Не святая, усмехнулась она про себя. Точно сказала Элька – не строй из себя святошу.

Позвонила Эльке и сказала, чтобы та не хлопотала.

– Ну-ну, – вздохнув, прокомментировала она. – Хозяин – барин.

Вечером Елена сказала Борису. Тот удивился:

– И как же это мы умудрились?

– Ну, знаешь ли. Дело нехитрое.

Он не запрыгал от радости, а вздохнув, сказал:

– Ну, так, значит, так. Так тому и быть, – и опять тяжело и шумно вздохнул.

– А если... – осторожно сказала Елена.

– Не обсуждается! – резко перебил он ее.

Потом она часто думала: а может быть, все это оттого, что Никошу они не хотели? Вслух не обсуждали, но про себя-то... И от этих мыслей она так и не смогла избавиться – никогда.

* * *

То, что у Никоши все не совсем в порядке, обнаружилось почти сразу, еще в роддоме. Педиаторша разговаривала с Еленой не поднимая глаз. Да, тяжелые, затяжные (вот вам и третьи!) роды. Да, ручное отделение, щипцы. Длительное прохождение по родовым путям и как следствие – асфиксия. Все так. Она врач, сама все понимает.

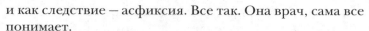

Понять было просто, а вот принять...

Дома делали все, что возможно, – массажи, гимнастика, водные процедуры. Гуляли по шесть часов, посменно. Елена, Лелька, опять Елена – после получасового неспокойного сна.

Мама ехать в *эту* квартиру по-прежнему отказывалась. Елена, разумеется, обижалась. А у Бориса с тещей и вовсе отношения разладились. Он отказывался понимать все эти придуманные и искусственные, дурацкие причины. Ах, воспоминания! Ах, унижение и разбитая жизнь! Ах, предательство, которому нет прощения!

– Твой отец давно в могиле! – кричал он. – А она все носится со своими обидами, как курица с яйцом!

Это была чистейшая правда, с которой Елена внутренне соглашалась. Но все же вслух пыталась мать оправдать.

Борис махал рукой и говорил:

– Бред, Лена! Ты сама-то веришь во весь этот бред?

Правда, Нина Ефремовна предлагала забрать в Елец Ольгу. Про Ирку разговора не было. Но Ольга – единственная помощница. Да и что от нее, кроме помощи и добра? Никаких хлопот. К тому же она так привязана к Никоше и нежна с ним...

Однажды сказала матери:

– А ведь ты Бориса не любишь!

Сказала, как укорила.

Нина Ефремовна пожала плечами:

– Любить тебе положено, Лена. А мне положено уважать или нет.

– Уважаешь? – недобро усмехнулась Елена.

– Смотря за что, – спокойно ответила мать.

– И за что же? – уточнила дочь.

– За успехи в работе, – ответила та.

Ко всем мужчинам, оставившим прежнюю семью, она относилась с презрением и некоторой брезгливостью. Любимый муж дочери и ее зять из их числа не выбивался. Про себя хладнокровно замечала: Елену любит, к детям неравнодушен. Не пьет и, скорее всего, не гуляет. Хотя кто его знает – один ведь раз случилось. Так что веры ему теперь нет. Жестко, но, как считала она, вполне справедливо. И всю жизнь оставалась с ним на «вы». Не забывая сохранять дистанцию.

* * *

Головка у Никоши начала расти в три месяца. Первой, как ни странно, заметила это Ирка, крикнув: «Ой, наш Никошка похож на марсианина!»

Марсиан, разумеется, никто не видел, но рисовали их и правда головастиками с тонкими ручками и ножками.

К специалисту пошли через месяц, поборов Еленин страх.

Все подтвердилось – да, гидроцефалия и как осложнение, скорее всего, ДЦП. Этот вариант очень возможен. Дай бог, чтобы встал, пошел и держал в руках ложку. Про умственное развитие было все понятно – никто не знает, куда кривая вывезет. Среди таких людей бывают и гении, и...

ДЦП, слава богу, не подтвердился. А вот головка... Голова росла у малыша, что называется, не по дням, а по часам. Почти в прямом смысле. Ольга называла брата Одуванчик. И вправду – одуванчик! Тельце тоненькое, а головка...

Врачи успокаивали – тела наберет, и голова не будет так бросаться в глаза.

Оставалось только надеяться! Ждать и надеяться. И еще – трудиться, трудиться и трудиться. Всем вместе, всей семьей. Но главное – Никошке и Елене.

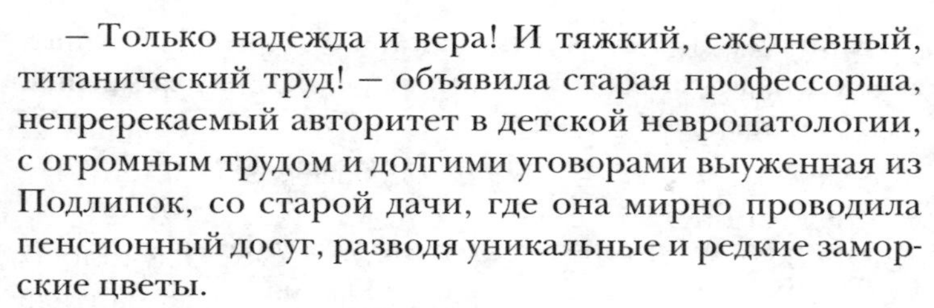

— Только надежда и вера! И тяжкий, ежедневный, титанический труд! — объявила старая профессорша, непререкаемый авторитет в детской невропатологии, с огромным трудом и долгими уговорами выуженная из Подлипок, со старой дачи, где она мирно проводила пенсионный досуг, разводя уникальные и редкие заморские цветы.

А на прощание добавила:

— Все у нас, у медиков, получается не по-людски. Сапожник без сапог, как говорится.

Никоша сел, встал и даже пошел — медленно, шатаясь, как пьянчужка.

Говорить начал поздно, но все и сразу. Первая фраза: «А где Леля?»

Заревели хором — и Елена, и Ольга. Даже Ирка хлюпнула носом? Или — хмыкнула?

Да бог с ней. Не до нее.

Вся жизнь семьи теперь, что вполне понятно, крутилась вокруг этого мальчика — кареглазого, кудрявого, темноволосого и очень хорошенького.

По характеру Никоша напоминал Ольгу — не капризный, терпеливый и послушный. Даже когда его сильно мучили головные боли, он клал голову на колени сестре или матери и просил «погладить волосики».

Борис сына обожал. Ни одна из дочерей не видела от него столько любви и нежности.

Ольга часами читала брату книжки, пока тот не засыпал. Среди ночи мальчик часто просыпался и снова звал Лелю — «погладить волосики, попить и почитать». Ни отца, ни мать Ольга не будила. Зевая, садилась на Никошину кровать и выполняла все пожелания.

Ирка заявила, что «ночные бдения» ей мешают, и потребовала отдельную комнату. Борис отдал ей свой кабинет. С ней уже предпочитали не связываться.

Копили денег на Крым, так необходимый Никоше. А денег на всех не хватало – меньше, чем на два месяца, ехать смысла не было.

Решили, что поедут Елена, Никоша и Леля – без нее Елена не управится.

Ирке были предложены каникулы у бабушки в Ельце. Разумеется, скандал не заставил себя ждать.

Она выкрикивала, словно выплевывала, страшные вещи. Что «этот калека лишил ее всего: и покоя, и нормального отдыха». Что «все носятся с ним, как с писаной торбой».

И еще много чего, что Елена уже не слышала – просто закрыла ладонями уши.

Борис, каменея от ужаса и брезгливости, сказал, что никакого моря она не получит – теперь уж наверняка.

Была куплена путевка в лагерь, на все три смены, и Ирка быстро утешилась – в лагере и кино, и танцы и кадрежка от души. Короче, есть где разгуляться.

Уезжая, не попрощалась ни с отцом, ни с матерью. Сестре бросила:

– Следи, чтобы твой урод от радости не утоп! – и, хохотнув, громко хлопнула входной дверью.

– За что? – спросила Елена мужа.

Он вздохнул:

– У всех свой крест, Лена. У всех.

– Не много ли? – усмехнулась она. – И Никоша, и эта... – и она передернула плечами.

Борис кивнул – многовато. А деваться некуда. Обратно не отзовешь. Он обнял ее.

– Справимся, Ленушка. Справимся! Ведь другого выхода у нас нет, верно?

Елена кивнула:

– И еще у нас есть Лелька и Никоша! – всхлипывая, добавила она.

Он, гладя ее по волосам, кивнул:

– Вот именно. И кто скажет, что мы несчастные?

* * *

Море было каждый год, это не обсуждалось. К тому же Никошины успехи после двух «морских» месяцев были очевидны.

Они замечали и отмечали каждую мелочь, на которую бы не реагировали родители здорового ребенка. Пальцы крепче держат ложку, пробует есть вилкой, в море, которое он обожает, не идет, а бежит. Неловко, но бежит. С детьми на пляже общается легко, быстро находит друзей и в играх почти не отстает. Слепил (не без Лелиной помощи, но все же) песочный замок и корабль. Собирает разноцветные камешки и ракушки, а потом, опять вместе с сестрой, раскладывает их по размеру и цвету. Ест замечательно, требует арбуза и персиков.

Леля не отходила от него ни на шаг. Елена умудрялась и покемарить, и от души поплавать.

Перед сном дочка купала брата под прохладным душем – закаляла. На ночь читала книжки – их Никоша обожал.

Елена наблюдала за дочерью – девочка чудная, ответственная, ловкая. Нежная, терпеливая, услужливая. Мать умоляла ее найти подружек по возрасту и немного отвлечься. Та отказывалась и убеждала, что она, мать и Никоша – лучшая компания. И другой не надо.

Радоваться бы, а на душе почему-то беспокойство и тоска. Оттого, что видит и понимает, как, скорее всего, дочь будет строить свою жизнь – собой пожертвует наверняка, кинет свою жизнь под ноги. Вот только вопрос – кому? Каков будет этот человек? Оценит ли преданность и жертвенность? Или воспользуется этим? Нелегко «жертвам» на свете живется – и Елена думает про Гаяне.

В то лето снимали две комнаты в Судаке, саманный домик с фруктовым садом находился в десяти минутах от моря. Да и с хозяйкой повезло – полная немолодая одинокая женщина, по имени Раися, из крымских татар, была радушна и гостеприимна. Деньги брала копеечные, позволяла обирать фруктовые деревья и каждую субботу жарила сочные чебуреки – огромный эмалированный таз. На крошечном огороде позади дома, на выжженной, пропитанной солью и солнцем земле, росли огромные и кривые розовые помидоры необыкновенной сочности и сладости.

На скамейке перед домом, под тенью абрикосового дерева, они ужинали вместе с хозяйкой – вяленой рыбой, серым, ноздрястым, еще теплым местным хлебом и этими самыми сказочными, гигантскими помидорами, на разломе сверкающими, как первый снег.

Раися эта оказалась неожиданно умницей. В ее бесхитростных суждениях была истинная мудрость. За долгими вечерними чаепитиями, отирая кончиком платка широкое скуластое вспотевшее лицо, она рассказывала Елене про свою судьбу.

Родители были зажиточными, отец держал в Ялте бакалейную лавку, почти на центральной улице. Единственную дочку сватали за богатого жениха из добропорядочной и уважаемой семьи.

А Раися замуж за него не хотела – не нравился. Говорила, что толстый, и лысый, и немолодой – уже под тридцать. Но родители ее доводы не приняли – просватали и стали готовиться к пышной свадьбе.

После свадьбы пришлось бы уехать в дом жениха – такие правила. А там свекровь и три золовки, те еще ведьмы.

Но перед самой свадьбой жених и будущий тесть погибли. Поехали по делам, мотоцикл с коляской сорвался в пропасть.

Свадьба не получилась. А Раися сказала, что она обрадовалась – даже смерть отца лишь слегка, совсем немного, омрачила ее радость. И было ей так стыдно, что она возненавидела себя. Мучилась всю жизнь. Замуж больше не хотела и сватов не принимала. Устроилась в столовую поварихой и там зароманилась с немолодым дагестанцем, старшим поваром. Разумеется, дагестанец был женат и воспитывал трех дочерей. Случилась у них большая любовь, которая растянулась на целых пятнадцать лет. Родить она не посмела – и так, грешница, в глаза людям смотреть боялась. И вслед плевали, и шипели, как змеи. Потихоньку от него сделала три аборта, лишь бы ему не осложнять жизнь. О которых жалела всю жизнь.

– Ох! Если бы у меня был сынок! Пусть болявый, как твой! – вздыхала она и принималась плакать. – Или дочка! Вот как твоя Лелька. А так старость встречать страшно. Воды поднести некому.

Любовник ее овдовел, дети выросли и разлетелись, и она, разумеется, ждала, что он предложит ей сойтись. Вроде как само собой разумеется. А он молчал. Спросить она боялась, думала, держит траур. А через год он женился на молодой соседке. Взял «кобылястую» русскую деваху, и принялись они рожать детей.

– Берегла его, чиститься бегала, а он видишь как… – вздыхала она. – А не была бы дурой, родила бы, его не спросила.

И через минуту после печального рассказа и горьких слез начинала смеяться:

– Зато с любовью жизнь прожила! Когда приходил он ко мне, сердце в трусы падало! А так бы с нелюбимым мужем промучилась, от которого с души бы воротило! Значит, счастливая! – улыбалась она, и морщинки вокруг глаз собирались в крошечный букет.

В то лето пришлось взять с собой Ирку. Той было четырнадцать.

Раися внимательно, с прищуром, долго разглядывала Еленину старшую дочь, а потом сказала:

– Держи ее, Лена, на привязи. Да на короткой... А то мы с тобой тут беды не оберемся! – и, махнув рукой и покачав головой, пошла в дом.

Ирка явилась под утро в первую же ночь. Елена и Раися сидели во дворе и вздрагивали от каждого шума – не появится ли блудная дочь.

Появилась. Окинула их мутноватым взглядом и усмехнулась:

– Сидите, кумушки?

– Что делать? – спросила Елена и заплакала.

– Терпеть, – ответила Раися. – Воспитывать поздно. Теперь ждать, пока жизнь воспитает.

– А если... – всхлипнула Елена.

– А это как судьба решит. Или вывезет, или...

Про второе «или» думать было так страшно, что...

Елена ловила себя на мысли, что старшую дочь она... Нет, нет! Испугалась своих мыслей – нет, разумеется, любит. Как может мать не любить родное дитя? Говорят, что неудачных любят сильнее. Нет. Не сильнее. Здесь все как-то непонятно, странно. Есть жалость, вина. Вечное, неусыпное беспокойство. Страх – за семью и за ее, дочкину, судьбу. Но... Есть и брезгливость, что ли. Пренебрежение, стыд.

Господи! Стыдиться собственного ребенка!

Или на всех не хватает ее любви? Слишком много отдает Никоше. Ольге. Борису.

А вот этой, получается, ничего не остается. Или – почти ничего, разница небольшая.

Мудрая татарка посоветовала:

– Люби ее, Лена, больше. Приласкай, пожалей, поговори. Она же не дура, все понимает. Да и ты не дура. Да и к тому же – мать.

А вот не получалось больше любить. И пожалеть не получалось, и поговорить. Отталкивала Ирка. Не желала ни близости, ни нежности, ни душевных разговоров.

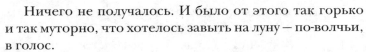

Ничего не получалось. И было от этого так горько и так муторно, что хотелось завыть на луну – по-волчьи, в голос.

Не завоешь – дети спят. А у Никоши такой тревожный сон...

Не дай бог. И держи боль в себе. Никому не показывай – раз уж так вышло.

Нервы не выдержали. Елена вскочила с кровати – на часах пять утра – выбежала во двор. Ирка жадно пила воду из ковша.

Подлетела к ней и поморщилась – запах дешевого пойла крепко ударил в нос. Замахнулась.

Та отпрянула и усмехнулась:

– Бей! Ты только им задницы подтираешь! – И она кивнула на дом, где спали Ольга с Никошей.

Рука упала, и Елена опустилась на табуретку.

– Вот и поплачь, – кивнула дочь и, покачиваясь, пошла в дом.

Через пять минут она крепко спала. На безмятежном лице расцвела довольная и спокойная улыбка.

Перед отъездом – скорее домой, скорее покончить весь этот ад, – Раися ей шепнула:

– Следи за ее месячными! А то... Не ровен час!

Елена испуганно вздрогнула.

* * *

Машка появилась в их доме не сразу, через несколько лет. Пришла с бабушкой на день рождения Лели.

Елизавета Семеновна крепко держала внучку за руку и внимательно, цепко и тревожно оглядывала окружающих. Не дай бог, внучку обидят или обделят!

Елена усадила их на почетные места и подкладывала в тарелки лучшие куски. Машка ела с большим аппетитом, а вот свекровь вяло ковыряла вилкой в тарелке и вскоре ее отодвинула.

От Елениного взгляда, да и от Лелиного это не ускользнуло. Мать и дочь переглянулись.

Ни на Ирку, ни на Ольгу, ни на Никошу Елизавета Семеновна не реагировала. Нарочито? Вряд ли. Ее интересовала только Машка – как поела, запей водой, а не лимонадом, поменьше сладкого и не бегать – простудишься, потная.

Было очевидно – для нее существует одна внучка, Машка. И другим в ее сердце места нет. И никогда не будет.

Обиду свою Елена проглотила – насильно мил не будешь. Хотя нет, какое «проглотила»! Обида осталась. На всю жизнь. Нельзя же так! Можно хотя бы сделать вид! Да и при чем тут дети! Они-то точно ни в чем не виноваты. А она, Елена? Понимала – ее только ТЕРПЯТ. «Хорошей» она не будет никогда. Потому что разлучница. Из тех, что когда-то увела свекровиного мужа и оставила без отца ее сына. «Такую» принять и полюбить сложно, почти невозможно. Да и разбираться неохота – какая она, хорошая или плохая. Чужая. На всю жизнь чужая.

И это переживем. Есть проблемы поважнее.

* * *

Отпускать одну, в «тот дом», к Елене, Машку начали не сразу, спустя пару лет. Когда поняли – ничего плохого ей там не грозит. К тому же она с такой нежностью говорила про Лелю и Никошу! «Моя сестра и мой младший брат».

С Ольгой и Никошей они ездили в парк Горького, в зоопарк, на Ленинские горы и Красную площадь.

Елена давала денег на пирожки и мороженое. Приезжали усталые, но счастливые и наперебой делились впечатлениями.

Елена видела: мужу все это – как бальзам на душу. И за улыбку на его лице готова была на все.

Однажды за ужином, когда дети были в кино, он сказал ей:

– Спасибо!

Она ответила:

– Пожалуйста! – А потом повернулась от плиты: – А за что?

– За все, – сказал он.

Она пожала плечами:

– Вот правильно! За все – это правильно! – И рассмеялась.

И только перед сном до нее дошел смысл сказанного. Она посмотрела на спящего мужа и погладила его по щеке.

Проблемы с Иркой росли как снежный ком: воистину, маленькие детки – маленькие бедки...

Еле дотянули до восьмого класса – школьная директриса просто пожалела Елену и, шумно вздохнув, сказала:

– Ох, Елена Сергеевна, как я вас понимаю! У меня старший – гордость и сплошное умиление, в Бауманке отличник, на ленинской стипендии. Никогда с ним хлопот не было. А младший... – она замолчала. – Вот там у нас беда. Пьянки, гулянки, воровство – пока из наших карманов, а что дальше будет... Кто ж знает. И ведь от одной матери, от одного отца. Вот я все думаю – как же так получается? Что мы упустили, где, когда? А ответов не нахожу. Муж через него инфаркт получил. Я пока держусь, – она усмехнулась. – Баба ведь, нам положено.

Елена кивнула:

– Спасибо, если бы не вы...

Та махнула рукой и пошла по коридору.

Все разговоры по поводу дальнейшего обучения – вечерней школы или училища – Ирка отметала.

Еще чего! Опять за учебники? Ну уж нет, увольте.

– А что тогда? Что дальше? – вопрошала измученная Елена. – Как ты собираешься строить жизнь?

Та нагло рассмеялась:

– Жизнь, мама, не строят. Ею живут. Так, как выбирают: или пашут как проклятые, или живут просто и радостно. Я вот предпочитаю второй вариант.

– А образование? Или хотя бы профессия? Как прожить без этого?

– У меня отличный пример перед глазами – отец, по слухам – гениальный хирург, который пашет без передыху за копейки и у которого не хватает ума брать от благодарных больных конверты, и ты, со всем своим образованием и способностями, драишь толчок и варишь борщи. Мы пойдем другим путем, – рассмеялась она и, выпрямившись, откинула вперед правую руку.

– Не споткнись, – посоветовала Елена, – когда будешь идти «другим» путем.

* * *

После экзаменов за восьмой класс Ирка укатила в Геленджик. Сказала, что компания большая, четыре девочки и шесть парней, у одного из них в городе родня. Там и остановятся. Сказала, что едут на месяц, а пропала до сентября. Правда, изредка звонила – примерно раз в месяц: «Жива, в порядке, когда вернусь – не знаю. И вообще, у меня все отлично».

Про домашних не спрашивала – понятно, связь никудышная, очереди на почте многочасовые.

Ну что там интересного? Мать на кухне, отец в больнице, Ольга зубрит, Никоша...

А что, собственно, с Никошей? Наверняка все по-старому. Да и какие у них новости? Тоска и рутина – и в этом вся жизнь. Не о чем говорить.

* * *

Впервые Ольга влюбилась в десять лет. Предметом ее девичьих грез стал Элин сын Эдик.

Заметила это Эля. Рассказала Елене, вместе посмеялись. Елена махнула рукой: «Да будет тебе, Элька. Какая там любовь? Смех один».

Оказалось — не смех. Однажды нашла Лелин дневник. Краснея и умирая от ужаса, после долгих раздумий открыла его, словно боясь обжечься.

Обожглась. Прочитала дочкины стихи и поняла: та — человек страстей. Если полюбит — мало не покажется. Понятно, все это детский лепет. Но и за этим лепетом уже вполне угадывалась натура страстная, цельная и целеустремленная.

Впрочем, такой Ольга была во всем.

Эдгара не коснулся подростковый возраст — когда подросток резко и внезапно дурнеет, жирнеют волосы и портится кожа. Цвет лица у него был по-прежнему персиковый, кожа без единого изъяна, волосы лежали густой волной, руки не потели, и краской смущения или несправедливого гнева он не заливался.

Он тормозил у зеркал или витрин, бросал на свое отражение мимолетный и точный взгляд, поправлял волосы и, вскинув голову, продолжал движение.

В четырнадцать лет густо орошал себя отцовским одеколоном, за что в прямом смысле получил по башке — от матери, тяжелым энциклопедическим изданием.

Учился он слабенько, интереса ни к одной науке не испытывал, книг не читал, обожал телевизор и заезженные до невозможного для человеческих ушей и нервов скрипа пластинки с песнями инструментальных ВИА — «Голубые гитары», «Поющие сердца» и «Визжащие мудаки», по определению матери.

Еще он был охоч до сладкого. Эля, упорно боровшаяся с его лишним весом и отчетливо намечающимся брюшком (господи, Яшкины гены!), находила под кроватью у дитятки смятые пустые коробки от тайком сожранных тортов и пирожных, фантики от конфет и стаканчики от пломбира. Эля жаловалась подруге:

– Ну и в кого такой свин? Ладно, Яшка пожрать не дурак. Свекровь со свекром тоже. НО! Дураков ведь у нас нет! И не было! Хотя... Что я знаю про своих родителей? Ничего. Ровным счетом ничего. Может, оттуда? – и она грустно вздыхала.

Эдиком занималась бабка Рива, обожающая его до полусмерти, до обморока. Она постоянно твердила внучку́, как он хорош собой. Покупала и доставала любые игрушки и тряпки. Купила за сумасшедшие деньги японский кассетный магнитофон. Обещала подарить к восемнадцатилетию машину.

Эля бороться со свекровью устала и махнула рукой – ну ее к чертям, эту битву я проиграла.

И занялась своими делами. Квартира, дача, педикюрша, массажистка. Совсем помешалась на антиквариате – скупала как бешеная все, что оставляли ей под прилавком ушлые продавцы.

В театры ходила исключительно на премьеры, по выставкам – на вернисажи. Себя показать и на других посмотреть. Продемонстрировать новую шубку или костюм.

Потом начинала себя же утешать (тоже ее характерное свойство):

– Ну и что? Сын красив, здоров, обеспечен. Ну не всем же быть умными! Хотя грустно, конечно. Что говорить, – и она опять вздыхала. Правда, теперь с улыбкой.

Всегда умела утешить – не только других, но и себя. Завидное свойство – не поддаваться панике и не впадать в транс! Счастливая Элька.

– Не то что я... – вздыхала Елена.

Однажды, перехватив влюбленный Ольгин взгляд, Эля ей шепнула:

– Не тот объект, девочка! Не тот. Ты уж мне, матери, поверь! Не для тебя это рыхлое румяное чудище. Туповат! Так что заканчивай со страданиями, мой тебе совет!

Легко поднялась с кресла, плавно покачивая роскошными бедрами – и вправду Софи Лорен, не зря так прозвали, – удалилась на кухню. На пороге обернулась, приподняв брови и указательный палец, и спросила:

– Поняла?

Леля, красная от стыда и от того, что ее главный секрет и страшная тайна раскрыты, еле сдержалась, чтобы не разреветься. Так кулаки сжала, что ногти впились до крови. Глаза поднять побоялась – лишь кивнула, самую малость. Больше ни на что в этот момент способна не была.

Понимала, конечно: странноватый этот Эдик. Ничем не интересуется, говорить с ним не о чем, критикует ее платья и прическу, однажды сказал, что за кожей надо следить, и посоветовал пойти к косметологу. Назидательно так посоветовал. Ольга чуть не скончалась от ужаса – так надеялась, что он не заметит прыщиков, старательно прикрытых негустой челкой.

Ольга разглядывала себя в зеркало. То, что в коридоре, где свет неяркий, приглушенный, радовало. А то, что в ванной, где все в белой плитке и над зеркалом большой молочно-матовый плафон, огорчало. Вот там было все так очевидно: и черные точки на носу – длинноватом, честно говоря, носу, – и красные мелкие прыщики на лбу, если откинуть волосы. И сами эти волосы ей не нравились – скучные какие-то, непонятного цвета. Вот у Ирки волосы – золотистые, вьющиеся крупными локонами. И у Никошки тоже, кстати, кудри, правда, темные. И ресницы у Никошки! Все внимание обращают! А он огорчается – «девчачьи» ресницы. И глаза у Ирки яркие, вполлица. И у Никошки огромные. А у нее – обычные, серые, как и волосы.

Эля, правда, успокаивала: «Ресницы накрасим, волосы туда же, прыщи пройдут, расцветешь, мать моя! Как майская роза, помяни мои слова!»

Эле можно было верить. И мама говорила, что внешность – понятие второстепенное. А что главное – тоже объяснила, все понятно. Да Ольга и не спорила, со всем согласна: да, образование, характер, воспитание, ответственность, усердие – все понятно. Но и хорошенькой быть хотелось! Как Ирка или Эля. Про мать она не подумала – у той, что называется, «хорошее лицо», – так говорит бабушка Нина.

В июле, двадцатого, поехали в Кратово на дачу – Эля праздновала свой день рождения. Всегда шумно, весело, многолюдно. С шашлыками, тазами жаренных в шипящем масле прямо на участке, на огромной «уличной» плите неутомимой свекровью сказочно вкусных крошечных пирожков с черникой, малиной и вишнями.

Гремела «Де Лайла» и летка-енка. Иногда магнитофон «зажевывал» бобину с пленкой, и Эдик с важным видом все исправлял.

Родители плясали, а дети, отчего-то смущаясь, отводили в сторону глаза.

Ирка оглядела компанию, чуть поморщилась – возраст кавалеров ее явно не устраивал. Взгляд упал на Эдика в новеньких, жестких и явно неудобных темно-синих джинсах. Она вытащила его на танцпол, устроенный на поляне перед домом, и они принялись лихо отплясывать. Публика расступилась, моментально оценив свою несостоятельность и старомодность.

– Дорогу молодым! – выкрикнул кто-то.

И «молодые» задавали жару. Двигались легко оба – и стройная, длинноногая Ирка, и полноватый самую малость, но вовсе не неуклюжий партнер. Здесь был и рок-н-ролл, и модный твист, и элементы старинного танго. Все дружно зааплодировали – и было чему!

У Ольги почему-то заныло в груди и резко испортилось настроение. Стыдно было признаться даже себе – позавидовала! Иркиной красоте, легкости, смелости. Вот так, на глазах у всех, в том числе и родителей, – отплясывать! Чтобы чертям было тошно. И ведь как красиво! Ладно и изящно! Ни за какие коврижки она, Ольга, не посмела бы так выйти – в самый центр, у всех на глазах! Да и не получилось бы у нее так. Никогда! Нет у нее ни легкости, ни смелости, ни изящества.

В город не поехали – и поздно, и отец сильно подшофе, как смущенно выразилась мама. Ольгу и Никошу уложили в комнате Эдика. Ирка заявила, что спать будет в гамаке на улице.

– Ну ее с ее фокусами, – махнул рукой отец.

Ольге не спалось. В раскрытое окно легким ночным ветерком заносились запахи с улицы – затухающего костра, ночной фиалки и душистого табака. Слышались приглушенные голоса и смешки неугомонных гостей. Начало светать, запели первые птицы.

Она тихонько встала со скрипучей кровати, глянула на брата – тот безмятежно спал, натянула платье и выскользнула за дверь.

На улице было тихо – все, даже самые неутомимые, наконец успокоились и разбрелись по комнатам. Кроны высоких и стройных сосен слегка заволок легкий молочный туман. От травы, покрытой росой, поднимался чуть заметный парок.

Ольга плюхнулась в сыроватый гамак и, чуть раскачиваясь, откинулась и прикрыла глаза.

Потом вдруг резко села. Ирка? Она же оставалась тут, в гамаке! Куда подевалась? Озябла, наверно. Немудрено – утро было довольно свежим и влажным.

Ольге хватило получаса, чтобы продрогнуть и захотеть в теплую постель. Да и глаза начали закрываться – сон наконец подкрался и почти сморил. Она заторопилась в дом – скорее под одеяло!

Поднимаясь по крепкой деревянной лестнице с отполированными временем перилами, она услышала сильный храп из спальни хозяев – понятно, дядя Яша верен себе! Она улыбнулась и пошла дальше. Из маленькой боковушки на втором этаже она услышала приглушенный крик. Ничего не понимая и не анализируя, сильно испугавшись, она бросилась к двери – плохо? Кому-то из гостей? Сердце? Человек не может крикнуть громко и позвать на помощь?

Она резко рванула тяжелую дверь.

На низкой тахте без простыни и подушек стройная длинноволосая женщина, изогнув красивую спину, скакала, словно резвая наездница, пришпоривая, подгоняя, медленно идущего рысака, подбадривая его частыми вскриками.

Ольга окаменела – от ужаса, стыда и... Интереса, что ли...

И еще – это было так красиво!

Услышав звук открываемой двери, женщина обернулась.

– Чего тебе? – грубо спросила она и, отвернувшись, продолжила свои резвые скачки.

– Дверь закрой, дура! – услышала она голос Эдика.

Вслед за ним рассмеялась и старшая сестра, откинув рукой рыжие волосы.

Крушение первой любви – это страшно. Но – вполне переживаемо, что всем понятно.

Обида, развенчание светлого образа, разочарование, девичьи слезы... По прошествии времени эти страдания непременно покажутся смешными и нелепыми. А вот осознать то, что родная сестра – враг... Это куда больнее. И смириться с этим почти невозможно, и жить... И еще молить судьбу, чтобы она переменила это твое ощущение. Чуть облегчила твою жизнь...

Нет. Этого не произойдет. Увы, никогда. И ничего поделать с собой она не могла. А самое ужасное, что Ирка словно насмехалась над ней, отпуская, казалось бы, невинные шуточки в присутствии посторонних. А однажды прошипела: «Ну что? Набралась, дура, опыта? Теперь понятнее стало, откуда дети берутся?»

Спасало одно – Ирка редко бывала дома. Мать с отцом махнули рукой – просто выбились из сил.

Ольга слышала, как однажды отец сказал матери: «Теперь, Лена, куда кривая вывезет. Наша миссия окончена, и надо найти мужество признать, что мы проиграли».

Она видела – родители страдают. Особенно мать – и слезы близко, и нервы ни к черту. А тут еще Никошины приступы...

Мать говорила: «За что? Мало нам всего, а тут еще эпилепсия...» Часами могла просидеть на кухне, глядя в окно. Словно каменная.

Никоша расстраивался и тормошил ее. Ольга спешила его увести.

В восемь лет Никоша увлекся биологией. Ольга привозила ему из книжного всевозможную литературу. К десяти годам популярная его уже не устраивала. Начали покупать научную. Когда Никоша начинал демонстрировать свои познания, терялась не только мать, но и отец.

Господи! Как все они радовались Никошкиным успехам!

Отец говорил, что это такой выход! Все понимали: тревоги по поводу Никошиной дальнейшей жизни вполне обоснованны. Спасти может только интерес к науке или творчеству. Никоша выбрал науку.

* * *

Ирка появлялась редко. Мать говорила – как собака. Придет, раны залечит, отъестся, отмоется и...

А однажды сообщила:

– Выхожу замуж. С женихом не знакомлю, нет смысла – все равно не понравится.

– Да уж! – скривился отец. – Никакого желания смотреть на этого идиота. Разве кто-нибудь в здравом уме поведет тебя под венец?

Ирка хмыкнула.

– В вашем дурдоме оставаться не намерена – тут калека, тут «эта мала́я», – она кивнула на Машку-маленькую. – Покоя нет, – и пошла собирать вещи.

Елена, конечно, сходила с ума. Не послушавшись строгого указания, даже требования мужа не лезть «в эту грязную историю», упросила Элю разузнать хотя бы что-нибудь.

Та узнала – какой-то немолодой аферист, деньги зарабатывает карточной игрой (скорее всего, профессиональный шулер) либо на ипподроме – там он свой человек.

Зовут Георгий, каких-то восточных кровей, то ли осетин, то ли чеченец. Квартира в центре, разумеется, машина. Обедает только в ресторанах, денег не жалеет, когда они есть. Отдыхать ездит в Сочи. Точнее – не отдыхать, а кутить. Был два раза женат, от первого брака есть сын.

– Достаточно? – спросила Эля.

– Более чем! – ответила Елена.

Мужу она, разумеется, ничего не сказала.

* * *

Елизавета Семеновна сына так и не простила. Порушил три жизни – ее, Гаяне и Машкину. Впрочем, не о ней речь. О Гаяне. Вырвал из ее жизни, как морковь из грядки, надкусил и... наелся. Дальше – разбирайтесь, как хотите. А у меня новая любовь!

Нет, и деньгами помогает, и дочку не забывает. Но все это в заслугу ему она не ставила и за доблесть не считала. Видела только, как мается Гаяне, как страдает. И ведь ни слова про него плохого! Даже когда она, мать, позволяет себе что-нибудь в его адрес – нервы, знаете ли, не железные, – она только голову опустит и тихо скажет: «Не надо, мама. Умоляю!» Святая девочка! Только жизнь у нее... Не дай бог.

Мать все, конечно, понимала – первая любовь, море, лето. Закипела молодая кровь. Все казалось сказочным, красочным, невероятным. Тоненькая девочка с черной косой и смуглой кожей, такая трепетная, невозможная, непонятная. Захотел – увез. Луконинская порода – всегда и всего непременно добиться. Любой ценой.

Добился, утешился, а потом – передумал.

Да понятно – Елена ему пара. И хорошая вроде женщина. Машку приняла как родную. И та ее обожает. А ребенка не обманешь, фальшь почувствует сразу. И мать неплохая, с мальчиком бьется. Достается ей, все понятно. И к Борьке относится хорошо. Видно, что лад у них и любовь.

Только... Сердцем принять она ее не может, как ни уговаривай сама себя. Не может, и все. Потому что в сердце у нее – Машка и Гаяне. Две ее девочки.

И не может она простить этой спокойной, рассудительной и холодноватой женщине то, что та – вот как ты ни крути – сломала их жизнь. Впрочем, опять не о ней речь. При чем тут она, Елена? В любви каждый за себя.

Простила она Елену только спустя четырнадцать лет – после первого инфаркта Бориса. Видела, как та вытягивает его. Падает с ног, а вытягивает. И вытянула. Сам Борис сказал: «Если бы не Лена...»

Оценила и простила великодушно. А та даже не заметила вроде. Видимо, привыкла, что ею пренебрегают. Да и ладно – столько забот! Не до свекровиной любви и ласки. Наплевать, давно с этим смирилась. Есть как есть.

Лишь бы были все здоровы – любимая присказка Елены после рождения Никоши.

* * *

Вокруг этой хорошенькой, кудрявой, темноглазой и пухлой девочки крутилась вся жизнь.

Машка поела? А как животик? А зубик? Припухлые десны! Ушки почистили? Ноготочки подстригли?

И первый зуб, и первый шаг, и первое «агу» – все было событием и абсолютным счастьем. Для Елены, Никоши, Бориса и – Ольги. Для нее – больше всех. Она прибегала из школы, тщательно мыла руки, надевала домашнее платье и бежала к малышке.

– Скучала? – обязательно спрашивала она, наклоняясь над детской кроваткой.

Машка улыбалась во весь свой беззубый рот, яростно «бежала» ножками и тянула к Ольге пухлые, в завязочках руки.

Елена звала Ольгу обедать – та отмахивалась: подожди, попозже. Подхватывала девочку на руки, подносила к окну, разговаривала – рассказывала малышке, как прошел школьный день, какая погода на улице, что проходили на уроках, что задали на завтра.

Елена качала головой и смеялась:

– Лелька, дурочка ты какая! Ну разве она понимает? Или ты думаешь, что ей это все интересно?

Ольга обижалась и стояла на своем:

– С ребенком надо разговаривать – с рождения, обо всем и самым серьезным образом. Ребенок все понимает. И еще он оценит твое доверие и в будущем станет твоим соратником и другом. Понимаешь?

– Глупости все это, – отмахивалась Елена. – Ну что она понимает? Что по физике вы проходили закон Бойля – Мариотта? А на литературе разбирали фадеевский

«Разгром»? Или ей интересно, что биологичка Вера Ивановна полная дура и не знает материал? Леля! Ей интересно лежать в сухих пеленках, мурыжить пустышку и лопать тертую морковь. Желательно – с сахаром. Ну и еще схватить и погреметь погремушкой – той, что поярче и полегче. Любимой, немецкой. Из Элькиных щедрых подношений.

Ольга категорически не соглашалась.

– Вот увидишь, мам! – был ее ответ. – Вот посмотрим! Ты хоть и врач, мамуль, но – ретроград. И мыслишь, извини, немасштабно.

Елена смеялась и махала рукой – да делай, что хочешь! Бог с тобой! И кому от этого хуже?

Никоша подходил к малышке с опаской – внимательно ее разглядывал и осторожно трогал крохотные пальчики. Потом улыбался – смешная! Однажды Елена услышала, как он читает ей «Чиполлино». Медленно, с выражением. Машка слушала затаив дыхание и пуская пузыри – видимо, от удовольствия.

Кстати, при виде Никоши радовалась она безмерно. Даже умная Лелька ревновала.

Борис заходил к внучке после работы. Долго и молча, словно стараясь увидеть что-то важное, разглядеть что-то известное и понятное только ему.

Девочка радовалась и деду. И первое ее слово было – «деда». Что ввело в транс «тетю Лелю» надолго и всерьез.

– Так всегда, – смеялась Елена. – Те, кто вкладывает больше всех, как правило, остаются в стороне.

– Утешила! – фыркала Ольга и обиженно поджимала губы.

Спустя год или полтора Елена заметила – с большим, надо сказать, удивлением, – КАК изменилась их жизнь с появлением этой маленькой девочки.

Волшебным образом, надо сказать, изменилась. Все стали терпимее, добрее, что ли. Споры и разногласия утихли, а суета и беспокойство, коих прибавилось значительно, никого не раздражали и не утомляли. Еще прибавилось радости, новых открытий, приятных и милых пустячков, понятных только очень близким и очень родным людям, абсолютного единения и сплоченности. И ощущение такой поддержки и близости! Такой защищенности и уверенности, что им все по плечу! Потому что ВСЕ ВМЕСТЕ! И все друг за друга.

И это давало такие силы, что все прочее не имело никакого значения.

Все это помогало перенести страшную потерю. Потерю Машки-старшей.

Теперь ее называли так.

* * *

Елизавета Семеновна пережить смерть внучки так и не смогла. Теперь она почти не вставала с кровати. Почти не ела и почти не разговаривала. Отвечала только Гаяне – и то коротко: «да», «нет», «не хочу», «спасибо».

Когда приходил Борис, отворачивалась к стене. Говорила одну фразу:

– У меня все за-ме-ча-тель-но.

Он не выдерживал и кричал:

– Господи! Ну неужели я и в этом виноват? Мама, опомнись! И подумай, каково мне! Она ведь, если ты забыла, была моей дочерью!

Елизавета Семеновна поворачивала голову и с иезуитской улыбкой смотрела на сына.

– Это ты забыл, Боря, что она твоя дочь. А насчет того, каково тебе... – она усмехалась, – так у тебя еще трое. Полный комплект. Утешишься как-нибудь.

Он вскакивал, срывался, хлопал дверью, выскакивал в коридор и натыкался на бывшую жену. Она неловко брала его за руку, гладила по голове и умоляла не расстраиваться. Он долго не мог успокоиться, вздрагивал, давился рыданиями, громко сморкался, потом оконча-

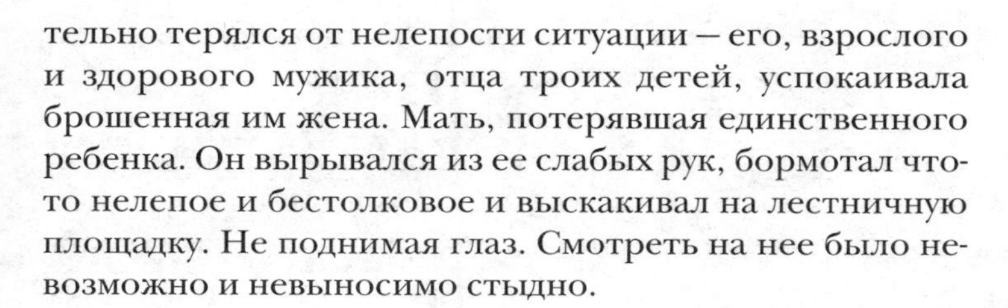

тельно терялся от нелепости ситуации – его, взрослого и здорового мужика, отца троих детей, успокаивала брошенная им жена. Мать, потерявшая единственного ребенка. Он вырывался из ее слабых рук, бормотал что-то нелепое и бестолковое и выскакивал на лестничную площадку. Не поднимая глаз. Смотреть на нее было невозможно и невыносимо стыдно.

* * *

Что такое Гаяне, Елена окончательно поняла после одного эпизода: к Восьмому марта та передала ей кружевную скатерть – кипенно-белую, жестко открахмаленную, с пущенной по кудрявому краю серебристой ниткой.

Елена, не любительница подобной, слегка мещанской красоты, скатерть на стол постелила. И все восхищалась кропотливостью и сложностью исполнения.

В ответ, сильно смущаясь, она отправила «алаверды» – кубачинский изящный серебряный черненый браслет. В следующий раз Машка приволокла банку персикового компота и банку варенья из белой черешни. Елена отправила с Машкой мохеровый шарф – роскошный, в яркую шотландскую клетку, с богатым ворсом – мохер назывался королевским и был, разумеется, из «закромов родины». Точнее, из закромов вездесущей подруги Эли.

Первой возмутилась Машка – и сколько все это будет продолжаться? Я вам, между прочим, не почтовый голубь.

И вправду, пора было остановиться. Но к праздникам и различным датам «поздравляшки» не возбранялись.

Машка с Ольгой были неразлучны. Скучали друг по другу так, что, когда Машка уехала с классом на экскурсию в Питер, всего-то на пять дней, Ольга впала в транс и крутилась у телефона – а вдруг та позвонит. Елена смеялась – Маше в Питере не до звонков! Столько впечатлений, да и рядом классные приятели.

Ошиблась. Машка позвонила на третий день, отстояв очередь на почтамте. Из Питера привезла сестре сувенирную глиняную тарелочку с Медным всадником. Тарелочка поселилась у Ольги над кроватью – навеки.

Однажды Елена испытала что-то подобное разочарованию или уколу ревности. В Большом, на «Аиде» с великолепной Вишневской (билеты распространяли на работе мужа) «умная» сотрудница, окинув внимательным взглядом щебечущих в сторонке девчонок, сочувственно вздохнула:

– Ой, Елена Сергеевна! Какая же старшенькая у Борис Васильича красавица! Куда вашей младшей до нее! Обидно даже.

Все понятно, она не слепая. Машка – признанная красотка, каких мало. Лелька – девочка обычная, ничего особенно. Мышка серая. Баба та – дремучая дура или сволочь. Тоже понятно. Но...

Сердце-то заныло... Глупое материнское сердце.

* * *

На похоронах Елизаветы Семеновны Елена от Гаяне не отходила.

Гаяне заходилась в безмолвной истерике – даже в этом горе она не могла потревожить и побеспокоить людей.

Только твердила:

– Никого не осталось, никого. Никого на всем белом свете.

Ольга взяла ее за руку.

– А мы? – сказала она. – Мы-то у вас есть! Вы и мы – это одна семья.

Гаяне вымученно улыбнулась и крепко сжала Ольгину руку.

На похороны подруги приехала и Софка – худая до старческой костлявости (где та пухлая и румяная красотка с пышной грудью и ножками «бутылочкой»?), согнутая в крючок, с мелко трясущейся ядовито-рыжей, неровно прокрашенной головой и по-прежнему пурпурно накрашенными губами.

Софка стояла у гроба подруги и что-то шептала себе под нос.

На поминках сказала Борису:

– Бобка, вот и осталась я одна. Лизка меня и здесь опередила.

Он удивился:

– А где еще, Соня? Мне-то казалось, что ты (с возрастом он перешел с ней на «ты») всегда была впереди.

Она рассмеялась скрипучим старческим смехом:

– Ошибаешься! Она и тебя родила, и внучку понянчила. И любила один раз и на всю жизнь. А я – ни одного. Даже не знаю, что это такое. Я всегда свою жизнь устраивала. Выгодно устраивала. Чтобы легче было, удобней, сытней. И что в итоге? Я одна. Как забытая в заднице клизма, – и она расхохоталась уже в голос.

Он покачал головой:

– Ну, вы даете, Софья Ильинична! Хулиганка, ей-богу! Не по возрасту, матушка.

Софка досадливо махнула сморщенной лапкой:

– Брось. Я всегда такой была. Что, перед смертью исправляться?

– Поживи еще! – попросил он. – Какие наши годы!

– Бобка! – сказала она шепотом и воровато оглянулась. – Обещай, Бобка, что ты меня похоронишь! Так же, как Лизку, в нарядном гробу и с поминками! Чтобы не сгнила я у себя в Кузьминках, пока соседи вони не учуют!

Он погладил ее по руке. Вздохнув, грустно кивнул.

И повторил:

– Поживи еще, Софка!

Она пожила – целых семь лет после смерти подруги. Борис ездил в Кузьминки каждую неделю с авоськой продуктов. Софка умоляла привезти «чего-нибудь человеческого». Клянчила торт и пирожные, жирный тамбовский окорок и копченую рыбу. Он на просьбы не реагировал и исправно носил кефир, гречку, постную курятину и соевые батончики на ксилите – на баловство. У Софки был страшный диабет.

Софка устраивала истерики и швыряла батончики в мусорку.

– Для плебеев! – возмущалась она. – У меня даже прислуга не ела такое дерьмо!

Он призывал ее к благоразумию, тыкал пальцем в анализ крови, а она крутила пальцем у виска и называла его кретином.

– За что держаться? – удивлялась она. – Разве это жизнь? Пожрать от пуза нельзя, на улицу выйти тоже, читать не могу – слепну, телевизор – бред сивой кобылы. Про жизнь доярок и сталеваров мне безразлично. Ну не входят они в круг моих интересов! Тряпки не покупаю – и их нет, да и зачем они мне! А ты еще лишаешь меня последней радости! Чего-нибудь вкусненького! – И она начинала от обиды хлюпать носом.

В «Смоленском», в отделе заказов, он заказал ей на день рождения огромный шоколадный торт с нелепым гномом. Купил ананас, ветчины, копченой селедки и бутылку коньяка. Дверь открыл своим ключом. Обычно Софка, сохранившая – единственное! – отличный слух, слышала скрежет замка и семенила в прихожую.

Было тихо. Почему-то тоскливо бухнуло сердце. Он прошел в комнату. Софка лежала на кровати, свернувшись по-детски клубком. Из-под одеяла торчала маленькая ступня в смешном полосатом носке.

Он сразу все понял. Сел на стул и сказал:

– Сволочь я. Дегенерат. Не успела. Точнее – я не успел.

* * *

То, что нашли Вальянова, было огромным счастьем. Новых пациентов, особенно детей, он старался не принимать. И старых вполне хватало, а уж про деньги и говорить нечего. В столице Вальянов был личностью известной и в каком-то смысле легендарной. Обычный врач, аллопат, сидевший на крошечной зарплате в районной поликлинике, однажды осознал, что так жить нельзя. И в смысле дохода (если это можно было назвать таким громким словом), и в смысле самоощущения себя как кормильца, добытчика и просто специалиста. К тому же жена Вальянова, первая красавица лечфака Стелла Гомес, из «испанских» детей, завоеванная в тяжелом и неравном, как казалось, бою, безусловно, достойна была лучшей жизни. О чем не стеснялась напоминать так часто, что ее чеканные фразы по поводу несостоятельности мужа и ее горького в нем разочарования слышались ему даже во сне – что-то вроде слуховых галлюцинаций.

Вальянов потерял покой и тревожный сон окончательно. Думал долго, и, как это часто бывает, осенило его в месте не совсем приличном для принятия жизненно важных решений – а именно в разрушенном и дурно пахнущем коммунальном сортире.

Он вспомнил про тетрадки своего деда по матушке – Аркадия Ильича Смирновского, в честь которого, собственно, был и назван.

Тетрадки деда Аркаши, известного еще до революции гомеопата, хранились в старом чемодане с металлическими уголками, возможно, на старой даче.

В тот же вечер, что называется «с толчка», он бросился в Малаховку, где проживала в последние годы его маман.

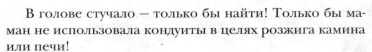

В голове стучало – только бы найти! Только бы маман не использовала кондуиты в целях розжига камина или печи!

Он ворвался в дом, взбежал по шаткой лестнице на второй этаж, молча миновав растерянную и готовящуюся ко сну матушку, ворвался в чулан, пахнувший мышами и пылью, и...

Коричневый чемодан он открывал дрожащими руками. Замок заржавел и не хотел поддаваться. Наконец чрево картонного ящика распахнулось, и вместе с запахом плесени в его сердце ворвался запах надежды и денег. Все тетрадки были целы и даже вполне сохранны. Он схватил чемодан и бросился на станцию.

В дедовых записях он разбирался около года. Стелла смотрела на него, как на умалишенного. И так от муженька проку немного, так еще, похоже, и чокнулся.

В общем, получалось так, что надеяться надо на себя. И красавица Стелла всеми силами мечтала попасть в косметологи: профессия новая, почти неосвоенная, специалистов – раз, два и обчелся.

А этот упрямец-муженек, странно подхихикивая и потирая руки, обещал ей сытую и счастливую жизнь во вполне обозримом будущем.

Стелла не верила, презрительно усмехалась и варила кремы – ланолин, спермацет и масло какао. Кремы разлетались по пять рублей за баночку.

А мечтатель-муженек тем временем нашел милую бабушку в селе под Коктебелем – известную травницу и знахарку. По весне и в начале лета бабушка Кула (из крымских греков) собирала травки и корешки. Разумеется, сушила, парила, растирала и заваривала. Получались и настойки, и отвары, и полотняные мешочки с сухими сборами, и лечебные чаи.

К концу лета он приезжал в ее крохотную избушку, похожую на логово Бабы-яги – темную, пахнувшую разнотравьем и спиртом.

Он надписывал мешочки со сборами и бутыли с тинктурами – под диктовку крымской бабки-ежки.

Оставлял ей денег и непременно гостинцев – московской тахинной халвы, шоколадных конфет, кофе и чая.

В Москве он раскладывал мешочки и бутылки в специально выделенном и освобожденном бельевом шкафу. Запах крымских трав в полотняных мешочках не держался и безбожно прорывался в единственную комнату, что вызывало бурный гнев и справедливое негодование жены.

Вальянов, обычно бурно оправдывающийся по любой из ее претензий, на это, казалось бы, и вовсе не реагировал. Ночами, сидя на кухне, пропахшей соседскими щами, он составлял какие-то схемы и чертежи. Исписывал общие тетради, в который раз перелистывал ветхие страницы дедовых записей.

Все, казалось бы, вставало на свои места. Но! Оставалось самое главное – клиентура. Без этого предприятие не имело никакого смысла.

Несколько первых опытов были вполне удачны. И заработало сарафанное радио. Поползли по Москве слухи, что объявился чудо-доктор. Лечащий не антибиотиками, а травами. Спасение для аллергиков, язвенников и просто разумных людей. К тому же Вальянов оказался диагностом от бога. Все это, в таком вот сочетании, и привело к тому, что уже через четыре года капризная и недоверчивая испанка переехала в кооператив Большого театра. Помогли «звезды» – им хотелось иметь под боком волшебного доктора.

Вальянов уже по клиентам не ездил – хватит бить ноги, не по ранжиру. Стеллу, прикусившую навеки острый язычок, посуровевший внезапно муж назначил секретарем. Она отвечала на телефонные звонки и фильтровала пациентов.

Деньги потекли не ручьем, а полноводной рекой. Назваться знакомыми Вальяновых считалось почетом и честью, а уж заполучить их в приятели – и вовсе удачей.

Надыбала знатного гомеопата, разумеется, Эля. Связалась со Стеллой – конечно, были обнаружены и общие знакомые. И даже это сначала не помогло. Стелла отнекивалась – с детьми мы дела не имеем. Сам Вальянов был недосягаем, к телефону не подходил. Эля подкараулила его в парадном, повела бедром, плечом и бровью. Вальянову все это было до фонаря – дома такая же сидит, и та надоела. Нашли чем удивить!

Эля быстренько сообразила, что чары тут не сработают, и призвала к совести и милосердию. Вальянов недовольно скривил узкий рот. Оставалось последнее – коллегиальная этика. И это, как ни странно, сработало. Услышав, что отец больного ребенка – известный уролог, Вальянов смилостивился и назначил прием.

Никоша, задыхающийся от тополиного пуха, запаха рыбы и цветения всевозможных растений и трав, опухающий до отека Квинке от банального аспирина, на травах, настойках и «сахарных шариках» быстро справился со многими проблемами.

Елена на Вальянова молилась. Борис Васильевич тряс его белую холеную руку и стеснялся набегавшей слезы.

Элька со Стеллой даже подружились – одного поля ягоды, как недобро заметила Нина Ефремовна.

Были какие-то совместные вылазки в театр и даже в ресторан, где Елена чувствовала себя неловко – рядом с такими-то модницами и красотками.

Никоша воспрянул и стал даже есть доселе неизвестную ему клубнику и апельсины.

Кончилось все одним днем. Позвонила Стелла и без всяких «здрасти и как дела» жестко произнесла:

– Держи свою суку на привязи. Желательно – короткой. Иначе... – она замолчала и шумно выдохнула сигаретный дым. – Иначе – размажу. Мокрого места не останется, – и шваркнула трубку.

Елена, ничего ровным счетом не понимая, опустилась на стул и пожала плечами. Выпила, что ли? За Стеллой такое водилось. Или перепутала номер?

Она пожала плечами и пошла доваривать суп. Где-то к вечеру она вдруг охнула, по-бабьи закрыла рот ладонью и бросилась к телефону. Дошло!

Эля подтвердила:

– Да, ты права. Эта сучка Ирка прыгнула к Вальянову в койку. Стелла их застукала на даче. Вернее, соседи доложили. Она и свалилась голубкам прямо на голову. Ты удивлена? – осведомилась Эля.

Елена молчала.

Эля вздохнула и добавила:

– А я – нет. Уж извини.

* * *

Ольга окончила школу с двумя четверками – по черчению и географии. По поводу черчения никто не переживал – ну не дано человеку, что поделаешь. А с географией все было несправедливо – новая училка, вчерашняя студентка, сцепилась с девочкой по поводу экономики капиталистических стран. Ольга сказала что-то в защиту «вражеской» тактики, что было совсем не положено советской школьнице. Случился скандал с вызовом в школу отца (мать – слишком мягко) и разбором поведения ученицы Ольги Лукониной на классном собрании.

Борис Васильевич ответил директрисе довольно жестко:

– Не знаю точно, за рубежом не был, а вот автомобили, телевизоры и мануфактуру видел. И даже, пардон, ощупывал. Сказать, что плохо, не могу. А точнее, скажу, что выполнено все отлично. Есть чему поучиться.

Директриса связываться с известным доктором не захотела – вдруг пригодится? У мужа какие-то неполадки с возрастом обнаружились – понятно, по мужской части. Она кисло улыбнулась и неопределенно пожала плечами, одергивая шелковую блузку японского, кстати, производства – любимую, практичную и невероятно красивую.

А вот географичка, дочь и жена военного, выросшая в глухом среднерусском военном городке, пошла крупными красными пятнами – от возмущения и наглости «этих Лукониных».

Прошипев: «Яблоко от яблони», она застучала каблуками тяжелых туфель фабрики «Скороход», жавших ей неимоверно и немилосердно натиравших все еще изящные ноги, и торопливо выбежала в школьный двор.

Почему-то было очень обидно. И за державу, и, между прочим, за себя.

В медицинский Ольга поступать не захотела, несмотря на уговоры матери и тайное, как она понимала, желание отца.

Приходилось признать – династия не состоялась. Ни один из четверых детей доктора Луконина в доктора не пошел. Увы!

Ольга подала документы на журфак МГУ. Прошла – и, надо сказать, никто не удивился.

В группе девочек и парней было поровну, и очень быстро начали образовываться парочки.

Ольге нравился Илья Журавлев, сын известного московского журналиста. Да и маман Журавлева не отставала, будучи модным киношным критиком и слывя дамой, с которой связываться не рекомендуется – зацепит так, что потом не отмоешься.

Илюша Журавлев был типичным московским избалованным и выпестованным ребенком со всеми вытекающими. Номенклатурная квартира, дача на Николиной Горе, семейный автомобиль иностранного производства, джинсы, рубашки, кроссовки, американские сигареты и.... необъятные для рядового советского человека возможности.

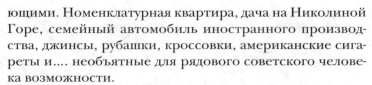

По выходным собирались частенько у Журавля – так называли Илюшу.

Квартира Ильи находилась в Кунцеве, в кирпичном доме у метро.

Не размеры квартиры удивили Ольгу, а ее наполнение: мебель – низкая, черно-белая, огромный цветной телевизор – радиоуправляемый! Белая кухня, цветные кастрюли, яркие махровые полотенца в ванной, холодильник до потолка, кожаный низкий диван, в котором не сидишь, а словно утопаешь.

Илюша был гостеприимен – смешивал коктейли, сооружал бутерброды с ветчиной и копченой колбасой, с треском разрывал пленку на блоках американских сигарет.

Апофеозом этого действа была раздача швейцарского шоколада – длинная и узкая плитка с заборчиком разделенных кусочков, с орехами.

Первый раз в жизни Ольга, сгорая от мук и стыда, отломила два зубчика этого волшебства и спрятала в карман куртки. Один зубчик для Машки-маленькой, второй – для Никошки.

Вечер был безнадежно испорчен. Ольга смотрела в коридор, боясь, что кто-нибудь по ошибке залезет в карман ее куртки и воровство обнаружится. Были даже мысли выкинуть этот шоколад в помойку, но...

Ушла она тогда от Журавля первая. Слишком тревожно было и неспокойно.

А шоколад Машка съела с удовольствием – и свой кусок, и Никошкин.

С удовольствием, но без особого восторга.

И стоило так мучиться?

Ольга понимала – Журавль ей нравится. И очень сильно. И еще понимала, что вальяжный, ленивый, остроумный и избалованный, такой клевый Илюша – не ее поля ягода. Возле Журавля увивались первые красотки курса.

А кто она? Милая серенькая девочка из приличной семьи. Не красавица, не модница, ничем особенным не блещет. Ничего примечательного, ну абсолютно. Как говорит Эля, глазом зацепиться не за что.

И она, надо сказать, довольно спокойно наблюдала за Илюшиными романами – бурными, яркими и краткосрочными. Понимала, что девушкой Журавля ей не стать никогда. Но не во взаимности дело, главное было – любить. Самой.

* * *

А учиться было интересно! И она ни на минуту не пожалела, что выбрала журфак. К пятому курсу все заволновались – особенно немногочисленные немосквичи и холостые.

Бегали, суетились, добывали распределения. А Ольга не суетилась. Как раз наоборот. Мечтала о глубинке. О маленькой уездной газетке, уютном провинциальном издательстве со старой пишущей машинкой с вечно заедающей кареткой, зеленой лампой на старом письменном столе, крепким чаем в подстаканнике и ночными бдениями.

Она сама выбрала маленький городок в средней полосе, который оказался именно таким, как она себе и представляла – с густыми липами и тополями вдоль разбитой и пыльной дороги, с покосившимися окраинными домишками, дворами, заросшими жасмином и георгинами, с центральной площадью, на которой мирно соседствовали и крошечный рынок с косыми прилавками и бабульками в белых платочках, и центральный гастроном в старом купеческом доме, и шедевр советской архитектуры – двухэтажный горком, партком и райисполком – три в одном стеклянно-бетонно-металлическом чудище, невероятно жарком и душном летом и холодном и продувном зимой.

Да и, конечно, с Ильичом на этой самой центральной площади – небрежно, но густо ежегодно обновляющимся «могильной» серебрянкой. Ильич, как водится, бодро смотрел в светлое будущее и неустанно тянул левую руку – видимо, туда же. В это самое волшебное завтра.

А сегодня жизнь в городишке была сонная, тихая и полуголодная.

Саму редакцию составляли корреспонденты – три человека: Ольга, Светлана Толмачева и ее муж, Толмачев Митя, – из местных. Хорошие и дружные, совсем невредные ребята. Корректоры – Марь Иванна, корпулентная дама пятидесяти лет, вечно озабоченная простудами внука и гулянками зятя, и Серафима Захаровна, пожилая, коротко стриженная и насквозь прокуренная, сбежавшая от пьяных загулов мужа из Куйбышева – так, чтобы тот не нашел никогда. Игнатий Петрович – фотокорреспондент со стажем, стоявший у истоков газеты, человек немногословный и всеми уважаемый. Непререкаемый авторитет. Витя Попов – фотокор и водитель в одном лице, машинистка Зиночка, хорошенькая, но слегка «поношенная» – одинокая, бездетная и страстно мечтающая о муже. Причем о любом. Машинистка Лариса – истинная красавица, местная знаменитость. Тоже незамужняя, но при «большом» любовнике – директоре центрального совхоза «Победа», человеке в районе известном и знаковом, пожилом фронтовике Михайлове.

И ответсек Аббасов. Немолодой, сухощавый, очень вежливый и по-восточному обходительный, страдающий язвой желудка и оттого вечно озабоченный постоянной диетой. Три раза в день, невзирая на скандалы с пожарниками, Аббасов варил на крошечной плитке овсянку без молока и ел ее с таким видом, что всех начинало подташнивать. Очень закрытый для всех окружающих – про Аббасова никто не знал ничего. В городе он объявился давно, жил на квартире у хозяйки. Поговаривали, что не просто квартировал – жил семейно. Впрочем, это никому было не интересно.

Плюс типографские – тоже человек восемь. Линотиписты, печатники, наборщики.

Газета жила интересно, хоть и тяжело. Сами заготавливали дрова для кочегарки, здание нужно было топить. Ездили в колхозы, за редакцией был закреплен колхоз, где они были шефами. По осени – на уборку кормов. Проводили комсомольские собрания, партийные, разные субботники, выезды в лес за шишками, лапником, рябиной – так как редакция всегда была в центре внимания, с нее брали пример другие учреждения. Да и чтобы других жучить, нужно самим быть идеальными. В газете большое место отводилось материалам ТАСС, местных новостей было не так много, особо развернуться журналистам вряд ли давали, и они писали и в республиканские издания. В газете часто публиковали статьи руководителей, специалистов, партийных лидеров, читателей. Славили партию, поругивали местных чиновников, рассказывали о передовом опыте в сельском хозяйстве и на производстве, на железной дороге. Просили помощи у газеты в решении проблем: нет горячего питания, пьет начальник, нарушается дисциплина. Активно сотрудничали с рабселькорами. В год приходило до полуторы тысяч писем с различными жалобами, предложениями, вопросами. По деревням часто ездили на лошадях, на попутках, на велосипедах. Дороги были плохие, так что информацию добывать было нелегко. Использовали телефон, из-за искажения связи допускали ошибки. Сотрудничали с профкомами, партийными, комсомольскими первичками. Газета была органом райкома КПСС и райсовета народных депутатов. Песочили всех провинившихся. Восхваляли передовиков. Вес у районок был в то время сильный. Редактора и корреспондентов везде ждали и уважали. Но цензура была серьезная. Журналиста держали в рамках. С удовольствием нагружали общественной работой.

Главный редактор Иван Савельич – бывшей питерец, волею судьбы оказавшийся после распределения в провинции и там и женившийся. Что, собственно, и определило его судьбу. Жена его, тихая Томочка, в Северную столицу не захотела. «Здесь и корова, и куры, и огород. Речка здесь и грибы! А земляники сколько! А какая сирень распускается в мае! А потом жасмин, и пионы!» – тихо скулила она.

Иван Савельевич, глядя на нежную Томочку, страдал, терзался, и сердце его плавилось от любви и обиды. Неужели здесь и навсегда? Смириться с этим было невозможно. И он надеялся, что Томочку сумеет убедить. Вот свозит в июне в Питер. На белые ночи...

Но... Поохала Томочка в Эрмитаже и в Русском, поахала. Постояла два часа в Гостином за польской нейлоновой кофточкой... И заплакала – домой, Ванечка, домой, торопиться надо. К курам, сирени и землянике – не опоздать бы, оберут.

Так и закончились мечты Иван Савельича об острых репортажах, ярких, знаковых событиях и карьере известного и отчаянного журналиста.

Зато была Томочка – нежная, тихая (знаем мы этих тихонь – душу вынут, тоже тихо и нежно), два пацана, таких же беленьких и тонкокостных, как мать. Хозяйство, огород, запах вишневого варенья и сухих боровиков, и – репортажи с полей и из коровников. Про добрые урожаи, высокие надои и героических соплеменников.

Ничего, привык. Обжился. И был даже вполне счастлив, как показала жизнь.

Ольга поселилась в запечной комнатке у старушки Глафиры Петровны. Бабуля торговала на базаре «своими яичками» и зеленью с огорода. Была невредной, но любопытной. Пытала Ольгу про семью и родных. И подозревала в наличии у жилички несчастной любви. Иначе с какого перепугу та отправилась в тмутаракань? От папки и мамки, от своей постели и из самой столицы? Дурочка, не иначе! А как иначе?

На первый репортаж Ольга отправилась с Витей Поповым. Он водил разбитый и немилосердно дребезжащий редакторский «козлик».

Ехать пришлось в дальнее село, почти за сто двадцать верст. История была грустная, по письму. Свекровь до полусмерти забила невестку. Свекрови грозил срок, а невестка получила инвалидность — говорить перестала, есть сама не могла. Лежала поленом. Молодая и здоровая прежде женщина. Мать троих детей.

Маленькое село Верховка было почти затоплено после полноводной ранней весны. Инвалид дорожных сражений, старенький «козлик» пыхтел, бурчал и возмущался, как недовольный властями пенсионер. Но не подвел — в Верховку въехали поздним вечером. Председатель, немолодая женщина со шрамом на всю щеку, написавшая письмо, встретила их хмуро:

— Явились? А я уже и не верила.

Напоила чаем и уложила у себя в комнате — Ольгу на раскладушке, а Витю на полу.

Ольга не спала: из-под двери и крошечного слепого оконца сильно дуло — ночью начался шквальный ветер и дождь. От раскладушки разболелась спина. Она накинула пальто и вышла на крыльцо. Домов почти не было видно, только в одной избенке, на самом краю села, горел слабый, приглушенный, какой-то робкий свет.

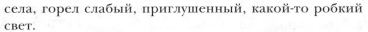

На крыльцо вышла председательша. Закурив папиросу, спросила:

– Ну что, подбавишь масла в огонь?

Ольга пожала плечами:

– Ну, пока я не в курсе. Поговорим с обеими, разберемся. А вообще-то здоровенной дубиной, да еще и спящего, бить человека по голове вроде никому не положено.

– Да что ты знаешь! – в сердцах воскликнула представительница власти. – Эта тварь Елисеевну семь лет изводила. Сначала мужа довела. Тот ее избил до полусмерти и сел на три года. А она, гадина, все никак не успокаивалась. Муж сидит, а она уже в открытую мужиков в хату таскает. Последыша точно прижила – Петька-то, муж, уже сидел. Позовет мужиков, до полночи пьют, а потом кувыркаются. На глазах у детей и у бабки. Бабка и за ребятами ходила, и за скотиной, и в огороде. А эта... Клавка эта только пила и сношалась, прости господи. И какое сердце тут выдержит? Нет, ты мне скажи? Жалко только, что до смерти не забила, вот это да. А так еще теперь за этим поленом горшок выносить.

– А милиция? – спросила Ольга. – Да и вы, власть! Неужели разобраться было нельзя?

Председательша посмотрела на Ольгу, как на умалишенную.

– О чем ты? Какая милиция? По ней все мужики сохли, словно было у нее то, что у других баб отсутствует. Никто понять не мог. Мужики, словно кобели у течной суки, вокруг нее крутились. И милиция твоя... Туда же. А я – что я могла сделать? Зашить ей поганое место? У меня забот, знаешь ли...

Она бросила папиросу в лужу и махнула рукой:

– Спать иди! Умница городская!

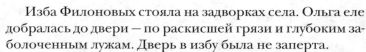

Изба Филоновых стояла на задворках села. Ольга еле добралась до двери – по раскисшей грязи и глубоким заболоченным лужам. Дверь в избу была не заперта.

В сенях пахло мочой и подгнившей картошкой. Она толкнула дверь. Там было сильно натоплено и стоял крепкий запах подгорелого молока. За столом сидели две девочки в байковых застиранных платьях и хлебали из одной плошки какое-то варево.

На Ольгу они посмотрели с испугом, и одна, младшая, заплакала.

– Бабушка дома? – спросила Ольга.

Старшая девочка покачала головой.

– А мама?

Девочки испуганно переглянулись, теперь разревелась и старшая.

За сатиновой занавеской раздался утробный звук, похожий на мычанье.

Ольга одернула занавеску.

На нее смотрели два небесно-голубых, словно глубокие озера, огромных глаза невероятной красоты. Во взгляде их обладательницы не было ни единой мысли и никакого чувства.

Ольга присела на табуретку и принялась разглядывать женщину. Хороши были не только глаза. Лицо ее словно выточено из куска белоснежного каррарского мрамора. Высокий лоб, темные, тонкие, вразлет, брови. Идеальный, правильный нос, словно выточенные умелым мастером, прекрасного рисунка губы. По простенькой не очень свежей наволочке разметались тяжелые, цвета спелой ржи, волосы. Под лоскутным одеялом угадывалось крупное, еще не утратившее спелости и соков, молодое тело.

«Какая-то невозможная, просто нечеловеческая красота», – подумала Ольга.

В Голливуде из нее бы непременно сделали мировую звезду. И она бы жила всамделишными страстями, яркой жизнью. Вышла бы замуж за нефтяного магната или за короля – как Грейс Келли, на которую она невозможно похожа, и весь мир лежал бы у ее ног.

А здесь? В этом забытом богом месте? Зачем она родилась здесь? Что ее могло ожидать? Ее жизнь была уготовлена заранее, судьба просчитана. Понятно, отчего все сходили с ума. Пандемия помешательства, не иначе.

Женщина чуть повернула голову, и Ольга увидела огромный багровый шрам и вмятину по всей левой стороне лица. Не было слева лица. Темно-красная яма.

Возле кровати на колченогой табуретке стояла жестяная миска с остатками супа, полная потонувших мух.

Ольгу замутило, и она вышла в горницу.

За печкой запищал младенец, и старшая девочка подхватилась и бросилась к колыбельке.

Дверь отворилась, и в избу вошла крошечная старушка – ростом не больше внучек. Седая голова в белом платочке мелко тряслась. Тик, сообразила Ольга, докторская дочка.

Старушка присела за стол, и Ольга опустилась на лавку рядом с нею. Девочки по-прежнему молчали.

– Как же так, Ефросинья Елисеевна, как же все вышло? – осторожно спросила Ольга. – Вы не пугайтесь, я не ругать вас приехала, а разобраться. И, скорее всего, помочь.

Старушка улыбнулась и махнула рукой:

– Да что там, девонька! И войну видела, и голод. И муж на моих глазах утоп – в двадцать пять лет. И дочку я схоронила десятилетнюю. Хорошая была девочка, толковая. И сына засудили. Рази меня решеткой испугаешь? Мне твоя помощь не требуется. Ты вот про деток напиши, – и она кивнула на внучек, – чтобы в хороший приют их устроили, пока папка их не вернется. А про себя я не боюсь – кака мне разница, где помирать? А эту, – она кивнула на занавеску, – я не жалею. В больнице она быстро околеет. А лучше бы помучилась!

— Совсем не жалко? — спросила Ольга.

Старушка рассмеялась:

— Да что ты, какое! Она и пострашнее долю заслужила, ты уж мне поверь! Сколько баб через нее намучилось! А сынок мой? А детки эти? А уж у меня семь лет: как жизни нету. — Она вздохнула и утерла сухие глаза краем косынки. — Вот, и слез уже не осталось.

И она снова улыбнулась — тихой и светлой улыбкой праведницы.

По дороге домой Ольга думала о том, что победителей в этой истории нет. Даже красавица Клава, отныне навсегда тяжелым бревном лежавшая на грязном белье, — выпивоха, лентяйка и гуляка — всего лишь жертва обстоятельств. Страшных, неумолимых и... таких предсказуемых.

И бабушка Ефросинья Елисеевна, и забитые девочки, и мальчик, совсем младенец, спящий в деревянной самодельной люльке, и несчастный ревнивец и сиделец сын Ефросиньи, так и не сумевший пережить красоту своей жены и ее вольготную, но вряд ли сладкую жизнь. Все они — жертвы обстоятельств. Суровых и беспощадных.

Здесь нет виноватых и победителей. Здесь, в этой далекой, никому не известной Верховке, с ее непролазными болотами, разбитыми дорогами, кирпичами сырого хлеба, дешевой водкой и брикетами прогорклого масла в местном сельпо, где никогда не видели хороших книг, хорошего кино, импортного белья и крема для рук, люди обречены на скотство — в любом его виде.

И вряд ли они в этом виноваты. Обстоятельства оказались сильнее их.

Статья была написана и возымела огромный для района резонанс. Бабушку Ефросинью не посадили —

дали условный срок. Сын ее вышел на полгода раньше — за примерное поведение.

А красавица Клава умерла через восемь месяцев. Дома. В больницу свекровь ее не отдала.

* * *

Елена так и не смогла справиться с обидой на младшую дочь. Все понимала — той хотелось понюхать истинной жизни, окунуться в самую гущу проблем, набраться жизни.

Молодость, убеждения, воспитание. Все понимала. А обида в сердце жила. Как она могла уехать? Оставить их с Никошей, с Машкой-маленькой?

Ведь знала, что помощников у матери нет. Разве Борис или Гаяне помощники? А про Ирку и говорить нечего.

Елене было трудно. Так трудно, что по ночам, лежа до рассвета без сна, она вспоминала свою жизнь и пыталась отделаться — естественно, безуспешно — от чувства вины. Перед Гаяне, Елизаветой Семеновной, Машкой-старшей и даже Иркой. Она окончательно назначила себя неумной, сухой, недальновидной и неудачницей.

Она поняла, что жизнь ее с мужем сложилась, но... стала какой-то пресной, обыденной, неинтересной. В ежедневных хлопотах по хозяйству, где она вот уж точно так и не стала асом, в заботе о детях, в мелких делах, в кое-как упорядоченной и привычной суете она видела одну бестолковость и непродуктивность.

Она уставала, раздражалась — на всех, даже на Никошу и Машку-маленькую. От этого всего было невыносимо грустно. И еще казалось, что больше ничего и никогда в ее жизни не случится. В смысле — необыкновенного, яркого, волнующего. Как короток бабий век! Правильно говорит умница Элька — сначала проблемы взросления, муки становления, месячные, надежды, как правило неоправданные, порушенные идеалы и похороненные мечты, роды, кормление, снова порушенные надежды и опять погребенные мечты – уже про детей, дальше климакс, внезапно подкравшаяся старость, болезни, дряхление, и... И в общем, все! Финита ля комедия!

Разве об этом она мечтала? Разве такую жизнь рисовала себе Лена Гоголева, студентка медицинского института? Умница и отличница?

Разве могла она предположить, что вся ее жизнь будет крутиться, как беличье колесо, и наконец замкнется в пространстве кухни и санузла?

Борис, вечно и плотно занятый, а оттого озабоченный и усталый, перекидывался с ней за ужином парой фраз, бурчал дежурное «спасибо» и шел к себе.

Нет! Она все понимала! И не было обид – ну или почти не было.

Однажды подумала – он ее просто не замечает. Относится как к предмету: переставят – не заметит, уберут – наверное, обнаружит. Через пару дней. А потом и к этому привыкнет. Словом, он без нее обойдется.

Господи! Где те счастливые дни, когда она улыбалась у окна, видя, как он, неловко перебирая длинными ногами, спешит к ней, домой! Куда исчезли их тихие вечера с долгим чаепитием и доверительными разговорами? Куда канули их ночи, полные нежности, неутомимых ласк и трогательных и смешных «домашних» словечек, известных только им одним? Таких интимных и нелепых, что становилось даже неловко. Как испарились торопливые, но полные радости утренние встречи и завтраки – две чашки кофе, бутерброд и снова разговоры, только теперь на ходу. До вечера! Вечером договорим! И короткая минута прощания у двери, четыре поцелуя – в глаза, лоб, губы. Объятие, на секунду застывшее, и... нетерпение. Весь день – нетерпение и ожидание, когда вновь откроется входная дверь и снова будет все так же – объятие и поцелуй. Вернее, четыре поцелуя – глаза, лоб, губы. Семейный ритуал.

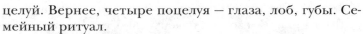

Но когда она на минуту застывала перед зеркалом, она все видела. Все.

И потухший свой взгляд, и мелкие, знакомые и свежие морщины, и седые волосы, и повисшую, словно опустевшую, грудь. И взбухшие на ногах вены. И руки – с истончившейся, словно прозрачной, кожей. С трещинами морщин и мелкими, совсем недавно народившимися пигментными пятнами. Руки очень немолодой женщины.

И почему-то эти вот руки расстраивали ее больше всего. Больше седых волос и морщин под глазами. Даже смешно как-то!

«Умерла, – думала она. – Умерла во мне женщина. За всеми этими кастрюлями, тряпками, швабрами и пеленками. Умерла, растворилась, сгинула. Не хочется останавливаться перед зеркалом. МНЕ не хочется на себя смотреть. А что говорить про него, про мужа? У него те же два глаза, только более зрячих. – Елена была от рождения близорука. – Так за что на него обижаться? Обижаться можно только на жизнь. А вот это большой грех!»

Билась и колотилась она теперь совсем одна – Лельки, подружки и помощницы, не было. Зато появилась Ирка. От мужа она сбежала – ну, по крайней мере, это была ее версия. А там уж кто знает! Дома появлялась раза три в неделю. Отоспится, отожрется, и...

Приходила с глазами сытой кошки. Только что не облизывалась. Смотреть на нее было противно. Борис с ней и вовсе не здоровался. А однажды не выдержал:

– Здесь тебе не гостиница!

Та фыркнула и бросила:

– А я тут прописана! Так что имею право! И на комнату свою тоже. Убогих и сирот пристроили. Да и потом, я вам не суворовец Миша. Это ему жилплощадь не нужна. Государство содержит. Так что со мной, как с ним, вам не повезет, не надейтесь! А то записали себя в святые! А мальчонка-то по казармам шатается! Жалостливые вы мои! А здоровые и красивые вас не интересуют!

– Ты – точно, – подтвердил отец.

– Да наплевать! – и она громко хлопнула дверью.

Елена сидела на кухне и смотрела в окно. Поймала себя на том, что слез уже нет – просто не осталось.

А вот Машка и Никоша радовали! Никошкино увлечение биологией стало вполне серьезным занятием. Он мог часами бродить по лесу, разглядывая кору деревьев со следами жуков-короедов, спилы пеньков и слушая пение птиц. Как зарождается живая материя? Как развивается? И что на это ее провоцирует? В седьмом классе он уже занимался в энтомологическом кружке при биофаке МГУ. С вниманием изучал труды академика Вернадского «Селекция плодовых культур». Ольга достала ему распечатки сессии ВАСХНИЛ от 1949 года. С жаром он объяснял Елене, что не может быть ничего интереснее, чем постигать основы генетики – факторы, влияющие на наследственность и изменчивость. Основные факторы движения эволюции. Как осознать связь всей биоты – от микроорганизмов, живущих на глубине одиннадцати километров в Марианской впадине, до вершины эволюции – человека.

А Машка успевала во всем! Лучше всех в саду плясала, пела и читала стихи. В семь лет попросила Ленушку – так она называла Елену – купить пианино.

Пианино, разумеется, было куплено – в кредит. Черное, полированное, пахнувшее свежим лаком, оно заняло почетное место в столовой. Каждое утро Машка протирала с него пыль – специально выделенной «музыкальной» фланелью.

Пригласили и учительницу. Благообразная старушка из «бывших» стучала по полировке артритным, скрюченным пальцем – отбивала такты. Машка должна была повторять.

Однажды не выдержала:

– Я же не дятел, Вера Аркадьевна! Давайте уж поиграем!

Вера Аркадьевна вздрогнула, посмотрела на непокорную ученицу блеклым, затянутым катарактой, птичьим глазом и испуганно кивнула:

– Поиграем, деточка! Поиграем! Годика через два, обещаю!

Машка пианино закрыла – раз и навсегда.

Милейшей Вере Аркадьевне с извинениями было отказано.

– Сочувствую! – обиженно произнесла она, отказавшись от выходного пособия.

Машкина откровенность Елену обескураживала и пугала.

Например:

– Ленушка! Вот бы быть похожей на Ирку! – мечтательно говорила она.

Елена вздрагивала и замирала на месте – с половником в руках.

– А может, лучше на Лелю? – осторожно произнесла Елена, боясь ответа маленькой хитрованки.

– Нет! – спешила оправдаться та. – Я имею в виду – по красоте!

Елена облегченно вздыхала и переводила дух:

– Да ты тоже ничего, Марья, не переживай! И потом, разве красота для человека самое главное?

– Для женщины – да! – уверенно утверждала семилетняя находчивая соплюха.

Вконец растерявшаяся Елена готовила пламенную речь про общечеловеческие ценности, роль эрудиции, интеллекта и образования в жизни человека и прочее, прочее.

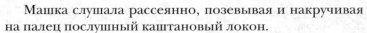

Машка слушала рассеянно, позевывая и накручивая на палец послушный каштановый локон.

– Все поняла, Ленушка, – мягко сказала она и с сочувствием посмотрела на Елену.

А однажды пропала Иркина помада. Скандал был страшенный, виновницу уличили сразу же – Машка, а кто же еще?

Та и не отпиралась. Надутая и красная как рак, она протянула украденный тюбик хозяйке и тихо бросила:

– Подавись! Жи́ла!

Елена охнула и схватилась за сердце. Машка подошла к ней и успокоила:

– Просто интересно было, понимаешь? Знаешь, как она пахнет? Я ее по ночам нюхала, – доверительно прошептала она.

Долгая беседа на тему «Воровство – худший из грехов» была выслушана виновницей произошедшего спокойно и не очень внимательно.

– Да все поняла, Ленушка! Не беспокойся! – опять скучно позевывала внучка.

Елена решительно отменила ежевечерние прогулки, просмотр мультиков. И самое неприятное – мороженое отменялось на весь ближайший месяц.

– Согласна, – горестно кивнула Машка и поплелась к себе.

Опять утешила Элька:

– Господи! Вот из всего раздуешь проблему! Ну свистнула девка помаду, поиграла. Вот беда-то! А кто этим в детстве не грешил, скажи?

– Я! – возмутилась Елена.

Эля махнула рукой:

– Да просто у Нины Ефремовны помады не было!

– Ну, знаешь ли!

Тревог Елены это не сняло. Остались.

Гаяне приходила каждую неделю. Обязательно с пирогом – печеное и Машка, и Никоша обожали.

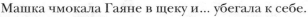

Машка чмокала Гаяне в щеку и... убегала к себе.

Борис и Елена умоляли ее быть с бабушкой поласковее и повнимательней.

– Ты – все, что у нее есть, – говорили они.

Машка кивала, но ничего не менялось.

Однажды призналась:

– Мне с ней скучно. И потом, она же на меня смотрит и все время плачет! И еще, – тут Машка задумалась и наморщила хорошенький носик, – пахнет от нее, Леночка! Понимаешь?

– Чем? – ужаснулась Елена.

– Пылью, – недолго думала Машка.

* * *

На Машкино семилетие приехал Юра, ее отец. Машка бросилась к нему на шею. В общем, взаимопонимание и любовь сложились сразу.

Юра был, слава богу, в порядке. По-прежнему красив – яркой и мужественной красотой.

До полуночи Елена с Юрой беседовали на кухне. Юра рассказывал ей, что встретил хорошую женщину в экспедиции, тоже геолога. Собираются пожениться и мечтают о детях. Хотят осесть во Владивостоке – там у Наташи, его невесты, есть квартира. Восторгался Машкой и горячо благодарил Елену за девочку. Сказал, что назавтра хочет поехать на кладбище, к Машке-старшей.

Утром у Елены разыгралась мигрень, и на кладбище сопроводить Юру вызвалась Ирка.

Через неделю Юра уехал. Куда – не сказал.

Вместе с ним уехала Ирка. Как объяснила, в качестве жены. Юра в объяснениях участия не принимал – ждал новоиспеченную суженую во дворе.

Еленина мигрень закончилась сердечным приступом с госпитализацией.

Слава богу, инфаркт не подтвердился. Даже странно как-то.

* * *

Ольга почти обвыклась – даже домой, в Москву, ехать боялась. Боялась, вдруг станет так лихо, что не захочется возвращаться. Получила водительские права – на Витю Попова, периодически запивающего горькую, надежды никакой не было.

Моталась на кашляющем, вечно простуженном «козлике», как заправский шофер, – по селам, колхозам и фермам. Коротко остригла волосы – меньше проблем. Закурила – куда денешься, все газетчики дымят, даже Марь Иванна, не говоря про Савельича и Зиночку.

Совсем забыла про юбки. Брюки, ветровка и сапоги – все, что составляло ее нынешний гардероб.

В зеркало смотреть не любила – ничего нового и ничего интересного.

Переписывалась с университетской подругой Аллой Крыловой. Та писала, что все девчонки давно вышли замуж, а кто-то успел и продублировать это событие. Многие родили. Карьеру сделали далеко не все. Успешна была Лола Соколова – работала на телевидении. Про Илюшу Журавлева написала, что тот «выгодно женился» и умотал на корпункт в Латинскую Америку.

Писала, что ее, Ольгу, считают выжившей из ума. Добровольно решиться на такое!

А она Ольгу понимает и даже слегка ей завидует.

Еще по почте Аллочка пересылала новые журналы и книги – вот уж за что ей спасибо!

Москва казалась ей теперь далекой и чужой. Даже чудно – всего-то шестьсот верст, а совсем другая, отличная от прежней, столичной, жизнь!

Вся редакция, включая и вечно пьяненького Витю, и завистливую неудачницу Зиночку, и вечно жалующуюся на здоровье толстуху-корректоршу, и Иван Савельича с тихой Томочкой, – все они теперь были ее самыми близкими людьми, ее новой семьей.

А та семья, родная и кровная, единственная, была теперь в легкой дымке, призрачном тумане. Москва, квартира на Гоголевском, лица родных...

Нет, разумеется, она не забывала о них ни на день! Но... Все-таки ее новая, здешняя, суетная, неустроенная, часто полуголодная жизнь была теперь ее *настоящим.* И как ей почему-то казалось – прежняя, московская, была очень далеким прошлым. Конечно, она понимала, что в отпуск нужно непременно поехать домой. И соскучилась по всем сильно, и чувствовала обиду родителей.

И еще очень хотелось на море! Погреться на белом песочке, попрыгать на волнах, заплыть за буек.

Решила так – неделю в Москве, дома, а на две недели махнет в Сочи.

Расскажи Господу о своих планах...

* * *

А сложилось так, что Сочи, а точнее – Лазаревское, образовалось раньше Москвы. В горкоме дали горящую путевку в Лазаревское, в пансионат, одну на редакцию.

Не привыкшие к таким подаркам, все растерялись и стали гадать, как Савельич этим внезапным даром сумеет распорядиться. Притаились и ждали его решения.

Он же, будучи человеком нерешительным, мягким и справедливым, решил собрать летучку – и решение принять коллегиально.

Перед летучкой он не спал всю ночь, под утро посоветовался с Томочкой. Та рассудила справедливо. А именно: про Попова разговора быть не может – пьяница и разгильдяй. Слил из «козлика» канистру бензина, продал его какому-то колхознику и деньги, разумеется, пропил. Марь Иванну Томочка считала (и справедливо, кстати, вполне) сплетницей и посему тоже не жаловала. Да и к тому же у той гипертония. Ну какая ей жара? Рискованно.

– Зинка перебьется! – жестко припечатала Томочка.

– Почему? – удивился наивный муж.

– По кочану! – ответила она. – Не заслужила. Сопливая. И с больничных не вылезает. Как сопля выскочит – сразу на бюллетень.

Лариска в путевке не нуждается – полюбовник ее и так вывезет. Аббасов на диете – от своих кастрюлек с овсянкой никуда. Игнат в отпуск всегда дома, помогает матери по хозяйству. Толмачевых двое – путевка одна. А Серафима точно откажется – всего в жизни насмотрелась досыта.

Это была чистая правда. Савельич и не подозревал, что тихая Томочка, по природе доверчивая и совсем неревнивая, ревнует своего очень верного мужа Ивана. Именно к этой самой расфуфыренной кукле Зиночке. И бедная Зиночка тоже об этом не подозревала. Потому что совесть ее была кристально чиста – конкретно в этом вопросе.

И к красавице Ларисе Томочка тоже относилась ревниво. Чуть-чуть.

– Отдай путевку Ольге, – сказала жена. – Она и трудяга, и скромница. И поперед батьки никуда не лезет. И одинокая к тому же. – Тихо добавила: – И некрасивая такая, заморенная прям!

Вот к Ольге она точно своего Савельича не ревновала.

– А может, мне поехать? – осторожно сказал Савельич. – На море не был со студенческих лет. Да и забуду, как оно пахнет.

Томочка посмотрела на него с удивлением:

– Ты что, Вань? Спятил? А картошку копать? И опята пошли! И кабанчика резать! Какое море, Вань? Да еще и один – как холостой вроде!

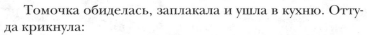

Томочка обиделась, заплакала и ушла в кухню. Оттуда крикнула:

– А я вот твоего моря не нюхала и не померла, как видишь! На речке искупаюсь, не принцесса. Нам моря́ и столицы ни к чему!

Как можно мягче аргументируя, Савельич огласил свое решение. Марь Иванна покраснела, вспотела и, плотно сжав тонкие губы, опустила глаза. Лариса равнодушно разглядывала ногти. Серафима читала газету. Толмачевы накануне поссорились и дулись друг на друга. Море им было до фонаря. Аббасов мучился изжогой и мечтал поскорее съесть ложку соды.

Витька Савельича поддержал – на пляжи́ ему было решительно наплевать. А вот Зиночка обиделась не на шутку. Фыркнула, схватилась за сигарету и на всю жизнь возненавидела Ольгу.

Ольга позвонила в Москву и объяснила ситуацию. Мать, как показалось, обиделась. Вместо того чтобы порадоваться за дочь, сухо сказала: «Ну, Леля, как знаешь».

В Лазаревском было прекрасно! И наплевать, что номер, узкий, как трамвай, был сырой и пах плесенью, вполне по-хозяйски прижившейся в душевой и комнатных углах. И наплевать, что еда в столовке была практически несъедобной – синеватые сосиски, жилистые бифштексы и пустые остывшие супы. Все это было пустяками и сущей ерундой! Потому что из окна – только руку протяни – было видно и слышно море.

И мелкая галька, и белое, щедрое, слепящее солнце. И набережная, по которой неспешно прогуливались по вечерам умиротворенные и расслабленные отдыхающие.

Никто не спешил, и все улыбались и кивали друг другу при встрече, оставив позади все проблемы и заботы. Хотя бы на пару десятков деньков.

Ольга в столовую не ходила. Покупала на базаре фрукты и овощи, свежий хлеб, молоко и, если повезет, – кусок сыра.

Вечером на набережной, если был свободный столик, она присаживалась в кафе. Немолодой армянин варил кофе на песке – крепкий и сладкий, и подавал его со стаканом холодной воды.

Он улыбался Ольге, как старой и доброй знакомой:

– А уснешь после кофе, красавица?

Ольга улыбалась в ответ и пожимала плечами:

– Как получится!

– Дай бог, чтобы не получилось! – восклицал он. – Ночи в твоем возрасте должны быть бессонными, деточка! Тем более здесь, на море!

Она смеялась и махала рукой:

– Шутник вы, дядя Вазген! Скажете тоже!

* * *

Он подсел к Ольге на пляже.

– Не могли ли вы дать мне газету? На пятнадцать минут – в киоске уже все расхватали.

– Забирайте насовсем! – ответила Ольга. – Все прочитано. Ничего нового и интересного, уверяю вас!

– Привычка, – объяснил он.

Солнце слепило в глаза. Она не видела его лица – только силуэт. Хороший рост, широкие плечи и сильные, крепкие мускулистые ноги.

Вечером они столкнулись в кафешке дяди Вазгена. Он подсел за ее столик.

Разговорились. Старый армянин подмигивал ей хитрым и умным глазом.

Он рассказывал о себе. Коренной питерец, женился после института на девочке из Мурманска. Уехал к ее родне. Родилась дочь. Потом развод – спустя шесть лет. В Питер он не вернулся. Прижился на Севере, да и с работой все сложилось. От работы дали крошечную квартирку, и он счастлив. Дочка приходит на выходные, они большие друзья.

Ольга скупо рассказала о себе. Новый знакомый удивился:

– А наши истории похожи! И вы, и я сбежали из столиц и возвращаться не собираемся.

– Почему? – удивилась Ольга. – В Москву я вернусь. Непременно. Там родители, брат и сестра. Нет, вернусь обязательно, – покачала она головой, словно убеждая в этом саму себя.

Три дня они гуляли почти до самого рассвета. Сидели на пляже и говорили, говорили.

На четвертый день новый знакомый остался у нее в комнате. Дежурная по этажу сладко подремывала, положив голову на стол.

Они просочились мимо нее почти бесшумно. Боялись только расхохотаться.

Следующие три дня на море они не ходили. И в город не ходили, и в столовую.

Ольга принесла из столовки нарезанного хлеба и соли. В миске оставались помидоры. Вода в кране была.

И еще – было счастье, куча невероятных открытий, откровений, восторгов, слез, умилений, неимоверной усталости, небывалой легкости – всего-всего. Помногу и понемногу.

Была любовь. Вот что приключилось с ними.

* * *

Потом Ольга часто думала – и ее охватывал ужас и паника: а если бы горком не отдал эту путевку? Или отдал кому-нибудь другому? В поликлинику, например. Или в музыкальную школу. Или Савельич распорядился бы иначе. Или... Да мало ли, что могло бы быть!

Главное то, что есть. И то, что уже случилось. Просто теперь надо было как-то со всем этим жить. И приспособливать к этому свою прежнюю жизнь – абсолютно бесполезную и никчемную, как теперь ей казалось.

И что-то решать. Потому что не решать было невозможно.

Впрочем, так думала она.

Он, к сожаленью, так не думал.

Кстати, звали его Евгений.

* * *

В Москву она, конечно, не поехала. Когда кончился срок ее путевки, сняла дешевую коморку довольно далеко от моря. От моря далеко, от *него* близко. Его отпуск заканчивался через десять дней. Их новая и прекрасная жизнь теперь протекала в крошечной пятиметровой конуре вдали от моря.

И не было прекраснее этой самой конуры на всем белом свете. Какие там дворцы иранских шахов и британских монархов!

Да и какое море, о чем вы! Не до моря было им вовсе, не до моря.

И не до кого на всем белом свете.

Потому что на всем свете были они одни.

Спустя много лет, когда история этой отчаянной любви и бесконечного романа канула наконец в Лету, избавив ее окончательно от иллюзий и страданий, больше всего ее удивляла она сама – точнее, ее поведение во всей этой истории.

Впрочем, ее холодная, рассудительная и крайне ответственная голова встала на место довольно скоро – года через три. Что, согласитесь, для отчаянно влюбленной молодой женщины не так уж и много.

Вернее, года через три она начала понимать, что ситуацию слишком приукрасила, своего любовника переоценила сильно и незаслуженно, но сделать с собой ничего не могла. Да и не старалась, честно говоря. С годами, когда постепенно прошло желание свить собственное гнездо и она уже окончательно поняла, что осталась бездетной, и с мыслью этой уже сжилась и совсем свыклась, она даже была рада такому течению событий: редкие и все еще яркие встречи на нейтральной территории – в гостинице или в свободных квартирах, совместные отпуска, переписка и телефонные разговоры.

Наблюдая семейную жизнь знакомых и не очень, она находила множество плюсов в своей истории – никакого быта, который она, как и мать, так и не полюбила, никакого планирования общего бюджета, выкроенных у мужа денег, клянченья новых сапог и сережек, споров о воспитании детей, раздражения в адрес престарелых родителей. Ничего этого у них не было. И еще не было самого главного – усталости друг от друга.

Какая усталость, если встречи так нечасты – три или четыре раза в год.

А вот чувство вины осталось. Перед матерью и отцом. Как она могла так отодвинуть их в те, первые годы? Как смогла приказать себе не думать о Никоше, Машке-маленькой, отце, Гаяне? Дезертировать с передовой?

И вот этого она себе и не простила – никогда. И всю оставшуюся жизнь, как могла, искупала.

А могла она хорошо.

* * *

Борис после истории с Димой Комаровским – мальчиком, умершим у него на операционном столе, – совсем поник. На больничном просидел почти месяц. Первые недели просто молчал. Не разговаривал даже с Еленой.

Она усаживалась на край кровати и пыталась его утешать. Слова были банальны, но, как все банальное, справедливы и жизненны.

У каждого врача есть свое кладбище. Тем более – у оперирующего хирурга. Не бывает, что даже самый лучший и талантливый врач не совершает ошибок. А сколько жизней ты спас? Не считал? И она начинала припоминать сложные случаи из практики мужа. Разумеется, пальцев не хватало.

Он мотал головой:

– Все не так, Лена. Все НЕ ТАК! Ничего из вышеперечисленного не оправдывает ТОГО.

– Почему? – возмущалась она.

– А потому, что оперировать мальчика я не имел права! Потому что я был болен! Простужен – это раз. Перед операцией схватило затылок – померил давление. Высоченное. Выпить таблетку забыл, закрутился. И не имел права подходить к операционному столу! Не имел, понимаешь? Потому что температура, потому что слезились глаза и тряслись руки! Потому, потому и потому!

– Тебя вызвали! Попросили! Ты уже спал в своей постели! А подвести товарища не мог! Потому что у нее, у Веры, ситуация была куда сложней!

Он опять крутил головой:

– Нет и еще раз нет. Здесь на авось полагаться нельзя. Это человеческая жизнь. И рассчитывать только на свой опыт было по крайней мере глупо и безответственно. Да я просто не имел на это права – рисковать. И мальчик умер не от осложнений, как ты пытаешься меня убедить! Он умер от банальной врачебной ошибки! Моей ошибки! Потому... Потому что я был рассеян. Думал только о том, как бы добраться до кровати. Выпить чаю с аспирином. И – уснуть. Вот какие мысли у меня крутились, понимаешь? И кружилась голова, и плохо видели глаза. Но никому это не должно быть интересно. Потому что мои оправдания ничего не стоят. Ноль. Им вообще нет тут места, моим оправданиям. И не объяснить старшему Комаровскому, что я грипповал, понимаешь?

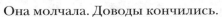

Она молчала. Доводы кончились.

Он хотел уйти из больницы, насовсем. Просил у главного расследования дела. Коллеги отговаривали его. Патологоанатом, выдавший заключение по Комаровскому, упрямо считал, что Луконин не виноват. Просто так получилось, совпало. Доказать вину хирурга сложно, да и зачем? Луконин – прекрасный оперирующий врач, с огромным опытом и положительной статистикой. Да и больнице лишние висяки ни к чему, и так хватает.

Немолодой отец Димы Комаровского скоропостижно скончался от инфаркта. На расследовании настаивать было уже некому.

Главный оформил коллеге отпуск. Елене сказал: «Пусть приходит в себя. Сроки не ограничены, что-нибудь придумаем».

Но дело было не в сроках – дело было в Борисе. Она знала: если уж он решил...

Через три месяца Борис вернулся в больницу. Замом главврача не по медицинской – по хозяйственной части.

На него показывали пальцем: такой хирург! Спятил мужик, свихнулся. Зачеркнул свою жизнь. Вынесли вердикт: дурак, чистоплюй. Пришел на теплое местечко. Да! И еще – слабоват. Не орел, словом. Не орел.

К операционному столу Борис больше не встал. Никогда. И больше никогда не заходил в оперблок.

* * *

Генералов возник в их жизни в нужное время и в нужном месте. Точнее – совсем не вовремя и не к месту. Тогда, когда их отношения с Борисом окончательно зашли в тупик и превратились в добрососедские (не всегда, кстати!), сестринско-братские или просто дружеские.

Елена от этих метаморфоз все еще сильно страдала. Окончательно возненавидела свое отражение в зеркале – широкобедрая, костистая тетка с безжалостно выпирающими косточками на широких ступнях, узловатыми кистями натруженных рук, с поредевшими и поседевшими волосами, смотрящимися не очень опрятно, с зарождающимися глубокими складками у краев сухих, почти бесцветных губ.

«Ничего не осталось! – думала она. – Вот просто ничего! А была ведь совсем недавно высокая и статная женщина с узкой талией, крутыми бедрами, роскошными легкими и послушными волосами, глазами прохладного серого цвета и темными густыми ресницами – завистью всех знакомых женщин. Куда все ушло? Потонуло в мыльной воде грязных сорочек, в содовых растворах бесконечного мытья кастрюль и сковородок. Покрылось пылью вместе со старыми книгами. Истончилось, поблекло, испарилось. Вместе с надеждами и ожиданиями».

Все закончилось. Да и было ли? Что помнится? Первые поцелуи, объятия, первые ночные нашептанные и безумные слова. Неужели она их произносила? И слышала подобное в ответ?

Прогулки по Москве – ночные, манящие и таинственные. Словно за углом, вот за этим или за тем, будет обязательно какой-нибудь сюрприз. Или подарок. Неожиданный и приятный.

И запах прогретого солнцем сена в доме у матери, на чердаке. И рука мужа, которую она внимательно разглядывает и изучает. Прекрасная кисть хирурга – тонкая, сильная. С длинными и крепкими, ровными пальцами. Рука, которая умеет так сильно, так нежно и мягко обнимать!

И белые пионы в руках Бориса у роддома. И его записочки туда же. Любимая, маленькая моя! Спасибо за дочку! И потом еще раз за дочку, и еще – за сына.

И тихое ночное море – спокойное и умиротворенное, как и сами они. И запах дыни и акации, тоже неразрывно связанный с морем.

И Борис в дверном проеме с огромной, заиндевелой, почти голубой елкой. И дети вокруг него – еще все вместе. Вся семья. Дружная и сплоченная семья, на которую можно рассчитывать.

Не помнилось. Точнее, не вспоминалось. Вспоминалось, но не это.

Вспоминались Иркины выкрутасы, косые взгляды свекрови, болезнь Никоши, страшная смерть Машки-старшей. Больные глаза Гаяне. И опять взгляды свекрови – теперь уже полные открытой ненависти. Беспомощные и отчаявшиеся глаза Бориса. Предательство младшей дочери – как могла уехать, бросить ее со всем этим одну? Холодность и отстраненность матери – уехала, все зачеркнула и постаралась забыть. Создала себе уютный и спокойный мирок. А что там с дочерью... Да что о ней беспокоиться? Дом, муж, дети. Семья.

И это она тоже считала предательством – обустройство матери в своей тихой заводи.

За то, что Борис от нее отстранился – не только душевно, но и физически, – она его не осуждала. Обижалась – да. Но не осуждала. Вряд ли «такое», как называла она себя сама, могло вызвать у кого-нибудь душевный или иной трепет.

Приходилось мириться и надеяться, что муж останется приличным человеком и не покинет ее на старости лет. Впрочем, как можно на это рассчитывать? Мать, свекровь, Гаяне. И еще сто один пример на заданную тему.

* * *

Он часто думал, глядя на Елену: КАК ему повезло. Просто сказочно повезло с этой женщиной. И за что он заслужил этот подарок? Он, вполне заурядный, среднестатистический мужчина. Прохладный отец, прохладный сын и довольно прохладный муж. Да к тому же неудачливый профессионал – как, увы, получилось. Интересы с годами стали плоскими, если вообще остались. Усталость навалилась рановато – уже в сорок пять он чувствовал себя разбитым стариком, не желающим практически ничего. В театры не хотелось, в кино и подавно. Про выставки и музеи говорить нечего. Елена уговаривала, обижалась и умоляла хоть как-то расцветить их серо-бурую жизнь. А он мечтал об одном – после ужина полистать газету, посмотреть скучные «вральные» и чересчур оптимистичные новости и поскорее завалиться в кровать. А в воскресенье – чтобы его никто не трогал! Просто оставили в покое. И все.

Ну, иногда он все-таки поддавался на ее уговоры – когда уж совсем становилось неловко и стыдно. И в музее или на спектакле видел, как расцветает и молодеет ее восторженное лицо. Тогда он клятвенно обещал себе, что будет внимательней, отзывчивей реагировать на ее просьбы и, конечно, ходить с ней на все эти постылые мероприятия. Но проходило время, и опять было неохота.

Нет, эта прекрасная женщина, его жена, конечно, стоила внимания. Но душевная и физическая усталость и лень побеждали – увы!

Иногда, когда у метро попадались старушки с нехитрыми цветами, он покупал их самодеятельные, разлапистые и пестрые букеты. Еленины глаза вспыхивали и загорались счастливым огнем. Она подрезала цветы, ставила в вазу и долго пыталась пристроить на самое «выгодное» и заметное место. А когда место было найдено, отходила в сторону – любоваться.

Он понимал – тяжесть ее груза несоизмерима с его проблемами. Круг его проблем закольцовывался на в основном рабочих неприятностях.

Она жалела его – он это тоже видел и понимал – и старалась ограждать от бытовых проблем. А они были куда серьезней и каверзней!

Однажды он наблюдал, как она сидит на кухне и расписывает на тетрадном листе предстоящие расходы. Сводит дебет с кредитом. Вздыхает – видимо, ничего не сходится. Залатать все зияющие бюджетные дыры все равно не удастся. Она морщит лоб, грызет кончик ручки, подолгу задумчиво смотрит в окно, в который раз тяжело вздыхает и вычеркивает что-то в одной ей понятном списке.

Тогда он подумал, что это все его не волнует! Он просто два раза в месяц приносит ей зарплату. Все. А дальше – она сама как-то выкручивается. И никогда, ни единым словом жена не попрекнула, что мало и что не хватает! Не то что не попрекнула, даже просто не поскулила и не пожаловалась. Молча ездит на самые дешевые рынки. Молча пытается что-то скроить, отложить – на обновки детям или на летний отпуск. Молча относит старые сапоги в починку и латает рукава у кофты.

Наверное, она мечтает – как любая женщина. Об обновках, новой мебели, хороших духах. Наверняка ей снятся теплые моря, белый песок, запах магнолий и низкое, черное, звездное, южное небо. Новые города – она так любила историю и путешествия, пусть даже недалекие, подмосковные городишки и местные краеведческие музеи, однообразные и одинаковые. А ей все равно интересно! Однажды перехватил ее жадный и любопытный взгляд в низкое и ярко освещенное окно в ресторане. У окна, за столиком, сидела немолодая нарядная женщина и, откинув голову, смеялась.

Елена чуть сбилась с ноги, замешкалась и на минуту застыла. Потом растерянно взглянула на мужа и покраснела.

«Господи! Это мне должно быть стыдно, а не ей!» – подумал тогда он.

Он жалел ее. Жалел – да. Ценил – определенно. Жалел, ценил – что еще? Да все, пожалуй. Мало? Наверное. Но и это – составляющие любви. А еще... А вот все эти «еще», пожалуй, здесь и заканчивались. Несомненно, ближе человека у него не было. Человека. А была ли она для него женщиной? Все еще женщиной? На которую хочется смотреть, любоваться, обращать ее внимание? До которой хочется дотронуться – специально или невзначай. Вдохнуть запах ее кожи, ее волос. Возжелать ее, наконец!

Нет. Не была. Уже не была. И, конечно, ее вины в этом точно не было!

Всю жизнь она исполняла свой долг. Всем служила – детям, мужу. Семье. Билась, старалась выживать – именно выживать. По-другому не получалось. И делала это, несомненно, достойно. Жалела всех – только не себя. А вот винила во всех неудачах именно себя!

Он понимал – ее жизнь он точно не приукрасил. Скорее, усложнил. Разумеется, не желая того. Но разве это оправдание?

Ведь, если разобраться, он, именно он, свалил на ее узкие плечи все хлопоты и заботы. Устранился.

Он смотрел на нее ночью. И видел, как даже во сне не расправляются жесткие складки у ее губ и на переносье. Какое усталое и даже страдальческое выражение ее лица даже во сне! Когда все мышцы просто обязаны расслабляться! По всем законам физиологии. То вдруг она вздрагивала всем телом, начинала что-то невнятно шептать. И ее тонкая рука даже во сне тревожно теребила и сжимала край одеяла или простынки.

Иногда становилось неловко, и он пытался ее обнять. Призвать, так сказать, к супружескому долгу. Она вяло и извинительно отстранялась, шептала: «Прости, Боренька. Прости, ради бога! Очень устала». И он, надо сказать, с очевидным облегчением отворачивался к стене.

Наутро она смотрела виновато. «Ну и сволочь же я», — думал он и все-таки делал вид, что сильно уязвлен.

Да что говорить — на всех остальных женщин, на работе или в транспорте, он тоже смотрел довольно равнодушно. Так, бегло, по-мужски оценивал, не более того.

Иногда думал: «Все-таки паршивая штука — жизнь. Судьба мне подарила чудесную женщину, лучше и достойней которой я не встречал. И вот эта женщина живет со мною рядом столько лет. Ест, спит в одной постели, рожает мне детей, готовит, стирает, утешает, обнадеживает, поддерживает. Я все это, безусловно, ценю. Я ценю ее как друга, товарища, мать моих детей, хозяйку. Но... Она мне совершенно не интересна в другом аспекте. Она мне неинтересна и нелюбопытна абсолютно как женский индивид. Как предмет вожделения. И вины в том ее нет. Виноват в крушении ее женской судьбы только я. Или опять эта чертова жизнь? Я — подонок. Она не виновата ни в чем. Я не смог украсить ее жизнь. Я не смог ее просто чуть-чуть облегчить. Спрос с меня. А платит она. Я будто бы в стороне. Сторонний, так сказать, наблюдатель. Судьба Гаяне и судьба Елены — на моей совести. А толку-то что? Вот именно — ничего. Чем украсил их жизнь? Что я им дал? Правильно — ничем и ничего. Если быть до конца честным — хотя бы с самим собой».

Терзания, размышления и... все на своих местах. Идет как идет. Катится как катится. Исправлять ничего неохота. Грош цена такому раскаянию. Так же, как и ему — грош цена.

Были и кое-какие истории на работе — ночные дежурства располагали ко всяким интимностям. Романчики с коллегами — врачами и сестрами (со вторыми, кстати, чаще) быстро вспыхивали, расцветали и так же моментально сгорали.

Было и у него пару историй – кто ж не без греха? Точнее даже, не историй, а связей. Чисто половой интерес, как говаривал его приятель и коллега доктор Мисов.

Так вот, чисто половой интерес. Однажды – к сестричке Майечке, беленькой и пухленькой, как только что испеченная булочка. Свидания в сестринской или в ординаторской, за запертой дверью. Если совпадали графики ночных дежурств. Десять минут – торопливо, нервно – под глухие Майечкины стоны. Пару месяцев. Майечка страстно хотела замуж и вскоре выскочила за молодого интерна. С Борисом Васильевичем она старалась больше не сталкиваться и быстро перевелась в другое отделение.

Вторая история была не более романтическая – врачиха Инна Белова. Разведенная, хмурая, в вечном поиске. Он быстро почувствовал, что Инна Ивановна безуспешно и довольно долго ищет свежего мужа. На него ставку расчетливая Инна не делала – трое детей, можно представить размер алиментов. А вот потешить самолюбие и плоть – это пожалуйста.

Через полгода после их ночных бдений Инна Ивановна переключилась на сосудистого хирурга Петю Круглова. Завидного и недавно разведенного жениха. Окрутить Петюшу ей не удалось – были кандидатки и помоложе. А вскоре Белова, прошерстив всю больницу в поисках гипотетического жениха, убедилась, что время терять зря не стоит, и перевелась в другую клинику. Да и слава богу!

Вот эти две незначительные истории разве повод для раскаяния? Серьезная история для молодого мужика? Чепуха, да и только. Он вдоволь нагляделся на все это в больнице. То, что было у него, – так, мимоходом. А рядом кипели вполне реальные страсти. И разводы, и создание новых семей.

Да и забыл он про это сразу. И про Майечку, и про Инну. Забыл, словно их и не было. А что вспоминать? Копошня какая-то подростковая, возня на старой клеенчатой кушетке? Не бурно, а нервно, впопыхах, торопливо, сумбурно и… Никак.

Мужчины забывать это умеют, в отличие от женщин, – факт известный.

Впрочем, однажды и его зацепило. Было дело, было. Влюбился.

В отделение сосудистой хирургии пришла молодой ординатор Марина Ким. Хороша эта юная дочь корейского народа была так, что посмотреть на нее сбегались не только коллеги мужского пола всех возрастов и положений, но и коллеги-женщины и даже больные.

Марина Валерьевна Ким ходила легко и грациозно. Точеная фигурка – длинные и стройные ноги, прелестная головка на изящной шейке чуть задрана вверх. Она не была воображалой. И заносчивости в ней не было ни на грош. Просто она так ШЛА. ТАК она себя НЕСЛА. И только. На ее прелестном лице всегда блуждала очаровательная и доброжелательная улыбка. Казалось, она радовалась всем – старухам-уборщицам, нянечкам, больным и коллегам. Со всеми раскланивалась – с той же милой и непринужденной улыбкой.

Хороша она была так… Боже, как бухало сердце, давно отвыкшее от подобных нагрузок!

На конференциях он смотрел на ее прилежно склоненную, словно глянцевую, головку с гладкими блестящими волосами. На сдвинутые брови – она записывала все дотошно и крайне внимательно, словно отличница, боящаяся уронить свой справедливо отвоеванный статус.

В ушах покачивались золотые колечки. Верхняя пуговица халата была расстегнута. Нет, не из-за легкомыслия или кокетства, не приведи бог! Просто высокая и довольно большая грудь не помещалась в узком пространстве белоснежного халата. Что поделаешь – размер халата, подобранный по размеру фигуры, увы, не совпадал с размером груди. И Марина Валерьевна переживала. И постоянно теребила и застегивала непослушную верхнюю пуговицу.

Ему казалось, что иногда она смотрит на него – смущенно и внимательно.

Потом обнаружил – не без отчаяния, – что Марина Валерьевна Ким одинаково смотрит на всех.

Восточные люди просто умеют улыбаться. Без причины, по рождению.

И еще Марина Валерьевна Ким стала героиней (стыд, ужас и позор) его ночных эротических сновидений.

Такое случилось с ним впервые. Даже в подростковом возрасте его не терзал подобный грех.

И он – старый и безнадежный дурак – искал предлог, чтобы спуститься на третий этаж, в сосудистое отделение, и вдруг – о, чудо – столкнуться с Мариной Валерьевной.

Иногда везло. И эти мимолетные встречи были отличной питательной средой для дальнейших фантазий и «мечт».

Слава богу, все кончилось довольно быстро. Через полгода Марина Валерьевна выскочила замуж за аспиранта-кубинца. Огромного красавца-мулата, похожего больше на стриптизера дорогого заведения, чем на молодого ученого.

Говорили, что уехали они в Европу. По желанию молодой жены, которая решительно отказалась ехать на веселую и щедрую солнцем, но голодную мужнину родину.

Так закончилась его тайная страсть к прелестной кореянке. Тогда он сказал другу Яшке: «Хватит с меня

японских гравюр!» И слава богу, что закончилась. С глаз долой, из сердца вон. А то и до второго инфаркта недалече – с его-то прытью!

Кстати, напрасно он думал, что жена его Елена ничего не замечала. Все замечала – и то, что он начал франтить и прикупил пару новых рубашек и ботинки. И то, что зачастил в парикмахерскую. И то, что украдкой стал душиться польским одеколоном. Ну, это поди не заметь!

Все его умная жена видела и понимала. Вот знала, естественно, не все. Да и что там было знать!

Поделилась с Элей. Та сказала:

– Не волнуйся! Борис не из тех, кто уйдет в такой ситуации.

Елена усмехнулась:

– Да? А разве один раз он уже не попробовал?

Эля махнула рукой и уверенно возразила:

– Ну, ты сравнила! Тогда он был мальчишка, сопляк. Экспериментов не боялся. А сейчас... Что ты! Столько пройдено и пережито! А сколько еще надо будет пройти и пережить! Да и не потянет он молодую, свежую бабу! Силенок не хватит.

– Почему обязательно молодую? – удивилась Елена.

Эля посмотрела на нее внимательно:

– А потому, дорогая, что старая квочка у него уже есть! Рядом, под боком, – и тяжело вздохнула.

Елена не обиделась – рассмеялась.

И, наблюдая за мужем, она давалась диву. Вон оно как бывает! Влюбился, и ладно! Вон как подтянулся! И настроение улучшилось!

Страха почему-то у нее совсем не было. И это удивляло ее больше всего.

А может, просто сил на страх и переживания не оставалось? Вполне вероятно. И еще – это Борино увлечение служило ей оправданием в дальнейшей жизни. После ее истории с Генераловым.

Хорошим, надо сказать, оправданием. И еще – утешением.

* * *

Итак, появление в их жизни Генералова было внезапным, неожиданным и, мягко говоря, странноватым. Такой человек, как Генералов, не должен был приплыть к их берегу. А уж тем более – на нем задержаться. «Позагорать».

Но – по порядку. Однажды за ужином Борис, крайне возбужденный, поведал Елене, что на совещании в министерстве встретил старого институтского приятеля. Точнее, не приятеля, а просто однокурсника. Володьку Генералова – так он его обозначил. Вспомнил, что этот самый Володька был в институте заядлым карьеристом. И старостой группы, и комсоргом курса. Всегда стремился к общественной жизни, которая, как известно, предполагает власть. Медицина как таковая его не увлекала – это было всем очевидно. Но хвостов у него не было, оценки не опускались ниже четверок, и преподаватели предпочитали с ним не связываться – отговорок у Володьки был полный карман.

Все поговаривали, что врач из него не получится точно, а вот в том, что Генералов «далеко пойдет», не сомневался никто.

На последнем курсе Володька вступил в кандидаты КПСС и скороспело женился на дочке какого-то партийного функционера. Молодую жену его никто не видел, но слухи ходили – нехороша. Какая она для Володьки пара? Смешно.

Кстати, сам Генералов был весьма хорош собой – высок, статен, кудряв и синеглаз.

Разумеется, в близких друзьях или даже приятелях Боря Луконин у него не ходил. Впрочем, как и все остальные.

Про дальнейшую судьбу Генералова Борис тоже не знал. Вернее – какие-то обрывки и отрывки. Успешен, все сложилось. Загранпоездки и прочие блага не обошли его стороной.

И вот встреча. Борис на важное совещание попал по новой должности.

Друг друга узнали – уже хорошо. Посмеялись – ну, раз узнаваемы, не все потеряно. Поболтали в курилке. Борис, невнимательный к деталям, как всякий мужик, все-таки разглядел и ботинки Генералова, и костюм, и сорочку.

– Все нездешнее и очень впечатляет, – сказал он Елене.

– Тебя? – удивилась она и увидела, как муж немного смутился.

Потом он тараторил, что этот самый Володька ведает снабжением больниц новейшим и импортным медицинским оборудованием. То есть непосредственно в его власти, кому, куда и как распределять эти блага. Его подпись последняя и решающая.

– И что? – не поняла Елена.

Муж вздохнул:

– Надо, Ленушка, пригласить его к нам. Надо, понимаешь?

Она удивленно вскинула брови и покачала головой:

– Не твои методы, Луконин. Не твои!

Он покраснел и виновато промямлил:

– Ты права. Но и замом главного я тоже прежде не был. И больничное обеспечение и медицинская аппаратура меня не слишком волновали. А теперь это напрямую зависит от меня.

– Ну да ладно, примем твоего чиновника, коли так. Правда, не знаю, как все получится. С такими важными персонами я как-то давно не общалась, – вздохнула примирительно Елена.

Муж попытался убедить ее:

– Володька – прекрасный парень. Совсем не зазнавала, простой и доступный.

– Зови своего доступного в субботу, – махнула рукой она.

Занервничала уже к среде. Чем кормить? Что подавать? Да и вообще – как принимать такую важную птицу?

Разумеется, позвонила Эле. Та успокоила:

– Все люди, даже эти цацы. Все любят пожрать и выпить. Не выпендривайся. Ничем его не удивишь. Ни икрой, ни рыбой. Сделай что-нибудь домашнее – блины, например. Они у тебя, кстати, всегда отменно получаются.

– Блины? – удивилась Елена. – Нашла чем удивить – блинами!

– Да, представь себе – блинами! А к блинам – селедочка, сметанка, топленое маслице. Мед и варенье. Ну а для сытости... Ну, запеки курицу, что ли! Или разорись и на рынке прикупи мясца. От этого никто не откажется. Ну и соленостей всяких – тоже на рынке. Помидоров, огурцов, капустки квашеной. Вариант беспроигрышный. А лягушек он в Париже пожрет.

Вот вам и задачка! Подруга, как всегда, права. Все исполнила, как мудрейшая из мудрейших велела.

Пригодились и мамины соленые опята и грузди. В общем – русский стол. Классика жанра. В пятницу (что это? предчувствие?) полетела в парикмахерскую. Покрасила волосы – впервые за семь последних лет. Дома сделала маникюр – кое-как, на ее-то теперешние руки... Вряд ли что поможет, да ладно.

Подкрасила глаза и неярко, чуть-чуть – губы. Долго стояла у зеркала, не узнавая себя. Вот как оно, оказывается... И совсем не старуха! А еще вполне даже женщина! Значит, сама виновата. Сама себя запустила и махнула на себя рукой. И не Бориса тут вина, что он на нее не смотрит, а только ее...

Дура. Ведь все так просто! И Элька права, что ее ругала. Так к себе относиться! Так себя не любить и даже не уважать! А потом требовать этого от других! Спасибо тебе, неведомый пока Владимир Генералов! Спасибо и низкий поклон. От дуры и тетехи Елены Лукониной.

В коридор выскочила Машка. Замерла.

– Ой! Леночка! И это ты? Что с тобой? Что-то случилось?

Елена равнодушно повела плечом:

– А что, собственно, такое? О чем это ты?

Машка от волнения громко сглотнула слюну.

– Не притворяйся! – потребовала она. – Хитрая какая! «Что такое, что такое»! Да это не ты, Леночка, а сказочная красавица! Принцесса просто! Хотя, нет, королева. Для принцессы ты все-таки старовата!

Машка обошла ее со всех сторон и покачала головой.

– Да... А я ничего такого про тебя не знала! – и снова задумалась.

Елена рассмеялась – легко и от души.

Машка вдруг посерьезнела:

– Гости завтра, Леночка, да?

Та кивнула.

– А как же прическа?

Елена пожала плечами и провела рукой по волосам.

– Спать будешь сидя, – строго сказала Машка. – Чтобы не испортить такую красоту!

– Да ну тебя! – рассмеялась Елена и пошла инспектировать шкаф. Надо соответствовать.

Машка обошла ее на повороте, первая влетела в ее комнату и распахнула тяжелые дверцы старого орехового гардероба.

Обе, замерев, молчали. Инспектировать, собственно, было нечего. Совсем.

Через полчаса Машка тащила ее за руку в большой универмаг, стоящий прямо у метро.

Из универмага вернулись через три часа. Такие усталые, что просто валились с ног. Зато в сумке лежали темно-синяя узкая юбка и голубая шелковая блузка с крошечными перламутровыми пуговицами.

Что говорить – сказочно повезло. Сказочно!

Не потому, что удачливые, – просто конец месяца. Благодатное для покупок время: советская торговля наращивала план. Вот вам и все везение. И все-таки – повезло.

Да и на следующий день повезло – тесто для блинов взошло прекрасно, селедка оказалась жирной, мясо – молодым и сочным, а пражский торт, из одноименной и самой лучшей кулинарии, свежайшим – что, впрочем, совсем неудивительно. Не зря отстояли почти два часа!

* * *

Важный гость был точен, как королевская особа. В семь ноль-ноль раздался звонок в дверь. Первой в прихожую выскочила, как всегда, Машка. Да и кто за ней поспеет? Она же и распахнула входную дверь. На пороге стоял высокий мужчина – слегка полноватый, слегка седоватый и совсем не суровый. Точнее – на его гладком, чисто выбритом лице при виде девочки зажглась теплая и удивленная улыбка.

– Да ты красавица! – восторженно воскликнул он. И, словно опасаясь за собратьев мужеского пола, как бы огорченно, сокрушаясь, добавил: – Ох, Мария! И принесешь же ты страданий нашему брату!

Он снял плащ и остался в темно-синем костюме и голубой сорочке в мелкую серебристую полоску.

Увидев голубой Еленин наряд, рассмеялся:

– А мы с вами в тон, Елена Сергеевна! Что бы это значило?

«Пошло», – подумала Елена. И, дернув плечом, ответила:

– Ровным счетом ничего, Владимир Дмитриевич. Ну в крайнем случае: вы – любитель оттенков небесного цвета. А со мной и того проще – купила то, что смогла достать. Вот и все, ничего мистического.

Он, надо сказать, смутился и, видимо, оценил свой промах и Еленин ответ.

Сели за стол. Он снял пиджак и ослабил узел яркого полосатого галстука – тоже заморского, разумеется.

Ел он с аппетитом, надо сказать, отменным. И нахваливал все бурно и, кажется, вполне искренне. Блинам обрадовался, как Машка жевательной резинке.

– Вот это угодили, Еленочка! – повторял он и, неодобрительно качая головой в свой адрес, со вздохом прихватывал новый блинок.

Ей не понравилось все – и эта «Еленочка», и чрезмерное, слишком жадное чревоугодие, и частота поднятия водочных рюмок. Хотя, надо сказать, в выпивке, судя по всему, он был настоящий стоик. А вот незакаленного Бориса через два часа развезло окончательно.

Ей были неинтересны их пьяные разговоры – воспоминания, сплетни про бывших однокурсников, загадочные истории, какие-то незнакомые имена, – она устала.

А глядя на мужа, совсем расстроилась. Борис икал, пару раз непотребно рыгнул, опрокинул на себя салат, без конца ронял то вилку, то нож. Хватал Елену за руку и держал больно и цепко. С чем-то прицепился к Машке, и она обиделась и расплакалась. Словом...

Стол был порушен, впечатление от пьяного мужа отвратительно. Стыд Елену душил, и она мечтала только об одном: чтобы этот хлыщ – так она назвала важного гостя – скорее покинул пределы квартиры.

А он, казалось, и не собирался. Осоловело оглядывался, пытался завести разговоры с Машкой – видя, что

Елена общаться не намерена, раздражена и откровенно зла.

Елена резко приказала Машке идти спать. Потом попыталась отконвоировать Бориса в спальню. Генералов бросился ей помогать.

Они уложили одетого Бориса и вышли из комнаты. Елена в изнеможении опустилась на стул и уронила голову в ладони. Почему-то хотелось кричать, выть, ругаться всеми известными непотребными словами. Хотелось разбить посуду и сдернуть со стола белую парадную скатерть, усеянную, словно контурная карта, пятнами.

И еще очень хотелось дать по сытой и лощеной физиономии товарищу Генералову Владимиру Дмитриевичу. Со всей силы, смачно, хлестко и громко.

Вот тут бы она получила удовольствие!

Потом часто вспоминала этот срыв, так несвойственный ей. Предчувствие? Или просто нервы, усталость, злость на Бориса, ощущение инородного тела в родном доме? Стеснение? Или все-таки предчувствие?

Предчувствие того самого страшного и ужасного, что она сотворила в своей жизни?

А у этого наглеца хватило совести попросить сварить кофе! Она замерла, а потом очнулась – разве откажешь? Человек в ее доме! Придется пережить и это. И она отправилась на кухню, повторяя про себя с удивлением: «Ну надо же, каков наглец! Подумать только!»

Хотя при чем тут этот довольный и сытый наглец? Виноват только Борис. Это его дурацкая затея! Его, так сказать, «гениальный» план. «Подружиться» с этим чинушей, с этим чужаком. Позвать в дом, в семью, открыть двери в самое сокровенное – и опозориться. Перед всеми – женой, внучкой и, собственно, самим важным гостем. Старый дурак! Как можно не видеть и не понимать, что этому, с позволения сказать, гостю нужно всего лишь покрасоваться, поделиться своими успехами, попить, поесть и «умыть» старого приятеля своей значимостью и успешностью.

И еще поиграть в либерала – ничего, потрачу и на тебя, дружище, свои драгоценные пару часов! Потрачу на тебя, неудачник! Молодость и дружба – вещи святые!

А внизу ждет шофер в черной «Волге».

Какая все чушь – Генералов поможет ему с аппаратурой! На морде у этого Генералова написано, что никому и никогда, если ему это не нужно, он не поможет!

«Дурак Луконин и дура я», – от злости и бессилия она расплакалась.

Но – кофе был сварен, и густая пенка с радостным шипением выплеснулась на плиту.

Она налила кофе в чашку, поставила на блюдце и повернулась к двери. В дверном проеме, загораживая пространство, стоял Генералов и смотрел на нее абсолютно трезвым взором.

Ясным, трезвым и внимательным!

От неожиданности она вздрогнула и отпрянула назад. Горячий кофе плеснул на блюдце и капнул на руку.

Она поставила чашку на край стола и рассматривала, как набухает и краснеет волдырь на обожженной руке.

Генералов подошел к ней, взял ее обожженную руку и, словно ребенку, стал дуть.

Она вздрогнула и от неожиданности замерла.

Через несколько секунд, словно очнувшись, руку выдернула.

Он пил кофе, а она стояла у окна и молча смотрела на темную улицу. По стеклу монотонно стучали толстые капли редкого дождя.

– Болит? – спросил он.

– Что? – усмехнулась она.

– Рука, – уточнил он, – про остальное я не спрашиваю.

Она резко повернулась к нему и четко произнесла:

– Нет. Ничего не болит. Можете не беспокоиться. Все замечательно. И спасибо за заботу.

Он грустно усмехнулся:

– Не беспокоиться предлагаете? Вот это вряд ли. Ведь все из-за меня!

Она удивленно вскинула брови.

– Ну, разумеется, – подтвердил он. – Свалился вам на голову – совершенно посторонний и чужой человек. Напоил вашего мужа – правда, не желая того! В квартире беспорядок, девочка, – он кивнул в коридор, имея в виду Машку, – обижена и расстроена. И самое главное – ваша рука! И тоже, заметьте, из-за меня! Короче говоря, виноват по всем статьям – нарушил ваш покой и внес беспорядок и хаос.

– Ну, – Елене вдруг стало весело, – уж моя рука – точно не главное! А с беспорядком мы завтра разберемся! Вот с Машкой, правда, сложнее. Дедулю в таком виде она еще не видела! Боюсь, что реабилитироваться ему будет непросто!

– Валите все на меня! – махнул рукой Генералов и засмеялся. – Как на мертвого!

Елена кивнула:

– Разберемся.

– И еще – спасибо вам за все, – сказал он, глядя ей в глаза. – И за блины ваши прекрасные, и за кофе замечательный! Спасибо и извините, бога ради! – Он встал со стула, прижал руку к груди и слегка наклонил голову.

Вот тут она и рассмеялась. Злость как рукой сняло.

Он покраснел и тоже улыбнулся:

– Мир, Еленочка? Прощен?

– Неужели вам это важно? – удивилась она.

Он посмотрел на нее и тихо сказал:

– Вы даже не представляете, КАК.

Они помолчали, потом она осторожно спросила:

– Домой не торопитесь, Владимир Дмитриевич? Извините за прямоту!

Он, казалось, не обиделся и спокойно ответил:

– Не тороплюсь, Еленочка. Не к кому. Я, видите ли, один. И проживаю, и в целом. Глобально, так сказать. Хотя – не вдовец. Но это по статусу. А по факту – один. Жена подолгу гостит по больницам. И в данный момент тоже. Домой не хочется, вот и злоупотребляю вашим терпением. Эгоистично, но факт. Прощает то, что честно признался.

Она смутилась:

– Простите.

– Да ерунда. Просто так спокойно возле вас, так спокойно...

Она окончательно растерялась и махнула рукой:

– Да сидите, бога ради! Хотите, кофе еще сварю?

– Вот это – ни за что! И так на моей совести, – он кивнул на ее руку.

Она поднялась и сказала:

– Значит, так. Я иду разбирать разруху в столовой. Там, – она покачала головой, – словно не два приличных столичных медика погуляли, а рота солдат. Вы можете отдыхать. Варить кофе, читать газету и даже слушать радио. Сидите хоть до утра. А хотите – ложитесь. В Борином кабинете. Там плед и подушка. Да, и еще! – она внимательно на него посмотрела. – И никаких «Еленочек», понятно? Вот это я не переношу ка-те-го-ри-чес-ки!

– А как можно?

– Я подумаю. – Она вздохнула.

В кабинет бывшего «однополчанина» он не пошел, отправился в столовую – помогать хозяйке. Без лишних вопросов и лишних движений, свойственных мужчинам в хозяйственных делах, помог ей здорово. И главное – четко и быстро. Она, не привыкшая к «мущинской» руке, про себя удивлялась – и это при таком-то чине и при таком внешнем антураже!

Когда объедки и бутылки были сметены, а посуда – им, кстати! – перемыта, она в абсолютном изнеможении опустилась на стул, а теперь вот он заваривал и подавал ей крепкий чай.

Она перевела наконец дух и внимательно посмотрела на него. С интересом, надо сказать, посмотрела.

Он перехватил ее взгляд и объяснил:

– Удивляться, Леночка, нечему. Я парень простой, можно сказать от сохи, деревенский.

Она вскинула брови.

– Да, да! Ну, не совсем, – смущенно улыбнулся он. – Но почти. Родом я из Ярославля, с окраины. Рос в частном доме, никаких квартир и удобств. При доме огород, куры, коза, поросята. Удобства, извините, во дворе. Мылись в городской бане – по воскресеньям, с батей. Батя пришел с войны инвалидом – без руки и без легкого. Кроме меня в семье три сестры, все младшие. И с девяти лет я за хозяина. И в доме, и в огороде, и за скотиной. Через четыре года после войны батя помер. Ну а я – единственный в доме мужик на четырех женщин. Так что умею все: и прополоть, и подоить, и печь растопить, и сена накосить. И навыков этих не растерял. Жизнь была тяжелая, полуголодная, что говорить. Потом сорвался в столицу. Поступил с первого раза. Дали койку в общежитии. Подрабатывал, где мог. И вагоны по ночам разгружал, и грузчиком в булочной – там сердобольные тетки после смены давали пару теплых батонов. И это здорово выручало. Посылал деньги своим – иначе они бы не справились.

Он долго молчал.

– Вот только обратно не хотелось, если честно. Никак не хотелось. Ни в сортир деревянный, ни к печи, ни к козам. Ну и не пришлось. Женился, невеста оказалась с жилплощадью, москвичка. Ну а дальше пошло-поехало. И оказалось, что хозяйственник, проще – завхоз, из меня получился лучше, чем, собственно, доктор. В медицине мне было скучновато. А вот организация, администрирование, решение глобальных вопросов – моя история. Такие вот дела! – Он развел руками и улыбнулся.

– Ну, «мамы всякие нужны», – ответила Елена. И добавила: – Спасибо за чай. Теперь, может быть, спать?

– Я поеду, – кивнул он.

Она пожала плечами.

В прихожей он долго надевал свой роскошный, «нездешний» плащ, возился с ботинками и наконец посмотрел на нее.

Она стояла у двери, устало прислонившись к косяку.

– Елена Сергеевна! А можно, я приглашу вас в театр? – тихо спросил он. И, не дожидаясь ответа, поспешно добавил: – Ну или в кино.

– Лучше в цирк, – усмехнулась она.

Он кивнул:

– Можно и в цирк.

– Послушайте! А зачем вам все это надо? Ей-богу, не понимаю!

Он недоуменно пожал плечами и, казалось, искренне удивился ее нелепому вопросу.

– Душевная потребность, – ответил он. – В умном, интеллигентном и тонком собеседнике. И еще – в прелестной женщине!

– Не смешите меня! – махнула рукой она.

Он прищурился:

– Интересно, а у вас какая версия?

Елена густо покраснела.

* * *

Сходили. И в театр, и в кино. И, представьте, в цирк. И в ресторан – да не в один.

И началась у Елены совсем другая жизнь. Чудеса. Теперь она ежедневно красила глаза и губы, следила за прической и делала маникюр. Попросила у верной подруги, «Элины всемогущей», чтобы та взяла ее к своей спекулянтке Мирке.

Там отхватила югославский костюм, замшевые туфли, две блузки под этот самый костюм – серую с кружевом и бежевую в полоску – и голубую водолазку.

Вопросов Эля не задавала, сидела в глубоком кресле и молча отслеживала Еленины суетливые движения.

Потом подошла к чемодану с волшебным и восхитительным бабским «добром», молниеносно выдернула розовое кружевное чудо – лифчик и трусики – и протянула Елене:

– Примерь!

Та покраснела и сказала охрипшим от волнения и смущения голосом:

– Мне этого не надо!

Эля пожала плечами:

– Не думаю. Хотя хозяин – барин.

Когда расплачивалась (цены такие, что вслух произнести страшно!), руки ходили ходуном. Мирка пересчитала деньги, криво усмехнулась и процедила, обращаясь исключительно к Эле:

– Скоро девки из Большого из Франции подтянутся. Будет трикотаж, нижнее и косметика. Тебе звонить?

Эля равнодушно кивнула.

Елена как потенциальный покупатель в расчет не бралась. Опытное Миркино око случайную покупательницу определило сразу – птица залетная, не нашего поля, подбирала, что дешевле и «ко всему». Работа мозга на морде была написана – мозги, видать, кипели: чтобы выгодней, экономней и не прогадать. В смысле – взять так, чтобы и в пир, и в мир. Не ее, Миркин, вариант.

Мирка любила баб с размахом – тех, кто хапал чемоданами. Денег не считали. Такие, которых грузины-любовники ждали у подъезда в «Волгах» или на крайний случай «Жигулях». Или – важняки на служебных машинах.

А эта... Наверняка прибарахлилась к мужу на юбилей. Или к чаду на выпускной. Никакого масштаба. Не клиент, а мелочь. Даже навар неинтересно подсчитать.

Новые тряпки Елена внесла в дом, словно воровка. Спрятала в Ольгину комнату и потихоньку разглядывала. И что интересно, ее больше огорчали неожиданные расходы, чем сам повод, на эти расходы ее сподвигший!

Про себя она решила: «Мужу изменять я не собираюсь. Ни в коем случае. Я просто общаюсь с приятным человеком. Просто добираю то, чего мне никогда не хватало, – внимания, заботы и преклонения. У нас не роман, ни-ни! Смешно, ей-богу! Просто мы – два одиноких и не очень избалованных вниманием человека. Друзья-приятели. Разве я не имею права сходить с приятелем в театр? Или в кино? Поужинать в ресторане?»

Врала себе безбожно. Потом, спустя много времени, когда все закончилось и остались только тоска, стыд и горечь, густо приправленные острым и непроходящим чувством вины, она удивлялась сама себе – неужели это была она? Она, которая привыкла анализировать любое действие! Она, привыкшая винить во всем себя и только себя! Она, презирающая любую, самую мелкую ложь! Не приемлющая адюльтеров в принципе. Признающая два цвета – белый и черный, без оттенков.

Как она могла? Как? Так безрассудно, так лихо, так глубоко упасть, вляпаться во всю эту историю?

Так глубоко, что выкарабкиваться пришлось всю оставшуюся жизнь. Ну или почти всю.

* * *

Про жену он рассказал ей однажды. Через полтора года после свадьбы – страшный диагноз: рассеянный склероз. Пока не было денег, ухаживал сам. Но и она тогда, слава богу, была еще на ногах. А когда окончательно слегла, появилась сиделка.

Болезнь прогрессировала, даже с его связями ничего поделать было нельзя.

Испробовано было все, даже заграница. Бросить ее? Да и в голову такое не приходило! Вот что детей нет... Это боль. А к одиночеству своему давно привык. Поговорить даже не с кем — жена молчит, сиделка тоже не из болтливых, да и при чем тут она? Друзей нет — у всех ведь здоровые жены, нормальные семьи. Дети и даже внуки. Кому он нужен — с его-то проблемами? Людям хватает и своих несчастий. На черта им чужие?

Да в ИХ кругу дружить как-то не принято. Все по своим норам. Все закрыты и осторожны.

Вот счастье, что Борьку встретил. И тебя!

При упоминании мужа она вздрогнула. «Борьку и тебя»!

Значит, у него никаких мыслей! «Борьку и тебя»!

Правильно, они — единое целое. Она и Борька. Просто Борька — не любитель театров, кино и ресторанов. А она — с удовольствием, пожалуйста! И, как выяснилось (сама удивилась, и еще как!), все это ей очень нравится! Засиделась птичка в клетке, засиделась. А он...

Он — очень одинокий и несчастный человек, прибился к их берегу. У них шумно, многолюдно. У них — семья! Просто он греется у ИХ костра.

Дура, дура и дура! Напридумывала себе черт-те что!

Наивная идиотка. Вот и получи! Так тебе и надо!

Борис был в курсе этой истории. Ну или почти в курсе. Например, про походы в театры или в кино она его информировала. Точнее, так:

– Борь, Генералов взял билеты на Таганку! «Гамлет» с Высоцким, ты представляешь?

Далее она следила за реакцией мужа. Борис сразу сникал. Устал, завтра важное совещание, и т. д. и т. п.

– Не пойдешь? – спрашивала она.

С надеждой, надо сказать, спрашивала.

Он принимался извиняться и оправдываться. Она делала вид, что огорчена и расстроена. И еще упрекала:

– Ну разумеется! Разве тебе что-то интересно, кроме твоей больницы? – Она презрительно усмехалась и делала обиженный вид.

– А Вовка что, не может? – с надеждой спрашивал он.

Она смотрела на него с укоризной:

– Вовка, как ты изволил выразиться, может. А муж мой, между прочим, ты! Если ты об этом иногда забываешь!

Он с явным облегчением вздыхал:

– Ну вот и славно, Ленушка! Тебе же важен сам спектакль, а не сопровождающий, верно?

Не верно. Ей был важен именно сопровождающий! Хотя и спектакль был интересен, естественно!

Но! Она представляла, как вечером к дому подъедет машина, как она выпорхнет из подъезда. Как он галантно откроет ей дверцу машины и поможет усесться поудобней. И – на заднем сиденье обязательно будет лежать букет цветов!

А когда в театральном фойе у зеркала она кокетливо станет поправлять свою пышную и тщательно уложенную прическу, то перехватит его взволнованный и внимательный взгляд. Мужской взгляд. Который от постороннего мужчины, наверное, она не ловила на себе никогда!

И кто, скажите, от всего этого добровольно откажется? Покажите такую женщину! Да еще на излете женской судьбы! Когда тебе уже чуть-чуть за сорок! Самую малость, и все же...

Тот самый возраст, когда ты уже прекрасно осознаешь, что это – все! Или – почти все! И после этого, мимолетного, такого скоротечного, ускользающего и тающего, как первая снежинка, дальше не будет ничего!

Потому... Потому что просто не будет! Потому что такова жизнь! Все просто.

А еще будет темный зал, где актеры взволнованно говорят о любви. Потому что все спектакли – непременно о любви. И о мужчине с женщиной.

А она будет чувствовать себя именно женщиной. Возможно, впервые в жизни – так остро!

И рядом будет мужчина. Именно мужчина, а не сожитель, супруг, вечный партнер, почти сосед или брат.

И от этого мужчины будет волнующе пахнуть терпким одеколоном, и она будет коситься на его крупную и, наверное, очень сильную и теплую ладонь.

И еще будет чувствовать боковым зрением, как он смотрит на нее. Как!

И в антракте в буфете возьмет черный кофе и шампанское, от которого непременно закружится голова. Или шампанское тут ни при чем?

А после спектакля он наденет на нее пальто, и она почувствует, как его руки чуть задержались на ее плечах. Или ей это опять только покажется?

А на улице он предложит ей прогуляться и отпустит машину. И они медленно пойдут по притихшим московским улицам, разумеется, под руку, и ей будет так спокойно, как никогда прежде.

И так они дойдут до ее дома и постоят немного в темном дворе. Он поправит воротник ее пальто и поцелует – всего лишь! – руку.

А она... Она будет ждать, что он ее обнимет!

«Кого ты обманываешь, Лена? – спросит она себя среди ночи, путаясь во влажных простынях, измученная бессонницей. – Кого? – И ответит: – Себя. Потому, что Борису на все это точно наплевать!»

Он даже не повернется, не проснется, не *почувствует* ее, когда услышит, что она ложится в постель. Супружескую, постылую им обоим постель. А утром спросит только: «Ну, как провела время? Как спектакль?» И торопливо поднимется из-за стола, не очень, честно говоря, рассчитывая на подробный ответ. Потому что в принципе ему наплевать, каков спектакль и как провела время его драгоценная супруга.

А она просидит полдня у окна, отрешенная от всего. И только Машка сумеет ее растормошить и отвлечь – после школы ее надо накормить обедом, собрать в музыкалку, заставить сделать уроки.

Умненькая не по годам девочка однажды задаст ей вопрос:

– А ты не влюбилась, Леночка?

И тогда она вздрогнет, покраснеет – и впервые закричит и даст Машке оплеуху. Не больно, но обидно.

И Машка не будет с ней разговаривать почти неделю – такой характер.

* * *

Случится все под Новый год, на даче. На его служебной даче, в Истомине. Предлог наивен и прост – чудный и ровный снег, ах, как хорошо сейчас пробежаться по скользкой лыжне!

Поехали. Борис обрадовался – воздух, зима, солнышко. Снегири, поди, на заборе! Не спеши обратно, заночуйте! Там наверняка прекрасно спится!

Послушная жена заночевала.

И спалось ей прекрасно – прав был муж, прав.

Особенно под утро. Когда закончились неспешные, очень тщательные, умелые и крепкие ласки. Когда не надо было никуда спешить и ни о чем думать!

Она потянулась на широкой кровати и сладко зевнула. Совсем как в юности.

И легкость была в теле необыкновенная! Такого она не испытывала уже давно.

И голова была пустой и ясной, и мыслей никаких – ну совершенно.

И это, оказывается, так здорово! И еще – совершенно не стыдно!

Он вошел в спальню с подносом в руках. На подносе – кофе и бутерброды.

Она поспешно натянула на себя одеяло.

Он поставил поднос на тумбочку, чмокнул – совсем по-свойски, непринужденно и мило, в нос и сказал, что идет работать. «А ты поспи, милая!»

Но «милая» для начала торопливо и жадно съела все три бутерброда. И пожалела, что было их всего-то три, а не больше. И вот только потом – и с каким наслаждением – она, как в детстве, укуталась в одеяло и опять уснула!

И проспала до пяти вечера – без зазрения совести, надо сказать.

* * *

Вечером она ходила по квартире, как сомнамбула. Борис ничего не заметил, а вот Машка...

Машка смотрела на нее внимательно, словно видела впервые в жизни. А потом тяжело вздохнула и погладила ее, как маленькую, по голове.

Елена вздрогнула, смущенно посмотрела на девочку и почему-то заплакала.

– Все будет хорошо, Леночка! – говорила девочка и продолжала гладить Еленины волосы. – Все будет хорошо!

А Елена все плакала, уткнувшись носом в узенькое детское плечо.

Очень хотелось задать вопрос: а когда?

Слава богу, постеснялась. Старая дура.

* * *

Те полгода Елена прожила словно во сне. Сначала – в прекрасном, потом, когда постепенно начала приходить в себя, в тяжелом и мутном.

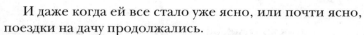

И даже когда ей все стало уже ясно, или почти ясно, поездки на дачу продолжались.

Только они были уже не радостью, а мукой и отчаянием.

И каждый раз она говорила себе: «В последний раз. Вот это точно – в последний раз. Вот сегодня я с ним объяснюсь – и все закончится!»

Потому что дальше *так* невыносимо! Потому что зашло все слишком далеко и слишком глубоко. Потому... Потому что лгать тоже больше нельзя. А если не лгать, то нужно что-то менять и решать.

А это еще более мучительно, чем лгать.

Впрочем, кто предлагал ей что-то изменить? Никто.

Генералова все прекрасно устраивало. Однако Елена стала чувствовать, что он ею тяготится. Нет, разумеется, он был все еще внимателен и предупредителен, но...

Звонить стал реже, а поездки на дачу периодически отменял – дела, милая, дела.

Театры и концерты канули в Лету вместе с ресторанами и киношками.

По телефону он разговаривал сухо и коротко. И каждый раз она давала себе слово, что никогда, никогда звонить ему сама, первая, не будет. Но, не дождавшись звонка, звонила опять. Теперь секретарша ее с ним не соединяла: «Владимир Дмитриевич занят, у него совещание».

Тон у нее был наглый, Елена это слышала. Как-то раз почти нахамила: «Ну сколько можно! Вам же объяснили, что он у министра!»

Однажды Елена попросила его встретиться и объясниться.

Он раздраженно спросил:

– Зачем? Неужели ты не понимаешь, как сильно я занят? У меня совершенно нет времени на всякие бабьи глупости.

От обиды она разревелась – прямо в трубку.

Он жестко бросил:

– Ну просто гимназистка, ей-богу! Взрослая женщина, немолодая. Мать троих детей. Ты о чем, Лена? Приди в себя! И возьми себя в руки! Ты очень осложняешь мою и без того непростую жизнь!

Вот после этого дошло! Дошло наконец! Взяла себя в руки, взяла. И крепко держала обеими руками.

Помогли обстоятельства. Узнала, что его больная жена ни дня не жила «при нем». Сплавил он ее к родителям в первый же месяц после установления страшного диагноза – понимал, чем дело кончится.

И ребеночек у него был! По которому он, бедный и бездетный, стенал и тосковал. Родила ему девочку молодая женщина по имени Женя. Здоровую и красивую. Которую он не признал. И денег на которую не дал ни разу. А когда эта самая Женя тяжело заболела и крайне нуждалась в помощи и деньгах, отказал. Решительно и твердо: «Знать не хочу ни тебя, ни ребенка». И Женя эта умерла в обычной районной больнице. В палате на двенадцать коек. Умерла от осложнений после операции. Какой уход в районной больнице? И он ей не помог!

Девочку Дашу забрала тетка, Женина сестра. В Донецк, в шахтерский поселок.

Да! И еще сестрицы нашего героя! Те, кого он растил и пестовал! От дома всем было отказано – нищая родня ни к чему. И на просьбы – редкие, но крайне важные (по мелочам беспокоить его не решались) – не реагировал.

Но обстоятельства обстоятельствами, а плохо было так... Не приведи господи! Разные мысли были, разные. Даже пересчитала как-то Борино снотворное – хватит ли, чтобы так, сразу...

Чтобы совсем не свихнуться от обиды и вины, объявила виноватыми всех – мужа, мать и, конечно, Ольгу. Все бросили, подвели.

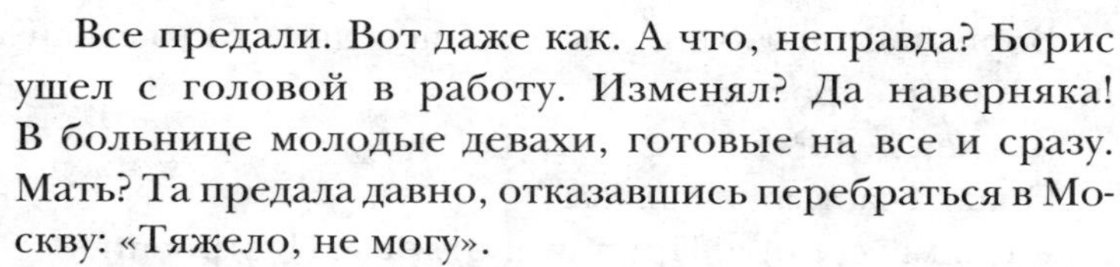

Все предали. Вот даже как. А что, неправда? Борис ушел с головой в работу. Изменял? Да наверняка! В больнице молодые девахи, готовые на все и сразу. Мать? Та предала давно, отказавшись перебраться в Москву: «Тяжело, не могу».

А она, Елена, могла? Тащить на себе дом, больного Никошу, маленькую Машку? Выносить презрение свекрови? Чувствовать вину перед Гаяне? Иркины пакости, Ольгин отъезд?

Все предали, все. Кстати, про мать. Как-то Эля рассказала, что у матери многолетний роман. Вот оно, оказывается, в чем дело!

С Элей об этом поделилась, а с родной дочерью...

Мужичок тот (по словам Эли) был приличный и тихий. Одним домом жить так и не стали, а вот свидания продолжались всю жизнь. Он, старый холостяк, у себя, маман у себя. Никакого обременения, все довольны.

Значит, мать предпочла маленького, робкого пузатого вдовца родной дочери и внукам.

Эля ее оправдывала: женщины того поколения жизнь устроить практически не могли. А тут такая удача!

– А почему врала? Скрывала? – не понимала обиженная Елена.

Эля усмехнулась:

– Ты же у нас святая! Остров Святой Елены не в честь тебя, часом, был назван?

Да уж, смешно... Знали бы все про ее святость...

А обида! Какая обида, господи! Сердце выжигала каленым железом. С ней – как с дешевой девкой...

А она готова была... На все была готова! Если бы позвал за собой, полетела бы, бегом побежала.

И на все наплевала бы, на все. «И на Никошу?» – задавала себе этот вопрос и холодела от ужаса. НЕТ! Никогда бы она не ушла. Или?..

Борис видел, что с Еленой происходит что-то странное. Как-то спросил:

– В чем дело?

Она, к счастью, нашлась:

– Климакс, Боря. Приливы, отливы. Настроение.

Он быстро успокоился: рановато, конечно, но – бывает.

Подошел к знакомому гинекологу, Марику Брайнину. Тот махнул рукой – ну разумеется. И тяжело вздохнул:

– Моя тоже психует. Невменяемая стала – орет, рыдает, по ночам не спит, по квартире мотается. И еще... – он наклонился к Борисову уху: – Слушай, даже говорить неудобно! Требует, ну ты понял, о чем я, – ну просто ежедневно. Как с цепи сорвалась! А мне, брат, не до того, поверь!

Борис понимающе кивнул. И тут же подумал – хорошо хоть, у Елены этого нет. Хоть здесь обошлось. А то... Просто рехнуться можно. Бедный Маркуша! Впрочем, его Галка всегда была взбалмошной и слегка сумасшедшей.

– Марик! А может, какие-то препараты? – жалобно спросил он.

– Это к эндокринологам подойди, в первой гинекологии. Они все про это знают.

Подумал, что в первую надо будет спуститься сегодня же. Ира Воропаева – прекрасный специалист. И тетка нормальная, не трепло. По больнице не понесет.

К вечеру он об этом уже не помнил. А когда, спустя неделю, увидел Иру на конференции, подумал: «Что-то я хотел от Воропаевой. Вот только что? Надо посмотреть в ежедневнике».

Записи в ежедневнике не обнаружилось. И ничего не вспомнилось тоже.

* * *

Елену привели в чувство два события, свалившиеся на голову, как водится, внезапно и без предупреждения.

Первое – появился Юра, дважды Борин и единожды ее зять. Да не один, а с сыном на руках. Точнее – за руку.

Мальчик Сережа, сын Юры и Ирки, был чрезмерно, до болезненности, худ и бледен. Налицо были анемия, рахит и какая-то неврологическая патология. Мальчик был напуган, часто вздрагивал и испуганно озирался по сторонам. Ел он неопрятно и жадно, глотал пищу, словно удав, не пережевывая. Ночью вскрикивал во сне и мочил простынку.

Юра был, как всегда, немногословен. Сказал, что с Иркой расстался давно, через три года после рождения мальчика. Куда она упорхнула – неизвестно. С кем – тоже. Ходили слухи, что укатила она с каким-то богатым восточным человеком, живет вроде где-то в Абхазии, и у мужа ее (или сожителя) большой бизнес, связанный с продажей мандаринов.

Выводы эти были сделаны из того, что дважды из Сухуми приходили «цитрусовые» посылки – ящики, закатанные в серый холст.

Ни письма, ни звонка от Ирки не было ни разу!

Было видно, что Юра попивает. Да он и не скрывал. Рассказывал, что запоям не подвержен, так что алкоголиком не является. Он «тихий пьяница».

По специальности давно не работает, а промышляет случайными заработками, чаще всего – в порту грузчиком. Еще рассказал, что сошелся с хорошей женщиной, «с жилплощадью и специальностью».

Женщина хорошая, а вот с Сережей не заладилось. Своих детей нет, а чужие ни к чему.

– Так какая же она хорошая? – удивился Борис. – Хорошая бы сына твоего приняла! – сказал он и посмотрел на Елену.

Юра пожал плечами:

– Всяко бывает. Да и Сережка не сахар. Много в нем от мамаши.

Возразить на это было нечего.

Машка Юру, родного отца, сторонилась. Брезговала. Говорила, что грязный и небритый. Да и он на общении не настаивал – кто ему Машка? Не растил, не привыкал.

Через неделю Юра исчез, оставив записку. В записке извинялся, но объяснял, что забрать с собой Сережу не может. И так намаялся, не дай бог! Просил прощения и проклинал Ирку.

Так в их доме появился Сережа. Их внук. И совершенно чужой мальчик.

Которым надо было заниматься, лечить, воспитывать, учить, откармливать.

И вообще – растить.

* * *

Елена приняла новенького внука как наказание. За все ею содеянное.

Приняла покорно и безропотно, словно так и надо.

Но к своим обязанностям, как всегда, приступила активно и ответственно сразу – школа, кружки, прививки, специалисты: неврологи, логопед, стоматолог, педиатр. Бассейн для осанки. Начала возить его по Москве. Музеи, выставки, театры.

Ему было неинтересно. Ничего. Тусклые глаза не загорались, эмоции на лице не проявлялись.

Оживлялся он только во время обеда и ужина. И появлялась такая жадность, при которой невозможно, противно было есть всем остальным.

Машка со стуком бросала вилку и демонстративно вставала из-за стола, бросив брату: «Свинья!» Никоша морщился, но терпел. Бориса тоже надолго не хватало.

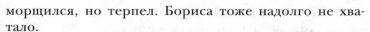

Елена запаслась терпением. В сотый раз она объясняла внуку, как правильно вести себя за столом, какими пользоваться приборами и салфетками.

Сережа слушал ее, опустив голову. А когда она требовала поднять на нее глаза, смотрел сквозь нее. Мимо. И она видела, что он ее абсолютно не слушает. Или – не слышит?

Полюбить этого мальчика ей так и не удалось. Хотя старалась она очень, по-честному. Жалела – да. Стеснялась – да. Старалась от души – да. Но – не любила. Ни одного дня в своей и его, такой короткой, дурацкой и кошмарной жизни.

И в школе, разумеется, проблемы не кончались. Машку уговорили заниматься с Сережей. Увещевали долго, взывая к совести и жалости. Хватило ее на два дня. С криком: «Этот дебил ни-че-го не понимает!» – она отказалась от доброй миссии окончательно.

Елена написала Ольге большое и подробное письмо. Письмо тяжелое, обильно политое горькими слезами. Ольга приехала через две недели – насовсем.

Обнялись в дверях, поплакали и... простили друг друга сразу же. Вернее, простила Елена.

Она с удивлением разглядывала дочь. Перед ней сидела незнакомая, суровая, жесткая женщина. Не очень ухоженная. Женщина, которая давно и безвозвратно махнула на себя рукой.

И еще – абсолютно чужая.

Ольга сказала, что на работу устраиваться не будет – пока. Во-первых, устала. Во-вторых, надо разбираться «со всеми вами». А то у вас, мои милые, такой бардак, что глазам и ушам больно.

Елена была счастлива. Теперь, рядом с Лелей, все казалось не таким страшным и безысходным.

Она снова не одна! Не одна со всеми своими страхами, болями, обидами и проблемами.

А не одной на свете не так уже страшно!

Особенно после того, как ты долго был на передовой один.

А один, как известно, в поле не воин.

Теперь воинов было два.

* * *

Ольга взяла Сережу на себя – в полном смысле этого слова. Она ходила с ним по врачам, возила в кружки и в школу. Чуть подтянула его по основным предметам – терпение у нее, в отличие от Машкиного, было отменное.

Она умудрялась даже не раздражаться. А когда было совсем невмоготу, просто накидывала куртку, хватала пачку сигарет и спичечный коробок и выскакивала на улицу.

Про свой многолетний роман Елене она рассказала, но без подробностей. Сказала, что отношения давно приелись, никаких решений она от своего любовника не ждет – уже это неинтересно, да и никому не нужно. И в первую очередь – ей. Так, вялая переписка, редкие звонки и еще более редкие встречи.

– А семья? – забеспокоилась Елена. – Каждой женщине нужна семья. Муж, ребенок.

Ольга усмехнулась:

– А ты в этом уверена, мама?

И вот тут Елена растерялась. Растерялась, но позиций своих не сдала.

Ольга ее замешательство отметила и добавила:

– Ну, мамуль, семья-то у меня есть. И еще какая! На всех на вас бы сил хватило, а ты говоришь – дети, муж!

* * *

Машка восприняла Ольгин приезд с восторгом. Думала, у нее появилась подруга. Но нет, близкие отношения сложились не сразу.

Разница в возрасте, жизненном опыте и взглядах на жизнь была огромна, просто бездна.

Машка, столичная штучка, избалованная красотка, не просто толковая, а очень способная во всем, чего бы ни коснулась. Легкая, быстрая, без каких-либо комплексов, шумная и очень свободная, она являлась полной противоположностью сдержанной, жесткой, суховатой, опытной, закаленной и разочаровавшейся во многом Ольге.

Машка была уверена: жизнь – райский куст. Вечнозеленый и цветущий. И вдобавок усыпанный сочными плодами. Ничего сложного – только протяни руку! Стоит только захотеть и... Все и всё, моментально и без раздумий, упадут к Машкиным ногам.

Жизнь длинна, прекрасна, разнообразна и щедра на сюрпризы.

Машка тоже прекрасна и разнообразна – так отчего бы им не договориться и не понять друг друга?

Ольга знала уже все или почти все про эту же жизнь. Навидалась и вранья, и предательств, и обмана. Научилась пахать и выживать – милую и интеллигентную девочку из московской семьи обкатали, протрясли и закалили обстоятельства новой (теперь уже прежней) жизни по полной. Она научилась спать в кузове грузовика под брезентом, есть из банки холодную жирную тушенку, пить воду из реки, мыть голову холодной водой, расстройство желудка лечить разведенным крахмалом и полоскать больное горло керосином.

К тому же списку прилагались навыки, как пользоваться мхом, обернутым в разрезанный на полоски пододеяльник, в дни женских ежемесячных неприятностей, так как ваты в глубинке не видели уже давно. А про мох ей рассказала одна пожилая женщина, сельская учительница, прошедшая сталинские лагеря.

К длинному списку Ольгиных открытий прибавилось разочарование в людях, и в мужчинах особенно. Несколько лет она видела повальное пьянство, отсутствие желания работать, вести хозяйство и дом.

Все на своих плечах тащили женщины: и огороды, и скотину, и детей.

Нет, разумеется, исключения были – какие же правила без исключений? Был Савельич, хозяйственный, серьезный и непьющий. Еще Игнатий. И Ларисин любовник – директор совхоза. Имелись и другие добротные мужички – крепкие, работящие и почти непьющие. Но сколько их было! Пальцев на одной руке хватит, чтобы пересчитать. Еще она все поняла про мужчин – пусть опыт ее был не так велик в количественном смысле, а вот в качественном...

Семью в традиционном смысле она точно не хотела. Перед глазами стояли бабушка Лиза, Гаяне, бабушка Нина, Эля и мать. Пожалуй, именно судьба матери сыграла в ее решении определяющую роль.

Глядя на мать, совсем еще нестарую женщину, убитую заботами и бытом, не состоявшуюся в профессии, а если быть откровенной и беспощадной, замученную, затурканную, не интересную отцу и окружающим, бестолково и шумно хлопочущую по хозяйству, озабоченную только вопросами обеда, уборки и «доставания» какой-нибудь еды, с почти бесследно исчезнувшими обаянием и красотой, никем не оцененную, Ольге хотелось и плакать, и сокрушаться, и даже немного злорадствовать. Особенно когда мать в сотый раз поднимала вопрос об устройстве ее жизни.

Отец, от всего отстраненный и как бы ушедший во внутреннюю эмиграцию – самый, кстати, легкий путь в семейной жизни, – тоже ее одобрения не вызывал. Это, по мнению Ольги, называлось «удобно устроился».

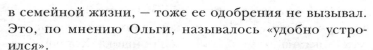

К Машке тоже было полно вопросов. «Птичка певчая» – называла ее Ольга и осуждала за то, что от проблем семьи та ловко отвертелась. Впрочем, что взять с подростка? Ведь если вдуматься... Жизнь без матери и отца – с самого рождения. Понятно, Елена заменила всех. Ну или попыталась заменить. Отец Машку любит, несомненно. И еще ею гордится. Только при виде внучки у него загораются глаза.

Но излишняя легкость Машки, а точнее – легковесность, была причиной для беспокойства Ольги.

Никоша – вот здесь, несмотря на все проблемы, было все замечательно! Никоша прекрасно успевал, был усидчив, увлекался многим, занимался глубоко и вдумчиво. Был прекрасно воспитан, предупредителен и галантен. Никто и никогда не слышал от него резкого слова или раздраженного тона.

И, пожалуй, он был единственный, кто хоть как-то жалел мать.

Ольга видела, как мать и сын понимают и чувствуют друг друга – без слов. Достаточно одного взгляда.

Вечером Елена обязательно заходила в комнату к сыну, и они подолгу о чем-то шептались.

Отец Никошей тоже гордился, но близости между ними, увы, не случилось.

А вот новый и неожиданный член семьи был и вовсе проблемой. И все понимали: пока еще точно – цветочки. Про ягодки думать не хотелось.

Когда Ольга занималась с Сережей (точнее, пыталась это делать), она видела его испуганные и совершенно пустые глаза. Он не просто не хотел понимать – он не мог понимать! У него просто не получалось ни почувствовать, ни вникнуть.

– Ну ладно! Не всем же быть академиками, – успокаивала она Елену. – Получит хорошую специальность – механика, например. Или – закройщика. Хороший закройщик всегда на вес золота. В крайнем случае пойдет в таксисты. Хлеб нелегкий, но довольно сытный. Да мало ли замечательных и нужных профессий, прекрасно кормящих человека!

Но и тут все оказалось не так-то просто. У Сережи не было способностей ни к чему! Ни способностей, ни интереса.

Его не интересовали даже машины.

А руки у него были... Из серии «крюки, а не руки». Ольга, привыкшая за годы одиночества к любой домашней работе, пыталась научить его элементарным хозяйственным навыкам.

Но молоток обязательно попадал по Сережиным пальцам. Скворечник разваливался на куски через две минуты, а лампочка никак не входила в патрон.

«Никчемность» – так его определила про себя Ольга. Абсолютная никчемность и бездарность. Пустота снаружи и внутри. Звенящая пустота.

И что будет дальше? Тут хоть лоб расшиби...

Учительница вызвала как-то Ольгу на разговор. Сильно смущаясь, пыталась втолковать, что в «обычной школе» Сереже не место.

– Ищите школу для подобных детей, – посоветовала она. – Сочувствую, но здесь он учиться не сможет. Да и зачем вам это надо? Дети – существа жестокие. Он для них, мягко говоря, изгой. Они его дразнят и всячески обзывают. Он только озлобится на весь мир.

– Как обзывают? – уточнила Ольга.

Учительница покраснела и вздохнула:

– А надо ли, Ольга Борисовна?

Ольга кивнула.

– Дебил, например. Олигофрен. Достаточно?

Ольга простилась и пошла прочь.

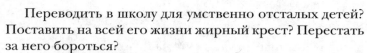

Переводить в школу для умственно отсталых детей? Поставить на всей его жизни жирный крест? Перестать за него бороться?

«Нет. Я попробую еще», – подумала она.

Без всякого энтузиазма подумала.

Потом стали пропадать деньги. Обнаружила это не безалаберная Елена, а внимательная и осторожная Ольга.

Все стало ясно сразу. Сережа был вызван на ковер. За всю долгую беседу он ни разу не поднял глаза и не попытался оправдаться.

«И вправду дебил, – со злостью подумала Ольга. – Может, действительно поискать нужную школу?»

А через месяц разразился скандал. В школе пропали три меховые шапки. Кто-то опознал в воре Сережу.

Из школы Сережу исключили. В детской комнате милиции завели дело. Грозили детской колонией.

Спасли авторитет Бориса и журналистское удостоверение Ольги.

Но все уже понимали – это не конец. Дальше – больше.

Оставалось только готовиться к плохому. Только вот к чему?

А вот тут вариантов было множество. Выбирай, что хочешь.

Только все понимали, что выбор остается за ним. За Сережей.

Елена потихоньку ото всех написала Юре.

Ответ из Владика пришел через два месяца. Юра объяснял, что приехать не может. Потому что полгода на инвалидности – несчастный случай на работе, в порту. Да, был «выпимши», не скрывает. Жизнь такая. Результат – ампутированная правая кисть руки.

Какой уж тут Сережа?

Короче, сами разбирайтесь. Что вырастили, то вырастили.

И еще одно страшное осознание случившегося: и это – их Юра? Умница, красавец Юра. Начитанный и образованный столичный мальчик. Надежда советской геологии. Бывший муж Машки-большой. Отец Машки-маленькой.

Да, кстати, еще муж Ирки и отец Сережи – это так, к слову.

* * *

В тот же год объявился братец Миша. И это был тот самый второй удар.

После окончания военного училища Елена попрощалась с ним на выпускном. Определение по службе Миша получил на Камчатку.

Елена просила его писать, хотя бы изредка. Или сообщить адрес части.

В первые три года пришло три письма – в год по письму. Миша писал коротко и довольно бодро – служба нелегкая, но идет. Живу в бессемейном общежитии, обзавелся друзьями.

На вопрос по поводу устройства семейной жизни ответа не было.

«Стесняется», – подумала Елена.

А когда письма приходить перестали, Елена написала командиру части – обеспокоена, брат не пишет, все ли нормально.

Полковник ответил, что офицер Гоголев служит, но служит неровно. Нарекания имеются, особенно по части дисциплины. Нарекания связаны с «частыми и обильными возлияниями». Но – боремся! Пытаемся перевоспитать. Так как это прямая наша обязанность.

Тогда Елена решила, что к Мише обязательно надо съездить. Выкроить время и деньги и съездить.

Борис ее поддержал, а вот Эля отнеслась скептически.

– Кто он тебе? Брат? Не смеши, ей-богу. Переться в тмутаракань, тратить кучу денег и кучу времени? Чтобы он сплюнул сквозь зубы и послал тебя, сестрицу Аленушку, куда подальше? И поедешь назад оплеванная. Братец Иванушка давно стал козленочком! Давно. Еще при рождении.

Елена понимала, что подруга права. Но совесть скребла, корябала остреньким коготком. Давала ведь обещание Надежде, давала! На смертном, между прочим, одре.

Но, как водится, не собралась. Что-то в очередной раз навалилось, накрыло и...

Говорила себе – потом, как-нибудь. Сначала говорила, а потом перестала – поняла: бесполезно. Что себя обманывать? Легче от этого не становится, только хуже. Эля права – проще вычеркнуть и забыть.

И – забыла. А тут вот и пришло напоминание. Вместе с братцем Мишей.

Комиссованный за пьянку и «потерю облика советского офицера» братец возник на пороге квартиры поздно вечером, почти ночью, с чемоданом в руках.

Глядя на него, Елена поняла все и сразу. Это – не командировка и не отпуск. Это – навсегда. В ее семью и на ее голову.

Пришлось потесниться. Ольга объединилась с Машкой и Еленой, Борис взял к себе Сережу, Никошу оставили на прежнем месте – еще не хватало его трогать!

И начался ад! Миша пил ежедневно. Начинал примерно с обеда. После первой же рюмки становился практически невменяем. Орал, что квартиру оккупировали «эти суки». «Все прибрали и тепленько устроились».

Успокоить его было невозможно. Оставалось одно – ждать, пока он не напьется окончательно и не вырубится в каком-нибудь углу квартиры. Где – непредсказуемо. Иногда он засыпал в ванной, иногда сидя в туалете, и приходилось выламывать дверь. Ломился в «женскую» комнату и в комнату к Никоше. Машку спешно снарядили с вещами к Гаяне в коммуналку.

Боялись больше всего за Никошу. И не напрасно – приступы, которых не было несколько лет, возвратились.

На те пару часов, пока Миша пребывал в отключке, наступало мнимое затишье. С ужасом ждали его пробуждения – еще более страшного и опасного, чем предыдущие коленца.

Покоя не было и ночью. В двери врезали замки, но кого и когда они останавливали?

Не помогало ничего: ни увещевания, просьбы и слезы Елены, ни «мужские» разговоры Бориса, ни требования и условия Ольги. Ничего.

Он, нагло посмеиваясь, объявлял, что имеет право.

– И так сколько лет жировали на моей жилплощади! И все из-за этой дуры-мамаши! А теперь лафа кончилась, граждане и гражданки! – Он издевательски раскидывал руки и отбивал ногами дробь.

Эля сказала Елене:

– Здесь ничего не поделаешь! Даже не бейся! Вспомни про его бабку и дядьев. Остается отравить или задушить. Или ждать, пока подохнет сам. Если все вы не подохнете раньше его. Что, кстати, вероятнее всего.

Елена отмахнулась:

– Ты, Элька, сумасшедшая. Хотя выхода я, честно говоря, не вижу. Вообще.

– А давай его посадим! – оживилась Эля.

– Как это? – не поняла Елена.

– Вариантов множество, надо подумать.

– Не напрягайся, – нахмурилась Елена. – В том, что с ним случилось, есть и моя вина.

Эля вскинула брови и тяжело вздохнула:

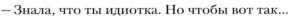

– Знала, что ты идиотка. Но чтобы вот так...

А ситуация к лучшему не менялась. И даже совсем наоборот. Братец Иванушка стал притаскивать собутыльников. Это называлось «друзья». Корешки. То двоих, то троих, а то и поболее. Это были, естественно, местные алкаши. «Синяки», как называла их Ольга. Понять, кто из них женщина, а кто мужчина, было сложновато.

Эти «люди» тенями двигались по квартире, пользовались туалетом, ванной и кухней. Не гнушались залезть в холодильник или вытащить из кастрюли, стоящей на плите, кусок мяса – разумеется, руками.

Елена выливала содержимое кастрюли в унитаз, вытирала лужи мочи и выносила продукты из холодильника на балкон в своей комнате.

Потом перенесли в комнату холодильник. Ели теперь не на кухне, а в Никошиной комнате – там хотя бы не было кроватей, поставленных в ряд.

Но и это не спасало. Выветрить запах перегара, мочи и гнили было невозможно. Спать по ночам не получалось – Мишины собутыльники устраивали то спевки, то драки.

Борис часто оставался ночевать на работе. Никоша хлопотал о койке в общежитии университета – койку не давали. Москвич, с прекрасной жилплощадью. Общежитие полагалось только приезжим.

У Ольгиной кровати постоянно лежал топор.

А вот Сережа оживился – то, что происходило в Мишиной комнате, вызывало у него острейший интерес. И он оказался единственным, кого Миша приветил и не объявил врагом.

– Ты, пацанчик, такой же терпила, как я. У тебя ни мамки, ни папки – и я из таких. Тебя вроде как пожалели – и меня пытались. Думаешь, мы ИМ нужны? – спрашивал он у мальчика, кивая на дверь «вражеской» комнаты.

Сережа пожимал плечами. Миша гладил его по голове и говорил:

– То-то! Эти... Эти сожрут и не подавятся. Не сомневайся! И докторишка этот, интеллигент вшивый. И сестрица моя. Приличную из себя корчит. А эта грымза, старая дева, – вообще урод. Вместе с братцем – с кочаном вместо головы. Та еще семейка, не сомневайся. Держат нас с тобой за... Да, паря? А я, между прочим, офицер!

Сережа испуганно кивал.

Тогда же, в свои десять лет, из рук нового друга и «родственника» Миши он выпил первую рюмку портвейна. Точнее, не рюмку, стакан.

Ольга ездила в Банный и расклеивала объявления по обмену.

Тем временем Миша привел в дом подругу. А вскоре женился. И тыкал «соседям» в нос паспорт с печатью:

– Хозяйка, ясно?

«Хозяйка», тридцатилетняя алкашка Верка, с красным одутловатым лицом, на котором с трудом читался возраст и подобие хоть какой-нибудь мысли, с непременным фиолетовым бланшем то на одном, то на другом глазу, была шустрая и незлобивая – пока трезвая. Носилась по кухне и пыталась приготовить «харчи». От неожиданно привалившего счастья в виде собственной комнаты, теплой воды и отдельного сортира, да еще и законного мужа Верка ошалела и загордилась.

Поутру, наложив на лицо килограмм дешевого грима и обвязав голову платком на манер чалмы, она гордо выплывала на кухню и варила «кофэ».

Безуспешно пыталась завязать разговор с Еленой или Ольгой. С Борисом пыталась кокетничать – за что вечером отдувалась по полной. Муженек ее был не в меру ревнив и далеко не обходителен. Отсюда и наличие разноцветных бланшей под выцветшими Веркиными очами.

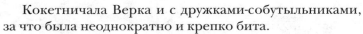

Кокетничала Верка и с дружками-собутыльниками, за что была неоднократно и крепко бита.

К Сереже она, бездетная, прикипела и называла его «малец».

Все варианты обмена Миша с Веркой отвергали. Причем главной здесь была именно Верка. То предложенная комната была узка, то темна, то не подходил метраж или этаж. Они желали «просторного и светлого жилья с видом на парк и вблизи у метро». Да! И обязательно в центре!

– Мы же привыкшие, – говорила Верка, навсегда позабыв родной деревянный барак в Гольянове.

Лукониным тоже надо было соблюсти свои интересы: три комнаты как минимум, конечно, желательно в старом районе, с большой кухней – такая семья, и с лифтом – для Никошиного удобства.

Если и попадалось что-нибудь подходящее, Верка гордо отвергала очередной предложенный вариант. А однажды, наивно хлопая голубыми, без ресниц, глазами, доверительно шепнула:

– Елен Сергеевн! Ну че нам торопиться? На голову не каплет, подхарчиться у вас всегда возможно. Да и друзья у нас здесь – куда нам без друзей?

Елена словно взбесилась:

– Друзья? Это не друзья, Вера, это – собутыльники! Вы катитесь в пропасть – ваше дело. Но наша жизнь никак не должна зависеть от вас! Это вы понимаете?

Испуганная Верка мелко закивала.

Ольга после очередного отказа «соседей» прижала Верку к стене и прошипела:

– Зашибу! Если в течение месяца не разъедемся – зашибу!

Верка отпрыгнула, испуганно заморгала, а потом взяла себя в руки:

– Зашибешь – сядешь! Суд у нас, слава богу, справедливый! Советский у нас суд! И за угрозу ответишь!

Ольга, стиснув зубы, пошла прочь.

Ситуация зашла в тупик. Машка с трудом уживалась с Гаяне, Никошины приступы повторялись, Елена сидела на успокоительных, Борис не справлялся с давлением, а Ольга словно окостенела от беспомощности и отчаяния. От того, что она не может защитить самых близких и родных людей. Родителей, брата и племянницу.

Где выход? Может, Эля права – отравить?

Хорошие мысли у интеллигентного человека. А ведь никто бы не осудил. Даже суд нашел бы оправдание. Достаточно вспомнить Чехова.

Шутник был Антон Павлович, шутник.

А тут не до шуток, извините.

* * *

Обменные цепочки рвались, лопались, длинные пирамидки сложносочиненных обменов осыпались, как песочные домики.

Наконец терпение лопнуло – по Элиному совету написали заявление в милицию. Милиция отреагировала сразу.

Пожилой участковый, осмотрев комнату «молодых» и проверив документы, Елену успокоил:

– Будем привлекать. Во-первых, за содержание притона, а во-вторых, за тунеядство. Можем еще принудительно полечить – в ЛТП определим на месяцок. Только, Елена Сергеевна, поможет вряд ли. У меня на эти темы такой опыт...

И он тяжело вздохнул.

Елена ответила:

– Попробуем полечить! А вдруг!

Участковый с сомнением и осуждением покачал головой – дело ваше!

Никаких «вдруг»! Из лечебницы Миша вышел еще более озлобленным.

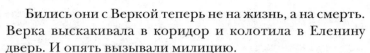

Бились они с Веркой теперь не на жизнь, а на смерть. Верка выскакивала в коридор и колотила в Еленину дверь. И опять вызывали милицию.

Однажды Миша толкнул Никошу. В коридоре, проходя мимо. Толкнул сильно, кулаком в правый бок. Никоша в ответ замахнулся. Но тут, на счастье, выбежала Ольга.

Ночью у Никоши был сильнейший приступ. Две «Скорые» с интервалом в два часа. После приступа он неделю пролежал в кровати – без сил, вымотанный, раздавленный болезнью и унижением.

Это был край, конец. И Елена поняла, что больше так продолжаться не может.

Под Элину диктовку было написано заявление о пропаже крупной суммы денег и золотых вещей.

Заявление отнесли в милицию. Следователь Бобров тяжело вздохнул:

– Понимаю, обуза. Только вот по одному заявлению родственников в тюрьму мы – увы – не сажаем. Так что ждите, пока ваш Гоголев еще где-нибудь проколется, – сказал и усмехнулся: – Знаем мы вас, родственничков!

– В смысле? – не поняла Елена.

Следователь устало махнул рукой.

Ждать пришлось недолго. Через два месяца Миша с дружками «взял» водочный магазин на соседней улице. Подпоили сторожа и дельце обтяпали.

Вытащили три ящика водки, один тут же продали. Не отходя от кассы, в пяти метрах от магазина.

Сторож проспался и «побег» в милицию.

Михаила арестовали, Верка исчезла, как не было.

По суду дали пять лет. Хищение государственного имущества. От последнего слова подсудимый отказался.

Учли и Еленино заявление.

В суде, когда Михаила выводили, он обернулся и крикнул Елене:

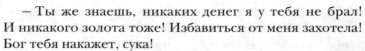

— Ты же знаешь, никаких денег я у тебя не брал! И никакого золота тоже! Избавиться от меня захотела! Бог тебя накажет, сука!

Головы в его сторону Елена не повернула. А Ольга бросила ему вслед:

— Поздно о боге вспомнил, родственничек!

Разумеется, наступил покой. Внешне — да. А вот что творилось у Елены в душе...

Понимала только Ольга. Однажды сказала:

— Мам! А какой был у нас выход? Никошкина смерть?

Все правильно. Все она сделала правильно. Все шансы были — не взял, не захотел. В конце концов, все имеет квитанции по оплате. Все. У нее — целая стопка, оплаченных и еще нет. В эти «нет» входила и история с Мишей.

Что ж, она вполне была готова рассчитаться.

Про Мишу она никогда больше не слышала. Спустя два года написала на зону. Ответ пришел — умер от туберкулеза. Ольга сказала:

— Оставь. Уже ничего не исправишь. Просто надо забыть, как очередной кошмар.

Да, забыть. Забыть, как страшный сон. Во имя Никоши, Машки, Бориса. Ради себя, наконец.

Кстати, Мишу они выписали. Сразу после посадки. Справедливый советский закон это милостиво разрешил.

* * *

В квартире сделали ремонт — Елена постоянно слышала запахи прежней жизни. Казалось, что пары алкоголя и скандалов навсегда прочно въелись в кирпичные стены.

«Мишину» комнату с легкостью заняла вновь прибывшая, а оттого очень радостная и возбужденная Машка.

Жизнь, казалось, вошла в свою колею.

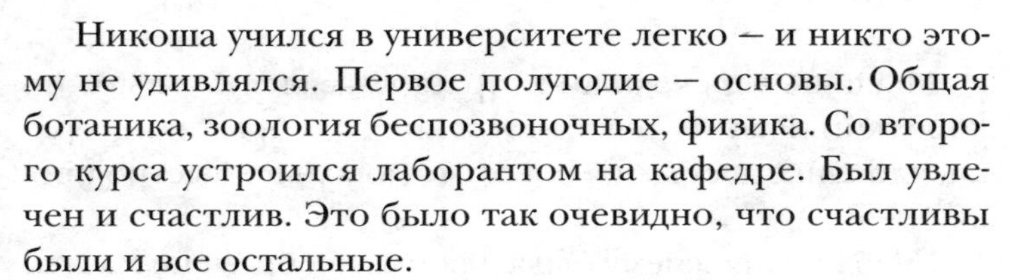

Никоша учился в университете легко – и никто этому не удивлялся. Первое полугодие – основы. Общая ботаника, зоология беспозвоночных, физика. Со второго курса устроился лаборантом на кафедре. Был увлечен и счастлив. Это было так очевидно, что счастливы были и все остальные.

Никоша ходил в университет, Машка в школу, Ольга устроилась на телевидение редактором новостной программы. Помогла бывшая одногруппница Лола Соколова, человек в «Останкино» известный и опытный.

Борис пропадал в больнице до позднего вечера.

Если бы не заботы о Сереже, Елена бы совсем растерялась – дети подросли, заботы поредели. Иногда, когда все разбегались по делам, она долго сидела на кухне. Как всегда, смотрела в окно и думала про свою жизнь.

Компромиссы, которых она всегда так остерегалась, караулили ее повсюду.

Шла она на них неохотно, но с возрастом, увы, понимала: без них никуда. Разве проживешь жизнь исключительно на привитых семьей и школой наивных принципах? Получалось, что нет. Еще выходило, что, оказывается, оставаться приличным человеком куда сложнее, чем кажется.

Это открытие, которое она сделала и приняла, облегчило ее жизнь, словно была выписана индульгенция на ряд неблаговидных поступков.

Казалось бы, как все просто – не желай зла другим, не обмани, не прелюбодействуй. Не бери чужого. Проще не бывает!

А получалось так – оставаться *порядочным человеком* сложнее всего. В такие воронки засасывала жизнь! Так пыталась затянуть! Попробуй выплыви!

Оправдание она вроде бы получила, только вот разочарование было куда сильнее, чем облегчение.

* * *

Машкин переходный возраст оказался бурным, но коротким. Разумеется, были какие-то взбрыки, истерики, хлопанье дверьми. Но все это довольно быстро прошло.

Учеба по-прежнему была для нее необременительна, внешние подростковые изменения ее миновали — ни кожа не испортилась, ни фигура: никакой нескладности, «цапельности», как говорила Елена, у нее не появилось.

Зато появились ухажеры. Да так много, что разрывался телефон.

У зеркала она крутилась постоянно.

А выговорить, попрекнуть было нечем. Ну, крутится перед ним, кокетничает. К тряпкам проявляет «нездоровый», как считала Ольга, интерес. Красит ресницы, ногти. Проколола уши. И что? Учится при этом замечательно. Не грубит, за хлебом и молоком бегает. Посуду, если попросят, помоет. Мусор вынесет. Всю неделю по секциям и кружкам. Какие претензии?

Словом, не девка — золото.

Елена видела, как Борис ею любуется. Да он своих чувств и не скрывал.

В общем, выходило так: Ирка — страшная боль. Боль и стыд. Вина и обида. Ольга — ничего не скажешь, никаких родительских разочарований. Кроме, разве, того, что сухарь, «синий чулок». С ней трудновато. Ее жесткость, излишняя, как им казалось, деловитость и практичность слегка удручали.

Елена понимала — это оттого, что одна, без детей и плетей.

Хотя нет, чего-чего, а пресловутых «плетей» Ольге хватало по самое горло.

Никоша — тоже вечная боль. Правда, другого свойства. Тоже боль и тоже чувство вины. И еще — гордость. Огромная гордость.

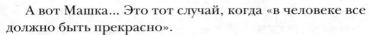

А вот Машка... Это тот случай, когда «в человеке все должно быть прекрасно».

Должно и *было*. Радость, утешение. Гордость.

Пока Елена с Ольгой на кухне шепчутся, шуршат, Борис шушукается с Машкой.

Она и с ним кокетничает: «Дед, ну ты даешь!»

Она со всеми кокетничает, даже с женщинами и детьми.

Они веселятся, треплются. Она ему — школьные байки, он ей — больничные.

А про Сережу Борис старался не думать.

Есть этот человек в их жизни, по воле судьбы, ну и есть. Относиться к этому надо как к неизбежности.

Понимал, что и Сережа — Еленин «рюкзак» на спине. К тому же груженный кирпичами. Ни у кого ничего не вышло — ни у Елены, ни у Ольги. Зря потрачены силы, деньги и время. Провальный проект, как модно было говорить. И что делать? А ничего. Потому, что ничего поделать нельзя. Он по-прежнему выпивает, не ночует дома, таскает из кошельков деньги. И смотрит на всех пустыми глазами. Точнее — сквозь всех.

* * *

После «удаления» братца Миши и сделанного ремонта отношения у Елены с Борисом, как ни странно, потеплели.

Просто они снова стали разговаривать.

А это в семейной жизни, как оказалось, самое главное.

Особенно когда прочие удовольствия и потребности сведены к минимуму. Или, как ни печально, почти к нулю.

Их интимная семейная жизнь, потерпевшая, казалось бы, окончательный крах, вдруг обнаружилась снова.

Правда, в другом качестве. Здесь была скорее какая-то благодарность, что ли, ненавязчивая, почти подростковая, робкая нежность, замешенная на обоюдной вине (его – за ее «испорченную» жизнь, ее – за известные только ей ее же «экзерсисы»).

Теперь, когда большие проблемы устранились, она снова засыпала на его плече. А утром он будил ее щекоткой – кончиком ее же волос по губам и носу. Она смешно жмурилась, отворачивала голову и даже чихала.

И с этого начиналось *прекрасное* утро.

Ольга, наблюдая исподволь за родителями, про себя усмехалась. Празднуют, старички, ренессанс, празднуют. Да и слава богу! Кому, как не им!

А Машка таращила глаза и удивлялась:

– Ты, Леночка, прям расцвела, как маков цвет! У тебя что, вторая молодость? Да и дед бодрячком! В джинсы обрядился. Просто клевый чувак! Людям показать не стыдно! – И пожимала плечами: – Чудеса!

Елена, словно опомнившись от дурного сна, снова бегала раз в месяц в парикмахерскую. А когда появились первые привозные шубы, как скоро выяснилось – совсем ненадежные в носке, но необычно красивые, а главное – легкие, норковую шубку себе прикупила. И форсила, форсила...

А к греческой красавице и сапоги на каблуке. Тяжело, а что поделать? Марку-то надо держать!

Греческая (или китайская, кто поймет) красавица подвела в первый же год. И полезла клочьями, и краска сползала, как змеиная шкура.

Как она тогда плакала! Как ребенок, потерявший любимую игрушку.

Борис, не скрывая, любовался ею. Как не любовался даже в молодости и в начале их любви. Ревниво оглядывал со всех сторон, поправлял воротник или складку и, притворно вздыхая, объявлял:

– Ну и красавица ты у меня, Ленка! Просто отпускать одну страшно!

Елена, краснея, отмахивалась:

– Хватит, Борь! Не смешно.

И все равно было приятно! Как ни крути, а чертовски приятно!

* * *

Еще затеялись с дачей. Тоже эпопея. Борису предложили на работе участок. Довольно близко от Москвы, сухой, ровный, на краю леса. На участке пара молодых березок и две приличные, взрослые и пышные елки.

На выходных поехали. Взяли с собой бутерброды, термос, Ольгу и Машку.

Та верещала больше всех:

– Ну давайте, родители! Будем шашлыки жарить, в речке купаться. В общем, получать от жизни удовольствия!

Машка носилась по участку и собирала мелкие ромашки с «укропными» листьями.

– Все бы тебе удовольствия! – буркнула Ольга.

Уехали притихшие и озадаченные. Вечером, за чаем, стали обсуждать «дачную» тему. Ольга опасалась строительства – доводы совершенно логичные. Кто? В смысле – кто будет строить, кто будет за всем этим следить и как будут все это оплачивать?

Масштабы бедствия не сознавал никто.

Зато всем было ясно – Борис Васильевич работает, Машка с Никошей не помощники. Елену обманут в два счета. Значит, кто? Правильно, Ольга.

Да! А деньги на это мероприятие? Откуда их взять? Сбережений – ноль. В последнее время Елена франтила, да и ремонт сожрал все.

Разошлись по своим углам молчаливые и озабоченные.

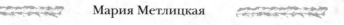

А перед сном, обняв жену, Борис вздохнул и мечтательно сказал:

– А хорошо бы, Ленушка, а? Все-таки дом есть дом. Семейное гнездо, так сказать. Когда вся семья вместе и за самоваром, а?

Она тоже вздохнула и кивнула:

– Да, хорошо. Просто перед этим «хорошо» будет очень много всего «тяжело» и «плохо».

Ночью не спала, думала. Представляла себе небольшой деревянный дом, палисадник с пестрым цветником, яблоню, усыпанную краснобокими мелкими яблочками. Запах яблочного пирога, пыхтящий самовар на веранде – солнечной, открытой, с деревянными скамьями и столом, на котором в кувшине благоухают разноцветные флоксы. И прозрачные капли дождя на подоконнике – в которых отражается солнце.

Утром позвонила Эле. Та сказала:

– Надо брать, разумеется. Безо всяких раздумий. Место прекрасное, всегда в цене. Пусть стоит – хлеба не просит. А если задумаете строиться – бригада есть. В прошлом году у нас в Кратове гостевой дом строили. Хорошие ребята, все, между прочим, сотрудники НИИ. Инженеры и кандидаты. Есть даже один доктор наук. Шабашат – семьи-то кормить надо! Не пьют, естественно, и сами себя кормят – что немаловажно. Да и берут весьма скромно – интеллигенция. А денег я тебе дам! Даже не думай, отдашь постепенно, как сможешь.

Брать в долг Елена ненавидела. А соблазн был велик. Думали, думали и... ввязались. Ольга возмущалась – авантюра чистой воды!

Но взялись. А наивная Елена как-то сказала дочери и мужу:

– А может, Сережку эта дача заинтересует? Включится в это дело?

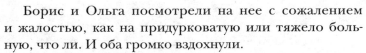

Борис и Ольга посмотрели на нее с сожалением и жалостью, как на придурковатую или тяжело больную, что ли. И оба громко вздохнули.

И все-таки надумали.

Взялись, и, как водится, дело пошло. Ребята из НИИ оказались и вправду милыми и симпатичными. Строили быстро и умело. За три месяца обещали поставить дом. Не дом, конечно, домишко. Три малюсеньких комнаты и терраска. На втором этаже, в мансарде – комнатка под скошенной крышей, заранее забронированная Машкой.

Раз в неделю, обычно в субботу, на «объект» ездили Ольга с Еленой.

Лето было дождливым и сырым, солнце выглядывало так редко, что, когда голубело хмурое небо, радовались, как дети.

Тогда, в то холодное и мокрое лето, у Ольги случился роман с бригадиром. Тем самым доктором наук, о котором говорила Эля.

Весельчак-доктор проходил под кличкой Колобок. Здесь были две составляющие: во-первых, фамилия Колобов, а во-вторых, внешний вид самого доктора – низкорослого, пухлявого, круглолицего и краснощекого.

Колобок этот был мастер коммуникации – достать мог все, что угодно. От финской вагонки до деревянных, остродефицитных дверей. Еще он умел класть печи и камины – делал это «исключительно из удовольствия», хобби, так сказать.

Он и сложил печь-камин – маленькую, изящную и очень продуктивную. Да еще и выложил самодельными изразцами. Точнее, мозаикой, со вкусом собранной из остатков цветной керамической плитки.

Колобок резво гонял по Подмосковью на раздолбанных «Жигулях» и слушал кассеты с редкими записями Высоцкого.

Он был холост и жил с престарелой мамой. Из тех, кто туго натягивает короткий родительский поводок.

Маму свою Колобок обожал и, очевидно, боялся.

Первые месяцы их романа встречи проходили на недостроенной даче. В «Машкиной» мансарде, на полу, на матрасах.

Елена думала – ну, толк от «стройки века» уже есть. Что там дальше и как все сложится – не загадывать. А Лелька просто расцвела, захорошела. Румянец на щеках, глаза блестят. Даже волосы слегка закудрявились, вот чудеса.

Может быть, сложится? Дай-то бог! Все-таки человек неженатый, свободный. Ущерб никому не наносится.

Сережа, кстати, на стройке не появился ни разу, как Елена его ни уговаривала.

– Дела у меня, – бросал он, хватал куртку и выскакивал за дверь.

* * *

Никоша пребывал в прекрасном настроении. Был очень оживлен, остроумен и даже что-то напевал по утрам в ванной.

Ольга назвала это «головокружением от успехов».

Наивные! Дело было совершенно в другом.

Никоша влюбился. А они проглядели! И мать, и сестра, и отец ничего не заметили.

Какие дураки – решили, что этот вопрос, вопрос личной жизни, для него закрыт. Так были уверены, что и мыслей подобных, и опасений ни у кого не возникало.

Живет себе юноша, живет. Делает успехи, увлечен своим делом. Скорее всего, сделает успешную карьеру. И все. И все? Нет, не все.

В сентябре, когда строительство «родового поместья» подходило к концу и Ольга и Елена озабоченно мотались с Колобком на его «Жигулях» по окрестным поселкам и городишкам в поисках мебели, абажуров, кастрюль, посуды, занавесок и всяческой дачной утвари, Никоша объявил, что собирается представить им свою невесту. Официально – так как заявление в загс уже подано и остается, собственно, только всем познакомиться и все обсудить.

– Все остальное, – смущенно произнес он, – в смысле, по поводу свадьбы.

Елена остолбенела. Вот таких новостей она не ожидала точно. Да и никто не ожидал, что говорить. Все так растерялись, что дачные приятные уже хлопоты разом отошли на второй план.

Елена опять сидела на стуле и смотрела в окно.

Ольга пыталась ее растормошить:

– Да что плохого, мама? Все слава богу! И кто мог об этом мечтать? У Никоши будет нормальная, полноценная, человеческая жизнь. Семья, дети. Разве не радость?

Елена смотрела на дочь с осуждением:

– Какая радость, Леля? Какая семья? Какие дети? Он сам – дите. И дитем останется. А ответственность? А кормить эту самую семью? А его приступы? Кто и как будет с этим жить и бороться? Я лично вижу в этом что-то нездоровое. Какую-то корысть. Вот он говорит – нормальная, здоровая и интересная женщина. А скажи мне, зачем он нужен нормальной, здоровой и интересной женщине? Разве мало мужиков, прости меня, здоровых и нормальных? И это я говорю, заметь, о своем сыне! А мне даже думать об этом непросто. Не то что произносить вслух!

– Ты сомневаешься, что Никошку можно полюбить? Нашего Никошку? Самого чудного, трепетного, разумного и нежного мальчика? Или ты думаешь, что все это заметно только нам?

– А все остальное? – ответила Елена. – Не заметить всего остального, знаешь ли... И его физическое увечье, и его психику, и его неприспособленность. И все проблемы со здоровьем! И то, что в свои девятнадцать он похож на подростка – не только внешне... Знаешь ли, не думаю, что среди нынешних дам найдется женщина, способная на самоотречение и подвиг. А жить с больным человеком – точно подвиг. Я уже не говорю про скрытую от посторонних глаз семейную жизнь. Личную, так сказать. Хотя... Как врач, я понимаю – ТАМ может быть все вполне в норме. Ну или приближенно к норме. И все-таки...

– Мам! А что такое норма? Ты вот мне можешь объяснить? – И Ольга расхохоталась.

Елена махнула рукой:

– Да ну тебя!

Дата знакомства с невестой была согласована и озвучена. С угощением Елена решила не напрягаться (Машкины словечки).

– Много чести! Что есть, то и подадим, – сообщила она дочери.

И Ольга опять ее осудила:

– Подумай о Никоше! Ведь его ты, по крайней мере, уважаешь? – И добавила: – Не ревнуй, мам! Не губи себя и его.

Ревновала. Конечно, ревновала. Все шло именно отсюда. Привыкла, что этот мальчик – ее мальчик. Только ее! И так будет всегда. Всегда, до конца ее жизни. Всегда она будет заходить в его комнату, садиться на край его кровати, и они будут шептаться перед сном. Обо всем на свете, обо всем.

Ее любимый и самый нежный мальчик. Ее выстраданный и вымоленный сынок! Ее Одуванчик!

И он будет доверять ей все свои самые главные секреты. Ей и только ей.

Какая еще женщина, помилуйте! Какая женщина может встать между ними? Ее сыном и ею?

Невозможно. Просто невозможно, и все.

Оказалось – возможно. Даже очень. И женщина эта появилась в их квартире в положенный час, не задержалась.

И Елена увидела ее. Ох, а дальше было совсем плохо.

Женщина (не девушка – именно женщина!) в белом плаще, с букетом красных дурацких гвоздик, стояла на пороге, не решаясь войти в квартиру. Она была очень бледна и перепугана – и это бросалось в глаза.

Елена прислонилась к стене и невольно положила ладонь на левую грудь.

Первой пришла в себя Ольга. Кашлянула и буркнула:

– Проходите.

Гостья тревожно взглянула на Никошу и наконец шагнула в прихожую.

Никоша торопливо помог ей снять промокший плащ.

Она мельком глянула в зеркало, поправила волосы и обернулась к Елене.

– Катя, – сказала она и протянула руку.

– Без отчества? – уточнила Елена.

Ольга хмыкнула.

– Без, – спокойно ответила та и чуть прищурила глаза.

Прошли в столовую. Расселись за столом в полном молчании.

– Чаю? – предложила Ольга.

Катя молча пожала плечами.

Никоша беспокойно смотрел на мать.

Ольга разлила в чашки чай и нарезала торт.

Минут через десять, когда молчание стало совсем невыносимым, Ольга, откашлявшись, подала голос:

– Ну-с, и какие планы на дальнейшую жизнь?

– Леля! – взмолился Никоша.

Катя кивнула и слегка улыбнулась:

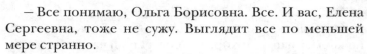

– Все понимаю, Ольга Борисовна. Все. И вас, Елена Сергеевна, тоже не сужу. Выглядит все по меньшей мере странно.

– Да уж! – подхватила Ольга. – Более чем.

Катя посмотрела на нее и твердо продолжила:

– Странно, но… Знаете ли, по-разному в жизни бывает. Всяко и разно.

Ольга понимающе кивнула – знаем, знаем.

Елена не поднимала глаз.

Катя, выдохнув, продолжила:

– Все понимаю, растерянность вашу и удивление. Но вот так вышло. Так получилось. Я долго сомневалась, очень долго. Бегала от Коли, как могла. Думала, спасусь. А потом… Потом решила – ну раз так вышло, что же бежать от себя? Да и кому от этого будет лучше? Мне? Точно нет. Коле? И ему вряд ли. Разница у нас не такая большая, одиннадцать лет. Бывает и больше. И живут люди в любви и понимании. Живут. И мы не хуже! И оба уверены: все у нас будет хорошо!

Она выдохнула и посмотрела на Никошу. Он взял ее за руку и твердо сказал:

– Мама, Леля! Я прошу одного – понять меня и Катю. Осуждать – ваше право. Не принимать все это – тоже. Но я не мог просто так уйти, ничего не объяснив. Хотя это, возможно, было бы проще.

– Спасибо! – усмехнулась Елена. И добавила: – Я этого не приму! Никогда. Весь этот бред и всю эту блажь. Его, – она кивнула на сына, – и вашу. Все понятно без слов. И ваш интерес, и его.

Она встала и вышла на кухню. Не было больше сил, не было. Ни слушать все это, ни смотреть на эту зрелую, дебелую, простолицую женщину.

Женщину, которая уводит – вот прямо сейчас, через полчаса, в дверь – ее Никошу!

Как она сказала – Колю? Ах, да! Он ведь и вправду Коля.

Другой, чужой мальчик с другим, чужим именем.

И это у нее отняли!

Она слышала, как хлопнула входная дверь, и не повернула головы от окна.

На кухню зашла Ольга и молча стала мыть чайные чашки.

Потом села на стул и спросила:

– И что дальше?

Елена пожала плечами:

– Он ведь ушел, мам. И кому от этого легче?

– А ты считаешь, – взорвалась Елена, – что весь этот бред мы должны принять?

Ольга кивнула:

– Должны, мам. А куда нам деваться? Мы же не можем вычеркнуть Никошку из своей жизни!

– Не вычеркивай, – ответила та. – А я – постараюсь. Может быть, тогда скорее все это закончится.

Как просто бросить в запале фразу! Как просто объявить о своем решении.

И как непросто не спать ночами, ни на минуту не выкидывать из головы эти мысли и не видеть собственного сына! Не видеть! Не слышать его голос, не знать, что он, как он.

Сына, с которым она не расставалась ни на один день – с того самого момента, как в первый раз взяла его на руки.

Характера хватило на две недели. Пошла на кафедру. Катя – Екатерина Зотова – работала там лаборанткой.

Елена вошла без стука. Лаборантка Зотова мыла в раковине инструментарий. Инструменты позвякивали, и Катя в такт мурлыкала какую-то мелодию.

Елена с ненавистью смотрела на ее плотную, широкую спину, туго обтянутую белым халатом.

Та, словно почувствовав взгляд, обернулась.

Испуганное лицо медленно заливала краска.

– Вы? – прошептала она.

– Присядем, – кивнула Елена. – Ну что, добились своего? – неласково усмехнулась она. – Увели парня из семьи. Нездорового, между прочим, парня. Нам он не звонит, не пишет, как говорится. Словно нас нет на этом свете. Я вот только спросить хочу. Надеюсь, имею право.

Катя кивнула.

– Надолго *это* у вас? Ну, в смысле, когда натешитесь?

– Зря вы так, – она покачала головой. – Зря. Никак не поверите, что у нас с Колей все серьезно.

– Не поверю, – сказала Елена. – И не трудитесь меня в этом убеждать. Не поверю ни за что. А вам могу объяснить. На пальцах, так сказать. Желаете?

Катя криво усмехнулась:

– Попробуйте.

– Вы – разведенная неудачница. К тому же неудачница с двумя детьми. Внешностью не блещете, образование среднее. Все, что есть – квартирка в Беляеве с проходной комнатой. Думали, здесь, поближе к науке, умного и солидного мужа себе отхватите. Дурака интеллигентного. А не попался!

Вместо солидного попался мой дурачок. Тоже умный, тоже интеллигентный, но... Не солидный. И это – минус. Правда, есть плюсы – инвалид, спросу с него никакого. Но – перспективный. Голова не хромает. А коли есть голова – так возможен вполне благоприятный ход событий. Ну, деньги, диссертация, научные труды, известность, наконец. К тому же изменять точно не будет. Какой из него изменник? Смешно. Да, человек хороший, добрый. Детей ваших принял. Плохому их точно не научит – не то что родной папка.

Это – про вас. А про него – еще проще. Первая женщина. Опытная к тому же. Приласкала, напела: милый, хороший. Талантливый. Заботой окружила, теплом. И он пропал. Все естественно и закономерно. Вот только что дальше? В смысле дальнейшей перспективы ва-

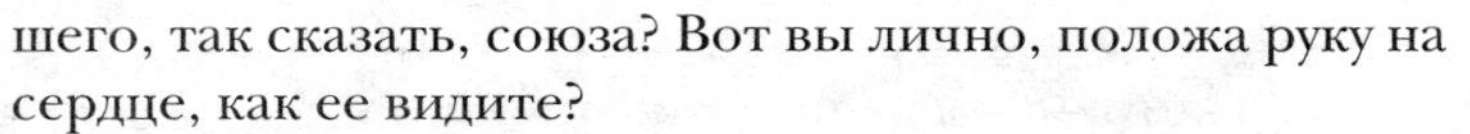

шего, так сказать, союза? Вот вы лично, положа руку на сердце, как ее видите?

Катя Зотова качнула головой:

– Ох, зря вы так, Елена Сергеевна. Зря. И про сына своего зря. И про меня. И зря вы меня за дурочку деревенскую держите. И семья у меня была замечательная – папа строитель был. Высотки московские строил. Заслуженный, кстати, строитель. Мама в детском саду работала. Воспитателем. Дети ее обожали. Только вот ушли рано – мне всего пятнадцать было. Один за другим. Сначала папа, а через полгода мама. Не смогла без него жить. И муж мой был не дурак и не алкаш. Студент. Хороший парень. На мотоцикле разбился. И я осталась совсем одна – Галочке было три годика, а Андрюшке год. И мечты мои о высшем образовании канули в пропасть. Какой институт? Детей надо было кормить. И я на двух работах – здесь, на кафедре, и в ЖЭКе, полы в подъездах мою. Рано утром и поздно вечером, в ночь. Коля меня пожалел. А любовь часто начинается с жалости.

– Это в простонародном эпосе, Катя, – Елена впервые назвала будущую невестку по имени.

Она поднялась со стула.

– Ну, доводам моим вы не внемлете. Это я поняла. И про то, что Никоше нужна другая женщина – молодая, образованная, ему под стать – тоже. Сына мне вернуть не прошу – здесь каждый за себя, понимаю. Не очень честно вот так выстраивать свою судьбу, но... Как женщину вас понять могу. Вернее – пытаюсь. Что ж, мешать я вам не буду, обещаю. Но и помогать тоже. И еще – не обессудьте, – никогда ВАС не приму. Сердцем. Говорю честно.

– Спасибо и на этом, – грустно усмехнулась Катя. – Я и на это, честно говоря, не рассчитывала.

Елена развела руками и вышла из лаборатории.

Эля в который раз учила жизни:

– Открой глаза! Замечательный парень, но... Ты же понимаешь, как трудно ему устроить личную жизнь. Посмотри на все сторонним взглядом. А может, она хорошая девка? Невредная, жалостливая? Ухаживать будет, ценить. Знаешь, такие простые – они незатейливые. Благодарные. Ты ей на рубль – она тебе на два. И на черта ему образованная? У него у самого столько мозгов – на двоих хватит. Не будь дурой, прими. Обласкай. Вспомни, как Елизавета от тебя шарахалась. Приятно было? Мало она твоей крови испортила?

И добавила, покачав головой:

– Не ожидала я от тебя, Ленка. Не ожидала. Тетеха тетехой – а тут... Прямо на дыбы встала. Характер, так сказать, проявляешь. Вот только зря, мне кажется. Не тот случай. Извини, что тебе это говорю. Ну а если бы зеркальная ситуация? Ну наоборот, с твоей дочерью? С Лелькой, например? Вот привела Ольга, прости, инвалида. И ты, женщина и мать, понимаешь – как муж он, мягко говоря... И что бы тогда? Ты не встала бы на дыбы? Зачем тебе, Леля, мужчина, мягко говоря, не очень полноценный? Так что радуйся, что у девки этой родителей нет, что сирота. А дети – так, может, это и хорошо? Мужиком себя ощутит, кормильцем. Да и душа у него светлая – полюбит их еще так... Пуще родного отца. Ведь свои-то вряд ли будут. А корысти в ее действиях я не вижу! Какая тут корысть – за инвалидом ухаживать!

– Тебе не понять мою боль, – сухо бросила Елена. – У тебя сын здоров!

Эля расхохоталась от души:

– Нашла чему позавидовать! Мой Эдик – законченный идиот. Даром, что здоров! Голова-то пустая! Весь в бабулю-воспитательницу. А насчет боли, – Эля тяжело вздохнула, – ты права. Только у каждого она своя. И каждому кажется, что его яма черней и глубже.

* * *

И опять покой исчез, испарился, как утренний туман. Растаял. Снова бессонные ночи, снова тревога и слезы. Как она по нему скучала! Заходила в его комнату, садилась на кровать, брала в руки его рубашку и плакала, плакала.

Как-то зашла Ольга. Увидела и раскричалась:

– Как по покойнику, ей-богу! Хватит, мам!

Она и сама удивлялась – сколько было горя, сколько! Все перенесла, выстояла. А тут... Сломалась. Согнулась пополам. Ни на что ни сил, ни желаний.

Борис сказал как отрезал:

– Оставь их в покое! Хватит! Делом лучше займись! – И добавил, что больше ничего не хочет обсуждать.

Ольга посмеивалась:

– А ты классическая свекровь, мам! Вот уж от кого я этого не ожидала!

Эля осуждала:

– Дура – вот кто ты есть! – И тоже, покачав головой, добавляла: – Вот от кого не ожидала...

А мать, у которой она искала поддержки или хотя бы сочувствия, и вовсе отличилась:

– Ну вот, хорошо. Пристроила.

«Совсем спятила», – возмущенно думала Елена, торопясь на вокзал.

Опять никто не понял и не поддержал! Получается, опять все предали – как всегда. И опять она одна.

* * *

Думала ли она про Ирку? Конечно, думала. Правда, не так часто, как раньше. Даже лицо ее представляла уже расплывчато, смутно. А детские фотографии брать в руки боялась. Но знала – материнское сердце, – что у нее все в порядке. По ее, Иркиным, понятиям и меркам. Здорова, одета, обута, не голодает.

Человек сам выбирает свою судьбу – все понятно. И все равно мучило – *почему*? Как могло так получиться? В кого, господи? Когда пропустили? В их-то семье! Все вспоминала, перебирала по дням.

И вины своей не находила. Все в семье было детям, все для детей. С одной грядки – все трое.

А еще в голове стояли слова Бориса, сказанные лишь однажды. Впрочем, *такое* два раза не повторить, язык не повернется.

– Лучше бы она умерла, – сказал тогда он. – Один бы раз отрыдали.

Ей тогда стало так страшно, что она стала задыхаться. Как он мог? Ей, матери, сказать *такое*?

Оправданий, как обычно, она ему не искала, а обида осталась на всю жизнь. Такая обида...

Правда, и не поминала ему этого никогда.

Может, приберегала? Что бы однажды ударить посильней? С ног сшибить одним махом?

* * *

Жизнь Гаяне была тихой и однообразной, как медленное течение старой, заросшей травою реки.

И предложи ей сейчас другую, более яркую жизнь, полную событий и впечатлений, она бы испугалась и отказалась.

Коммуналку наконец расселили, и Гаяне отправилась в новую квартиру. Новую и отдельную – чудеса!

Когда грузчики внесли в квартиру мебель (свекровин буфет с «финтифлюшками», кушетку, дубовый стол и четыре венских стула), чемодан с носильными вещами, узел с бельем и коробку с посудой, она плюхнулась на кушетку и просидела так до позднего вечера.

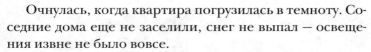

Очнулась, когда квартира погрузилась в темноту. Соседние дома еще не заселили, снег не выпал — освещения извне не было вовсе.

Она подошла к окну и сразу, громко охнув, отпрянула. Одиннадцатый этаж против прежнего второго! Потом прижалась лбом к холодному стеклу и попыталась разглядеть жизнь за окном.

А за окном жизни не было. Строительные краны замерли до утра, чуть склонив жирафьи шеи, темная и блестящая от дождя дорога была вдалеке, и редкие машины проносились по ней. Соседние, уже построенные, но еще не заселенные дома чернели пустыми глазницами.

Она опять села на кушетку и завыла, закрыв лицо руками.

Ей показалось, что жизнь сегодня закончилась. Закончилась вместе с ее старой, уютной и любимой комнатой, знакомым видом из окна, любимыми обоями в коричневую клетку, потолками высотой почти в четыре метра с гипсовыми резными карнизами, утренним клекотом голодных голубей на подоконнике и ощущением жизни вокруг — только распахни окно или выйди за дверь. А там, за дверью квартиры, была знакомая и шумная улица, густо засаженная тополями и липами, запах свежего хлеба из соседней булочной, знакомые лица соседей, ставших почти родственниками, потому что про их жизнь известно все или почти все. В гастрономе за прилавком — знакомая продавщица Люся, оставляющая ей, как всегда, свежий кефир. В газетном киоске, укутавшись в оренбургский платок, сидит, как непременный атрибут улицы, мерзлячка Фаина и улыбается ей, как старой доброй знакомой. И всегда держит для нее дефицитную «Работницу» и самое ценное — свежий номер обожаемой «Юности». Кивает и постовой, молодой круглолицый парень, имени которого она, конечно, не знает. И старый сапожник приветливо машет ей из маленькой стеклянной будки, интересуясь ее делами и здоровьем.

Все исчезло.

Вместе со старой булочной и молочной в двух кварталах от дома. Вместе с соседками, сидящими на лавочке у подъезда. Вместе с огромными деревьями под окном, старым подъездом с выщербленной разноцветной плиткой на стенах, с рыжей кошкой Маруськой, старожилкой и любимицей двора.

Закончилась жизнь. Ее прежняя, такая знакомая. Не слишком сладкая, совсем невеселая, но все же та, в которой она ориентировалась и существовала, как умела.

Привыкшая к одиночеству – почти привыкшая, если к этому вообще можно привыкнуть, – сейчас, в новой квартире, еще пахнувшей свежей побелкой и краской, с непривычно гудящим за входной дверью лифтом, со сквозняком, шипевшим из-под плохо пригнанных оконных рам, с дурацкими обоями в жизнерадостный салатовый цветочек, она чувствовала себя не просто одинокой. Она чувствовала себя словно заживо похороненной в новом, как теперь говорили, спальном районе с веселым и весенним названием Вешняки.

Она подумала, что даже позвонить внучке Машке она теперь не может. Все просто – в квартире не было телефона. Впрочем, и ей, единственной внучке и родному по крови человеку, она тоже старалась не докучать.

Всю жизнь она старалась никому и ничем не надоедать. Не мешать, не тревожить, не раздражать. Просто не привлекать и не отвлекать чужое внимание.

Ей хотелось дожить свою жизнь так же незаметно, как она старалась ее ПРОЖИТЬ. Казалось бы, идеальное место для схрона – эти самые Вешняки. Ляг под одеяло, закрой глаза и... потеряйся. Теперь о тебе никто и не вспомнит. Да и кому вспоминать? Борису? Всегда она была на его шее тяжелым грузом. Смешно. Елене? О ней – только в превосходной степени, только. Но... Хлопот у нее – по горло. Такая семья, столько бед. А то, что она забрала Машку-маленькую – так Гаяне всю жизнь будет за нее Бога молить. На этом и на том свете. Она, родная бабка, брать не хотела. А Елена... Она святая, святая. Дай Бог ей сил!

У Машки своя жизнь. Юная. Какой с нее спрос? Звонила прежде раз в неделю – и на том спасибо. А если уж забегала... То просто счастье.

А то, что она больше любит Елену, – какие уж тут обиды! И так все понятно. Елена ее взяла, Елена вырастила. Елена. Она, Елена, ей родная.

Ольга. Ольга чудесная. Настоящая. Только сама неустроенная, в глазах беспокойство. Нервная, головные боли мучают. Она, Гаяне, знает, что такое женское одиночество. Не приведи бог. Да и кто она Ольге? Чужая тетка, бывшая отцовская жена.

Никого. Когда умерла Елизавета, Гаяне поначалу вздохнула. Все, отмаялась. Бедная! Как тяжело уходила! Про себя Гаяне тоже подумала – отосплюсь. Устала за эти годы так... Мечта была одна – лечь в постель часов в десять и проснуться в восемь. И чтобы ни разу ночью не встать. А раньше вставала по пять, а то и шесть раз – к свекрови. То напоить, то поменять простыню, то дать таблетку, то померить давление.

И вправду – спала. Дня четыре подряд спала как убитая. А когда выспалась – поняла, что никого больше у нее нет. И хлопот, правда, тоже нет. А разве это хорошо? Когда человеку не о ком заботиться? Поняла тогда, что Елизавета и была ее семьей. Единственным родным и близким человеком на всем белом свете, который нуждался в ней.

Она не заметила, как уснула, а проснулась оттого, что очень замерзла. Она встала с кровати, подошла к окну и увидела совершенно другую картину. За одну ночь пейзаж за окном абсолютно переменился – крыши домов, козырьки подъездов, дорожки перед домами – все было покрыто белоснежным и сверкающим одеялом первого, самого чистого снега. Солнце светило так ярко, так ослепительно, что она невольно сощурила глаза. За башней крана, стоящей совсем близко, раскинулась березовая роща, тоже щедро припорошенная снегом.

Она пошла в ванную, потрогала рукой белую кафельную плитку, включила горячую воду и долго грела под сильной струей озябшие руки.

Потом достала из коробки эмалированный ковшик – первое, что попалось под руку, налила воду и включила газ. Оттуда же, из коробки, извлекла пачку черного чая, овсяное печенье и остатки вишневого варенья. В любимую, еще Елизаветину, кружку налила чай и принялась «завтракать».

Улица за окном оживилась – загудела стройка, забегали шустрые грузовики и легковушки, из уже заселенных подъездов выбегали люди и торопились к автобусной остановке. Подъехал крытый грузовик, и из него стали выгружать скарб такие же, как она, новоселы.

Гаяне глубоко вздохнула, допила чай и, оглядев и обойдя еще раз свои «хоромы», принялась за дело.

Трудилась она почти до самого вечера. Присела только тогда, когда день за окном устал, потемнел и почти затих.

Она постелила себе постель, налила еще чаю, зажгла маленький ночничок с уютным бумажным колпачком и наконец улеглась.

Устало вытянув ноги, она в блаженстве закрыла глаза – предвкушая сладкий и глубокий, непременно глубокий – от усталости – сон.

И в этот блаженный момент в дверь позвонили.

Она испуганно нашарила тапки, накинула халат и, прихрамывая (артритные дела, возраст), поспешила к двери.

– Кто? – настороженно спросила она.

– Дед Мороз! – весело ответил ей знакомый голос.

На пороге, румяная, с выбивающимися из-под розовой вязаной шапки густыми темными локонами, смеялась ее единственная внучка Машка.

За ее спиной стоял Машкин дед, Борис Васильевич Луконин. Ее бывший муж. Чуть поодаль, прислонившись к стене, – Елена. Стояла и улыбалась. Опершись рукой на новый, белоснежный ящик – холодильник.

– С новосельем! – прокричали они хором.

И Борис вытянул из-за спины бутылку шампанского.

Гаяне, привалившись к стене, шумно охнула, взялась за сердце и... конечно, расплакалась.

Привыкла она к своему новому жилью не скоро, года через два. А когда привыкла, научилась находить и в этом свои, утешительные только для новоселов, прелести. Например, свежий воздух, наличие небольшого, но чистого еще леска с белками и ландышами ранней весной, простором, открывающимся с высоты ее одиннадцатого этажа.

Правда, с продуктами было туго. Да и что ей особенно было надо? Хлеб и молоко в ларек привозили, а за деликатесами вроде российского сыра и докторской колбасы она выезжала раз в неделю в центр, на Горького. И это тоже был своеобразный ритуал. Она с удовольствием проходила по длинной главной улице города почти до Белорусского вокзала, «надышивалась» горьким, знакомым воздухом старого центра. Покупала у Филиппова калачи и коричное печенье и, тяжело вздохнув, спускалась в метро.

Ни разу она не съездила туда, на старую улицу, где прошла вся ее жизнь.

Смелости не хватало.

Выйдя из метро на улицу и ожидая автобус, который должен был отвезти до дома, она представила, что это уже не Москва. Тетки в цветастых платках торговали на опрокинутых ящиках зеленью с огорода, мелкими местными яблоками с побитыми бочками и даже деревенским молоком в трехлитровых банках.

Мальчишки предлагали огромные, разлапистые, словно фиолетовое и белое облака, букеты сирени и черемухи, старый дедок в меховой ушанке даже в летнее время, сиротливо пристроившись к горластым и наглым торговкам, раскладывал на газетке грибы кучками. Горка лисичек или маслят, и отдельно – благородные боровики и подосиновики.

Она медленно проходила мимо торговцев, покупала молодую зелень и огурцы, пробовала смородину, неумело пыталась торговаться. Разумеется, ей не уступали: торговки – великие знатоки психологии. И замирала перед дедком в ушанке. Ей очень хотелось грибов. Она вспоминала Еленины грибные пироги, но... Как всякому кавказскому человеку, зверь под названием «грибы» казался ей опасным и не очень понятным.

Квартира ей уже нравилась, особенно ванная и кухня. Каждый день она мыла полы и натирала до блеска кафельную плитку.

После прогулки по окрестностям и обеда наступало блаженное время. Она читала.

И это было такое счастье! С благодарностью она вспоминала Елизавету Семеновну, свекровь, которая и приучила ее, почти безграмотную и совсем темную девочку, к этому волшебному и восхитительному занятию. Ненавязчиво объясняя, что большего счастья нет – узнавать про чужие судьбы, познавать города и страны, которые воочию не увидеть никогда. Никогда.

Машка приезжала раз в неделю. Конечно, ненадолго. Так с порога и заявляла.

Но полчаса или минут сорок были ее, Гаяне. Она смотрела на без умолку щебечущую внучку и сердце, сжатое столько лет в ледяной, жестко скрюченный и беспрерывно ноющий узел, словно оттаивало, раскручивалось и распрямлялось.

Она смотрела на внучку и находила в ней черты и гримасы дочери, размытые безжалостным временем. Не забытые, нет. Именно – немного стершиеся. И чуть позабытые.

Машка беззастенчиво поглядывала на часы, чмокала ее в щеку и... испарялась, как самое прекрасное на свете видение.

А она, растеряха, только потом вспоминала и горестно спохватывалась, что «девочку не покормила».

Старая дура!

Приезжали и Елена, и Ольга. Строгую Ольгу Гаяне побаивалась. Та разговоров «за жизнь» не разводила, а была предельно конкретна.

Вопросы задавала по делу – что надо, что привезти, куда отвезти. Теперь она водила машину – подержанные «Жигули». На них же она привозила продукты – овощи, крупы, мясо впрок.

Она отвезла Гаяне в глазную клинику в Благовещенский. На операцию.

Она же и поджидала Гаяне в палате после операции – помогла переложить медсестре с каталки на койку и села на стульчике рядом. Ровно на два дня. Кормила с ложки супом и подавала судно. Пока больной не разрешили вставать и самостоятельно пользоваться туалетной комнатой.

* * *

В Баку почти никого не осталось – только младшая сестра от второго брака отца, которую Гаяне видела лишь однажды – когда та, еще девочкой, приехала на каникулы в Москву. Что говорить, чужой человек. А кто родной? Получается – Елена, Ольга и, разумеется, Машка.

Вот как в жизни бывает.

Родной свой город она тоже помнила плохо. Вспоминался запах раскаленного асфальта, пыли, белое слепящее солнце, обманчиво притихшее сероватое море и громкие крики уличных торговцев.

И все это было совершенно в другой жизни.

Вот только в какой?

* * *

Дмитрий Андреевич Колобов, несмотря на довольно комичную внешность, раннюю лысину, маленький рост, пухлые ручки и весьма явный животик, вываливающийся из-под брючного ремня, успех у дам имел оглушительный.

Все очень просто – Дмитрий Андреевич был весельчак, балагур и остроумец. И к тому же характером обладал легким, не занудным и покладистым.

Вот только жениться он не собрался за всю свою жизнь ни разу. Даже мысли такой в голову не пришло.

Почему? Да все очень просто! У Димы Колобова была мама.

У всех есть мамы, и что с того? А то, что Димина мама объяснила ему еще в нежном возрасте, что права на него имеются только у нее, у Галины Степановны.

Потому что родила в нечеловеческих муках, растила одна, без какой-либо посторонней помощи, кормила, обувала и дала образование.

Да! И кстати, своей личной жизнью пренебрегла – вот что важно!

И еще более важно, что так все это крепко вбила в голову своего ребенка, что дальнейших вопросов у него не возникало.

Им с мамой никто не был нужен! Бедность кончилась – Дима прилично зарабатывал, отдельная квартира была, машина тоже. Мама наконец ушла на пенсию и занималась только хозяйством. И это у нее получалось, надо сказать, отменно.

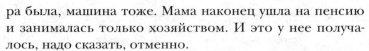

Никто не пек таких пирожков с капустой, как мама. Никто не варил такого густого «настоящего» борща. Никто ТАК не гладил Диме рубашки и не отпаривал ТАК стрелки на брюках. Никто не заваривал такой крепкий и вкусный чай и не подавал ему перед сном в мельхиоровом подстаканнике.

Никто не стал бы стоять четыре часа за югославскими теплыми ботинками в ГУМе для него.

Никто. Только мама, дай бог ей здоровья!

И понимали они друг друга с полуслова. И скандалов никаких, и никаких претензий. Никаких разговоров, что мало денег и хочется новое пальто или французские духи. Мама ничего не требовала и была всем довольна. И еще она рассказывала такие истории про молодых жен сыновей своих подруг, что кровь в жилах леденела и застывала.

– Да что ты говоришь? – дивился Дима и возмущенно качал головой. – Нет, ну надо же! – И с удовольствием глотал обжигающий малиновый борщ и выбивал слякоть из мозговой косточки, громко стуча костью по краю тарелки.

Галина Степановна отворачивалась к мойке и прятала довольную улыбку.

Поев, Дима откидывался на стуле и, блаженно улыбнувшись, нежно благодарил мамулю.

А уж после чая с ватрушкой благости его не было предела.

– Ох, мамуль! Ну как же нам хорошо вдвоем! Вот никто больше не нужен!

Галина Степановна поджимала губы и поводила плечом:

– Ну не знаю, сынок. А как же семья? Детки?

Дима чмокал мамулю в зардевшуюся от удовольствия щеку и вяло отмахивался – да ну их всех! С ними одни проблемы.

Галина Степановна внуков не хотела. Ну, бывает и так – всяко бывает. И еще понимала – любая сноха, даже самая хорошая (А такие бывают? Вот она сомневалась!), ей будет не по нраву.

Ни с кем не хотела она делить своего Диму. Он для нее и был всем: и сыном, и другом, и кормильцем, и опорой.

И жизнь Галина Степановна прожила долгую – многое видела, многое слышала. Как сыновья про мать забывают, не звонят месяцами, не помогают. Всем известно – как жена повернет, так и будет. И еще, зная свой строптивый нрав, она понимала – невестка любить ее вряд ли будет.

Так же, впрочем, как и она ее.

Подруги, посмевшие упрекнуть ее в эгоизме, моментально попадали в разряд бывших. А тех, кто спорить с ней не спешил, милостиво терпела.

Понимала, что сынок ее – ходок. А вот когда он «цеплялся» за очередную надолго, начинала нервничать. Про эту «журналистку» справки навела.

Навела и успокоилась. Не первой свежести, никакой красоты. Вобла сухая и очкастая. Без своей жилплощади. Семья неплохая, но бардака там хватает. Какие-то приемные дети, одинокие старухи. Рожать соберется вряд ли – проблем выше крыши. В общем, волноваться нечего. Пусть шастают на дачу на выходные. Мальчику Диме нужна размеренная половая жизнь.

* * *

Диме Колобову впервые показалось, что он влюблен. Нет, даже скорее не так. Влюблен он был, наверное, множество раз.

Здесь было что-то другое. Впервые он не уставал от женщины. Впервые! Впервые она, женщина, не раздражала его глупой, бесконечной болтовней. Не раздражала бессмысленной суетой и алогичными поступками. Впервые (за столько времени!) он не услышал ни одного каприза и не увидел ни одной истерики.

Напротив, эта женщина давала ему четкие и грамотные советы, помогала решить неразрешимые, казалось, вопросы. Не названивала, не скулила, не жаловалась на жизнь. Не просила подарков – даже намеком!

Тащила на себе огромное бремя своей большой, непонятной и сложной семьи. Успевала всех опекать, всех поддерживать, всем помогать.

Успевала и работать – на телевидении, между прочим. Водила машину – и водила, надо признать, не хуже его. Лихо, бесстрашно, по-мужски.

И он ею откровенно восторгался. На похвалы Дима Колобов был щедр. На похвалы – точно. Ведь это ничего не стоило.

Однажды ему даже подумалось, что такая женщина, как Ольга, вполне бы смогла стать прекрасной женой. Спутником жизни, так сказать.

И с мамой она бы наверняка ужилась. Потому что умная, неконфликтная, сдержанная. Безо всяких там бабских штучек. Да и жизнь ее потрепала – а это тоже опыт, да и какой!

И впервые он предложил женщине поехать с ним в отпуск. Впервые! Это была, скорее всего, проверка. Хотя он для себя так и не думал формулировать.

Летний отпуск Дмитрий Андреевич проводил необычно. Так вожделенные двадцать один день не проводили советские люди.

Все стремились к теплому морю. Дураки! Грязные пляжи, усеянные окурками и нервным народом, крики детей. Вонь от прокисших арбузных корок, мутная, пенная и соленая морская вода, в которой под присмотром заботливых родителей беззастенчиво пи́сали капризные и крикливые малолетки.

Столовые с бесконечными очередями, запахом горелой каши, капусты и жирными алюминиевыми вилками и ложками.

Нет! Это все для дураков. А Дмитрий Андреевич дураком не был.

В августе он уезжал на Алтай. Снимал избушку у стариков на хуторе. Ловил рыбу – и какую! Ходил за грибами и на охоту с дедом Валерой. Парился в баньке, закусывая дефицитное пивко расстегаями с сомом, испеченными старухой Авдотьей.

Дед Валера был старичком болтливым, а бабка Авдотья – молчуньей, каких мало.

Дима шутил:

– Повезло тебе, дед, с бабкой – молчит, словно немая. Ни попрека, ни упрека.

Дед Валера оглянувшись, шептал:

– Жи́ла она, Димка. Такая жи́ла! Корки хлеба лишней не выпросишь. Поживи-ка с такой!

А однажды в баньке, под хмельком, признался:

– Помрет Дуня первой – утоплюсь. Ни дня не проживу, сдохну.

– Любишь так? – удивился Дима.

– Дурак! – откликнулся дед. – Какая любовь, что это за чудище? Какая такая любовь? Знать не знаю. Да и слова-то такие говорить в нашем возрасте смешно! А что дня без нее не проживу – знаю. Вот только что это за штука – объяснить не могу!

И дед Валера тоненько рассмеялся и отер со щеки слезу.

Никогда и ни с кем – даже и мысли такой в голову не приходило – Дима ни разу не подумал поехать туда, в это тайное его и волшебное место, с другом, приятелем и уж тем более, простите за грубое слово, с бабой.

А Ольгу позвал! Она согласилась сразу, так легко и быстро, что он засомневался – не поспешил ли? Не поломает ли она его покоя? Не помешает ли его уединению? И как воспримут ее старики? Найдет ли она с ними общий язык?

Поехали. Два рюкзака, почти одинаковые по весу, с провизией, аптечкой и подарками для хозяев. Перелет до Горно-Алтайска, а дальше – три часа на видавшем виды «зилке 130» по пням да по кочкам, как говаривал лихой водила Васька Бегун, до Ондугая. Старинный приятель Васька денег за дорогу не брал, обижался. А вот гостинцы для «баб» – жены и трех дочек – с удовольствием. Себе – бутылочку «Московской» и блок сигарет «Ява», для кайфа.

Наконец прибыли. Ольга часами смотрела на лес и речку Урсул. Одна бродила по лугам, собирая огромные охапки луговых цветов. Рано утром, одна, никого не разбудив, уходила за ягодами, подвязав по-деревенски, по-бабьи, косынку по глаза и прицепив к ремню берестяной туесок.

Но что было совсем чудным – бабка Авдотья с ней разговаривала! Часами сидели на скамеечке перед избой и тихо, почти шепотом, беседовали.

Удивлялся даже дед Валера – такой болтливой он не видел свою бабку ни разу. Проходил мимо и качал головой.

– Бабы! – словно осуждая, говорил он, тихонько и дробно смеялся.

Дима с Ольгой ходили «провожать солнце» – смотреть, как ярко-розовое светило, предзакатное и утомленное, проваливается за гору.

В лесу, собирая грибы и ягоды, он слушал Ольгино пение – чуть поодаль, за березками. Когда он к ней приближался, она смолкала – стеснялась. Он любовался ею – там, на природе, она помолодела. Обычно бледная, зарумянилась, глаза заблестели, волосы распушились.

А перед сном, сидя на крыльце, под мощный храп Авдотьи и деда, они не спеша говорили. Говорили обо всем. Ну или почти обо всем.

Никогда мужчина и женщина не расскажут друг другу о себе все.

Да и слава богу!

Авдотья учила Ольгу печь расстегаи с рыбой и вертушки с морошкой.

Ольга носила в ручей – ледяной и быстрый – полоскать старухино белье.

Они, старики, на нее дивились – ведь городская, из «интеллягентской» семьи, откуда такое терпение, такая сноровка, такие навыки?

И ведь ни одной глупости! Ни одного дурацкого, бабьего взбрыка! Куда ты меня привез? Ах, скучаю по горячему душу и теплому клозету! Ах, мой маникюр, ах, моя кожа!

Ни одной жалобы! Просто чудо какое-то, ей-богу!

Авдотья с дедом подливали масла в огонь.

– Женись, дурило! Девка-то наша, справная! Даром что не красавица, – посмеивался дед. – Ну да с лица воду не пить! Такая и в тайге не бросит, на себе притащит!

А Авдотья бросила по-своему сурово, как всегда:

– Дурень ты, Димка. Даром, что ученый. Упустишь ее – век не простишь. Так под материной юбкой и прокукуешь!

В подарки домашним везли, конечно же, мед – целый бидон – и вяленого хариуса – такого вкусного, что хотелось облизывать пальцы.

По дороге домой она ему тихо сказала:

– Спасибо тебе, Дим! Никогда и нигде я не была так оглушительно счастлива!

И Дмитрий Андреевич впервые почувствовал себя мужиком! Сильным, смелым, заботливым и... ответственным. За чужую судьбу, например.

* * *

Через два месяца после Алтая Ольга поняла, что беременна.

Эту новость она восприняла, мягко говоря, с большим удивлением. И с не меньшим страхом.

Она позвонила Диме домой. Обычно они созванивались по рабочему.

Трубку взяла Галина Степановна. Голос ее был суров.

– Дмитрий отдыхает! – сухо бросила она. – А вы не обратили внимание, который час?

Ольга глянула на часы – было полдесятого вечера.

– Разбудите! – твердо попросила она.

Дима подошел к телефону не скоро. Громко зевая, он недовольно осведомился:

– А что, собственно, случилось? Ты не могла подождать до утра?

– Нет, – ответила Ольга. – Выходит, что не могла.

Она замолчала, словно предчувствуя продолжение разговора.

– И? – раздраженно спросил он.

Ольга выдохнула:

– Я беременна, Дима.

Он долго молчал. А она все еще надеялась. Надеялась на то, что вот сейчас, через минуту, когда он немножечко придет в себя (со сна же человек!), очухается, она услышит его дрожащий от радости голос.

Услышала:

– И что, до утра с этой новостью дожить было нельзя?

Она осторожно положила трубку. От телефона не отходила еще полчаса. Вдруг одумается и перезвонит?

Наивная дура.

Получаса хватило, чтобы все понять.

Наутро она пошла в консультацию и попросила направление на аборт.

Направление дали быстро – незамужняя и «старородящая».

И никаких вопросов. Ни у врачихи, ни у нее.

Больше Дима Колобов ей не звонил.

Да нет, вопросы, конечно, возникли. У нее, в тот же вечер. Подумала со злостью: «И на черта мне этот эпикуреец, маменькин сынок?» Тогда, на Алтае, все было обманом. Миражом. Настоящий Дима Колобов здесь и сейчас, под теплым и уютным крылышком маменьки. И ничего ему не надо, по большому счету. Ни семьи, ни ребенка, ни ее, Ольги Лукониной.

Черт с тобой, толстый инфант! Много чести! Этого ребенка я рожу для себя!

И подниму – не сомневайтесь!

И она порвала направление на аборт.

А смелость ее прошла на следующий день. Дело вовсе не в смелости или трусости – так повернулась жизнь и сложились обстоятельства.

Навалилось опять сразу и по полной – у отца начались неприятности на работе. Какие-то дурацкие проверки по хозяйственной части. И много чего обнаружилось. Например, беззастенчиво-наглое воровство завхоза во время недавнего ремонта двух старых корпусов. И одновременно с ремонтом – строительство дач главврача и этого самого завхоза. Обнаружились недостачи плитки, паркета, дверей и унитазов. А тут еще всплыл факт строительства дачи самого Луконина.

То да се, выезд следственной группы в дачный поселок, актирование и прочая ерунда – ничего, разумеется, не подтвердилось, а мерзостей, слухов и сплетен было предостаточно. В «Труде» вышла разоблачительная статья «Воры в белых халатах». Обвинения в адрес Бориса Луконина не прозвучали, а имя промелькнуло.

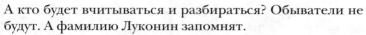

А кто будет вчитываться и разбираться? Обыватели не будут. А фамилию Луконин запомнят.

В итоге отец свалился со вторым инфарктом. В свою больницу, под обстрел многозначительных взглядов и шушуканий, лечь не захотел. Эля устроила его в Кремлевку. И тут опять ворох сплетен – сам-то в обычной больнице не лечится! Залег по блату на мягкие диваны и усиленную кормежку.

Отец совсем сдал – как-то очень быстро, за пару недель, – превратился в испуганного и слезливого старика.

В Ельце свалилась бабушка Нина – возраст, что поделаешь. От Москвы опять отказалась – болеть будет дома. Слава богу, возле нее крутился «сердешный друг». Но все равно – душа болела и покоя не было.

В ночь Ольга садилась в машину и гнала в Елец – то лекарства, то фрукты.

Елена проводила все дни в больнице у мужа.

Бабка Нина Ольге жаловалась:

– Родная дочь, а приехать не может! Времени не нашла. Вот и подыхаю тут одна, у чужих людей на руках.

И сухонький ее кавалер, Илья Родионыч, мелко кивал плешивой головой и поддакивал:

– Дети, Ниночка, редкие сволочи!

Никаких доводов Нина Ефремовна не принимала. Ольга поняла, что уговаривать и объяснять бесполезно.

Старость – это не только опыт и мудрость. Старость – это еще и обиды, и требования. И эгоизм, и нежелание понять и посочувствовать. И капризы, вечные капризы.

Верно говорят: что стар, что мал.

Обиднее всего был комментарий бабки про отца и его инфаркт:

– Допрыгался!

От возмущения Ольга расплакалась. Как же бабка его ненавидит! Всю жизнь. А главное – за что?

Нина Ефремовна пояснила: жизнь дочери сломал именно он! Лишил профессии, свалил на нее весь быт, Никошу тащила она, Машку-маленькую, его, между прочим, внучку, – тоже. А Гаяне? Кто она Елене? Бывшая жена ее мужа. А кто о ней заботится? Он? Я вас умоляю! Опять она, Елена. И еще этот Сережа...

Короче говоря, бедная дочь, несчастная Елена. А вот чтобы пожалеть эту несчастную дочь, посочувствовать... Войти в ее положение...

Нет. Обиды и обиды. Вот так, никакой последовательности. Заключение – муж важнее матери. С этим Ольга и уехала.

И это еще не все: опять проблемы с Сережей. И какие! Из дома пропала крупная сумма денег. Ольга пытала:

– На что? Ты объясни! И я сама дам тебе денег! Только объясни, на что!

Молчит. Взгляд сквозь нее. Упырь, ей-богу! И это ее родной племянник. Дальше больше – очередная смена школы. С его-то характеристикой! Дошла до завроно – и там скандал. Когда же вы нас оставите в покое! С боем устроила в профтехучилище. Господи! Может, хоть водопроводчик из него получится!

Идя по коридору училища под громкое цыканье и шуточки прыщавых развязных студентов, она внутренне содрогнулась – ну и рожи, прости господи! Ну и публика! Словно только что из колонии для несовершеннолетних!

Отчасти это была правда.

Впрочем, сейчас было не до Сережи. У Машки случился роман. Да ладно бы с ровесником – со вполне половозрелым, тридцатилетним женатым мужиком.

Машка была влюблена до обморока – если он не звонил, к ночи у нее поднималась температура. К телефону она не разрешала подходить никому – тут же выкатывалась в коридор и шумно вздыхала.

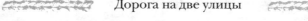

Весь день крутилась она возле трубки и смотрела на Ольгу больными глазами.

– Поговори! Хотя бы поговори со мной! Он – необыкновенный! – с придыханием говорила бедная Машка. – Таких нет на всем белом свете!

Ольга присаживалась на край ее кровати и... через минуту засыпала.

Машка обижалась и переставала с ней общаться.

– Никому до меня нет дела! Ни Леночке, ни деду, ни тебе!

К Гаяне, которая теперь полностью была на Машке, та почти не ездила.

Разумеется, Гаяне не роптала. Сидела молча в своих «лесах» и тихо страдала за всех.

Ольга умудрялась ездить и к ней. С Машки взятки гладки: «Мне плохо» – и все.

Молодость эгоистична, что поделать.

А сроки поджимали. На двенадцатой неделе она легла в больницу. Точнее, не легла – «забежала». Врача нашла, разумеется, Эля.

Отлежавшись после экзекуции пару часов, с кровавой пеленкой между ног, она села в машину и поехала домой.

Какой ребенок, господи!

У нее на руках – целый детский сад. Или – психиатрическое отделение. Или – богадельня. Как хотите!

Надо выхаживать отца. Мать совсем валится с ног. Уследить за Сережей. Разобраться с влюбленной и несчастной Машкой. Патронировать Гаяне. И наведываться в Елец, к бабке.

И все это – она.

Потому что больше некому. И потому что она *отвечает.*

Просто всегда отвечает за всех и за все.

Вот только за себя не получается, как оно обычно и бывает.

Как-то поехала к Эле – забирать остродефицитную черную икру для отца.

Там увидела Эдика, свою, между прочим, первую любовь, так сказать.

Встретила на улице – ни за что бы не узнала в этом мордатом, толстозадом, опухшем и каком-то раскисшем мужике в бархатном халате, из-под которого торчали очень белые и совсем безволосые ноги, тоненького кудрявого и большеглазого мальчика, ее первую детскую любовь.

– Хорош! – прокомментировала с болезненной усмешкой Эля, кивнув сыну вслед.

Ольга растерянно спросила:

– А как у него? Вообще?

Эля дернулась.

– Вообще? Вообще – отлично. Пьет, шляется по кабакам. Спит с проститутками. Не работает. Тянет из меня деньги. Фарцует валютой. Короче, славный получился паренек! Бабуленька с дедуленькой от души постарались!

Ольга молчала – что тут скажешь? Задать вопрос: а где же была ты, мать? Глупо и непродуктивно.

Прошли на кухню выпить чаю. Тут, при свете дня, Ольга увидела, как Эля ужасно выглядит. Худющая, почерневшая, под глазами темные круги.

– Ты в порядке? – с тревогой спросила она.

Они давно уже были на «ты».

– Я – отлично, – усмехнулась Эля. – Просто за-ме-ча-тель-но! Папе Яше на все, как всегда, наплевать. Теперь он собирает значки – марки заброшены. Своя жизнь и свои интересы. А чтобы не расстраиваться, ночует на родительской даче. И я вовсе не уверена, что один! – и Эля хрипло рассмеялась.

Ольга тогда подумала: переживает за Эдика, все понятно.

Эля много курила и пару раз выходила из кухни – Ольга слышала, как там, в глубине квартиры, мать и сын разговаривают на повышенных тонах.

Она быстро собралась домой – не до посиделок ни ей, ни Эле.

У двери чмокнула Элю в щеку:

– Ну, держись! У всех у нас, знаешь ли...

– Лелька! – вдруг тихо сказала она. – И *это* – итог всей моей жизни?

И глянула на Ольгу такими глазами, что у той захолонуло сердце.

Она обняла Элю за плечи и вдруг подумала – щуплая, как подросток. Или – старушка? Острые, вздрагивающие плечи, совсем высохшие руки, седые волосы.

Эля. Родная до боли. Не друг – давно родня. Иногда – странная и непонятная. Но – всегда рядом, всегда поможет в беде, никогда ни от чего не откажется. Вывернется наизнанку – для своих, для близких.

Красавица и умница. Ловкая, расторопная, отзывчивая.

И, кажется, очень несчастливая. Словно прожившая не свою жизнь. Об этом Ольга задумалась в первый раз.

А вот Элю она увидела тогда в последний. Точнее, следующая встреча была на кладбище. На Элиных похоронах. Всего через три недели.

Обширный инфаркт. Совсем не женская болезнь. Редкий, почти нестандартный медицинский случай.

Впрочем, и сама Эля была редкий и нестандартный случай.

Только заметил ли это кто-нибудь? Вряд ли.

* * *

Яков, постаревший разом на тридцать лет, был совершенно растерян. Словно не ожидал от жены такой вот подлянки.

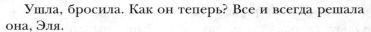

Ушла, бросила. Как он теперь? Все и всегда решала она, Эля.

Всю жизнь он прожил за ее спиной – хрупкой, но самой надежной.

Жил, как у Христа за пазухой – работал вполноги, увлекался чем попало. Словно дитя – ни забот, ни быта.

А тут... От растерянности и обиды он плакал.

Ольга подумала: не от горя – от страха. Страха за себя и свою жизнь.

Про Эдика и говорить нечего – напился уже на кладбище, не дожидаясь поминок. Хрюкал, как свинья. Точнее, как боров. На его плече висела непотребная девица в короткой кожаной юбке и ажурных колготках.

Кто горевал по Эле?

Елена. Елена горевала так горько, так глубоко, словно только что осознала, КЕМ была для нее Эля.

А ведь подругой ее не считала – или не хотела считать. Слишком разные, слишком.

Слишком многое она в Эле не принимала, со многим не могла смириться.

Ставила такой вот барьерчик: она такая, а вот я – другая.

Не принимала, а пользовалась. Пользовалась всю жизнь. От помощи никогда не отказывалась.

А вот любила ли?

Поняла только теперь – любила. И ближе подруги у нее не было. И вернее тоже.

И еще горевала Ольга. Потому что понимала – ушел из жизни человек, на которого можно было рассчитывать. И быть уверенным, что не предаст и не бросит.

Много в жизни таких вот людей?

Оказывается – совсем мало. Такая вот потеря...

А «несчастный» вдовец, ливший горючие слезы, скоро «обженился». Причем по всем правилам, через загс.

На их с Элей домработнице. Жившей у них дома добрый десяток лет.

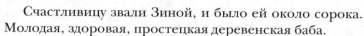

Счастливицу звали Зиной, и было ей около сорока. Молодая, здоровая, простецкая деревенская баба.

Хозяйство и финансы она быстренько прибрала к рукам. Яшкой, старым дураком, помыкала вовсю.

Даже Эдика построила – небывалый случай. Пьяного в дом не пускала, денег не давала и девок паскудных его вмиг разогнала.

Яшка был счастлив – можно было снова ни о чем не думать, собирать значки и монеты, часами раскладывать марки в толстенные кляссеры. Много и вкусно есть, долго спать и читать книги.

И... снова радоваться жизни.

В общем, жизнь продолжается. И ничуть, кстати, не хуже, чем была!

Про годовщину Элиной смерти Яша забыл. На упрек Елены растерянно пробормотал:

– Ну, Леночка, возраст! И к тому же – моя рассеянность, ты же знаешь!

Поминальный стол накрыла Елена. Так и посидели – своей семьей. Яша со строгой супругой после кладбища отбыли домой:

– Дела, знаете ли! Да и давление у Якова сегодня пошаливает, – хмуро бросила Зинаида.

Милый сынуля Эдик, естественно, тоже не появился, и этому никто и не удивился.

* * *

Борис теперь, после больницы, Елену от себя не отпускал – совсем. Когда жена собиралась в магазин или в аптеку, он держал ее за руку и... капризничал, как ребенок. Каждый вечер перед сном она читала ему что-нибудь из толстых журналов – «Новый мир», «Знамя», «Иностранку».

Иногда посреди чтения он засыпал. Тогда она осторожно выпрастывала свою руку из его и тихонько, на цыпочках, пыталась выйти из комнаты. Иногда получалось, чаще – нет. Он тихо всхлипывал и, не открывая глаз, шептал:

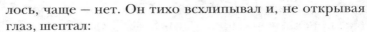

– Не уходи, Ленушка.

И она опять присаживалась на край кровати.

Однажды он попросил ее принести альбом с фотографиями детей.

Этот альбом, разделенный на четыре части, подписанные синим фломастером – «Маша», «Ира», «Леля» и «Никоша», – был собран Еленой к пятидесятилетию мужа. Под фотографиями были подписи типа: «Машуля в Анапе», или «Лелькино первое сентября», или «Никошин заплыв».

Он долго рассматривал альбом, задержавшись на страницах с фотографиями Машки-большой. Елена тихо вышла из комнаты.

Спустя полчаса, волнуясь, зашла. Он смотрел немигающим взглядом в стену и даже не повернул головы в ее сторону.

Она присела на стул и погладила его по руке.

– Бездарно жизнь прошла, Ленушка. Пусто и бездарно. Вот и ухожу как-то мелко, бесславно как-то.

Елена вздрогнула:

– Какой уход, Боря! Помилуй бог! Все самое сложное мы уже, дай бог, проскочили! Теперь – только хорошее, я тебе обещаю! Думаю, что мы свою горькую чашу испили. Ну не может же она быть бездонной! А про «бесславно» – ну, знаешь ли... Скольким людям ты спас жизнь, скольким просто помог! Как же ты можешь так говорить! – возмутилась она.

Он слабо махнул рукой:

– Я хирург, Лена. А занимался последние годы всякой чепухой – достать рентгеновский аппарат, новые койки, котлы в столовую. Полный бред! И заниматься этим самым бредом я начал, заметь, в самом плодотворном мужском возрасте – полный сил, умений и навыков.

Она молчала, боясь напомнить ему про то, что это было ЕГО решение, только его. Боясь спорить, чтобы не всплыли события тех лет – случай с Димой Комаровским, страхи Бориса и невозможность войти в операционную, его депрессия и упадок сил.

– Ладно, – усмехнулся он, – про мою, так сказать, «карьеру» говорить бессмысленно. – Он помолчал. – А вот про остальное... Машкина смерть, Никошина болезнь, то, что мы упустили Ирку... Да и Ольгина судьба... Разве женщине такое пожелаешь? Крутится возле нас, вьется, а своей судьбы – никакой. Про тебя я не говорю. Лишил тебя всего. Всего!

Она сжала его руку и попыталась что-то ответить.

Он покачал головой:

– Не спорь, Лена. И не пытайся меня утешить! Все знаю и за все свои слова отвечаю. Ты и только ты тащила все на себе! Машку-маленькую, Никошу. Да и Гаяне тоже. А тут прибыток этот, – он горестно усмехнулся.

«Сережа!» – поняла она.

– И опять все на тебя! И то, что тебе не удалось поработать, – тоже моя вина! Разве такой участи ты заслужила? А мне... Мне было проще уйти от всего, отмахнуться. Ты сильная, ты справишься, выдюжишь. Разве это поступок сильного мужика? А про судьбу Гаяне я и не говорю... – он закашлялся. – Грешник я, Лена, страшный грешник! И слабак. Куда мне против всех вас – тебя, Гаяне, Лельки.

Она закрыла ладонью ему рот:

– Молчи! Умоляю тебя, молчи! Все, что ты перечислил, вовсе не так! Точнее, не совсем так. И твоей вины тут нет! Так все сложилось, понимаешь! Жизнь, она, знаешь ли, пишет сценарий сама, не спрашивая советов у главных героев. Вот взять твою работу: оперировал, сколько мог. И сколько хотел. А твоя ТА должность... Разве ты мало принес пользы, выбивая рентгеновские аппараты и новые койки? А сколько ты бился за эти

УЗИ? И у вас у первых они появились! Разве это не помощь людям?

Гаяне ты любил. Да, мальчишка, щенок. Но – любил. Потому и увез, а как же иначе? То, что случилось потом, – обычная история. Через подобное проходят тысячи людей. Любовь прошла. Закончилась. Испарилась. На то она и первая любовь. Машку ты не забывал. Да и Гаяне тоже. Помогал, как мог, и ни от чего не отказывался. А то, что случилось... Трагедия, страшней которой нет, это так. Вот только здесь ты точно не виноват. Такая судьба.

А кто виноват в Никошиной болезни? Ты? Или, может, я? Опять случай, судьба.

Ирка... Здесь вообще все непонятно. Какой-то генетический сбой. Вот сколько я ни раздумывала, сколько ни размышляла... Ольга – так она всем довольна. Ну не все женщины выходят замуж и рожают детей. И знаешь, я вот не думаю, что они гораздо несчастнее тех, у кого это все получилось!

А насчет моей, так сказать, «карьеры»... Ну, это вообще смешно. Ну чего бы я достигла? Места участкового врача в районной поликлинике? Думаю, не более. Так что медицина ничего не потеряла, уверяю тебя! Да и сколько женщин мне бы позавидовали! Вставать по утрам, бежать сломя голову на автобус. Мотаться в любую погоду по вызовам, слушать байки и жалобы стариков и старушек. А после работы – опять сломя голову, по той же схеме. Да еще и по магазинам – урвать кусок колбасы или мяса. И торопиться, торопиться домой. Потому что надо приготовить ужин. И обед на завтра. И проверить у детей уроки. И встать к корыту. Довольно? И вот такой участи ты мне пожелал? – Она рассмеялась.

Потом продолжила:

– А сколько у нас радости, Боря! Машка-маленькая! Это ведь такое поощрение, такой подарок! А если бы у нас ее не было? Да разве мы бедняки? Никошка такой умница... Лелька! Такая надега наша Лелька!

Гаяне, слава богу, с нами. Вот поедем на дачу, Боря! Скоро, совсем скоро, весна. Зацветет черемуха, потом сирень. Флоксы так будут пахнуть! Птицы петь на рассвете! Нет, ты только представь, – голос ее окреп, – мы все вместе сидим на террасе и пьем чай! На столе самовар – пусть электрический, пирог с яблоками. Ты сидишь в кресле, а все мы – вокруг! Лелька, Машка, Гаяне – все вместе и все рядом! Мы пьем чай и болтаем о жизни! Ну разве это не счастье?

И мы будем ходить с тобой в лес и в поле. Мы так всегда любили поля, помнишь? И будем собирать колокольчики и васильки, землянику. И грибы, кстати, тоже! Вдруг выпадет какой-нибудь сумасшедший грибной год? Как в семьдесят втором, помнишь? И будет тепло, и солнышко будет!

Он молчал и по-прежнему смотрел в стену.

Потом тихо спросил:

– И ты во все это веришь?

Она рассмеялась:

– Во что, Боренька? В весну и в лето? А у тебя есть сомнения по этому поводу? Думаю, что сачкануть им точно не удастся! Так же, как и тебе!

Он повернулся к ней:

– Значит, будем ждать, Ленушка. Будем ждать.

– А куда ж мы денемся? – улыбнулась она.

* * *

Выйдя из его комнаты, она бессильно прислонилась к стене. Ноги дрожали. Словно весь воздух из нее выпустили – такое было чувство. И все же она была несказанно рада этому тяжелому, почти невыносимому разговору – словно нарыв прорвался. Вскрылся гнойник. Теперь станет легче – и ей, и, главное, ему.

А вот с Сережей было совсем худо. Почти каждый вечер он приползал «на рогах». Запирался в ванной, и оттуда неслись омерзительные утробные звуки. Иногда он прямо в ванной и засыпал. Тогда приходилось выламывать дверь, а после убирать следы его пребывания.

Елена заматывала платком рот и нос и, пытаясь подавить рвотные позывы, ползала с тряпкой.

— Что-то надо делать! — как-то сказала Ольга.

— Что? — мертвым голосом спросила Елена.

— Да что угодно! — выкрикнула дочь. — Или ждать, когда умрешь ты или папа?

— «Что угодно», — повторила Елена и покачала головой. — «Что угодно» не будет. Мы уже однажды сделали «что угодно». С Мишей. *Так* больше я не хочу. Да и потом, Леля, если ты забыла — это мой внук. Это для справки.

Ольга досадливо махнула рукой и вышла из комнаты, понимая, что дальнейший разговор бесполезен.

Елена свято верила, что скорая весна, а затем — лето окончательно поправят их с Борисом жизнь. Она и сама мечтала о даче — внимательно слушала прогнозы на майские и торопила Ольгу с починкой машины.

Ей удалось купить льняную скатерть — белую в синюю густую полоску, а к этому чуду еще и вполне дачную, симпатичную посуду — толстые, грубоватые керамические чашки — синие в белый горох.

В конце апреля наступило почти июньское тепло — редкое для сурового, поздно просыпающегося Подмосковья. И начали потихоньку паковать сумки. Борис оживился, неловко пытался помочь Елене, отправился в гастроном и отстоял почти два часа за дефицитными шпротами и сгущенкой.

Горд был собой страшно — все твердил, что в первый раз принес семье ощутимую пользу.

До майских оставалась всего-то неделя. Вечерами на кухне жарко обсуждали предстоящий дачный сезон. Машка, в последнее время особенно грустная, слегка оживилась и спорила с Ольгой по поводу цветочной клумбы перед домом. Елена посмеивалась и предполагала, что вопросы с клумбой наверняка предстоит решать ей. Так как пыл у ее девочек быстро охладится и пропадет – после первого же удара лопатой о стылую землю.

Ольга требовала у племянницы отдать ей мансардную спальню – как «главному кормильцу, старшей и вообще – уважаемому человеку». Борис разбирал библиотеку и складывал в коробку давно не читанные книги, которые «очень хотелось перечесть». Теперь, когда наконец есть на это время.

Елена собирала в мешочки крупу, макароны и прошлогоднее варенье – на даче все идет «на ура». Гаяне звонила и нервничала по двум поводам – что часто звонит и «всем докучает» и что на даче будет докучать всем «еще сильней».

А потом Сережа пропал. Впрочем, с ним в последнее время это случалось частенько. Особенно уже и не волновались. Через сутки или двое он появлялся. И было очевидно – очередная попойка с дружками.

Ну не запирать же его, ей-богу! Решили твердо – парня надо лечить. Ольга, вздохнув, сказала, что займется этим сразу же после переезда родителей на дачу. Была уже договоренность с наркологом, специализирующимся на подростках.

А за два дня до обозначенного переезда поздно вечером раздался телефонный звонок. Звонили из милиции, местной, поселковой.

Сержант Коротюк – так представился звонящий – тяжело вздохнул и доложил, чуть покрякивая:

– Дача у вас сгорела. Вы уж меня извините! Подростки какие-то пошалили, соседи видели. – И осторожно добавил: – Дотла. Вы уж меня извините!

Ольга выехала на место пожара тем же вечером. Никаких следов, абсолютное пепелище. На заборе – единственном, что осталось от дачи – висела Сережина куртка.

Никаких «фрагментов» найдено не было. Оставалось только догадываться, точнее предполагать – погиб ли Сережа или от страха за содеянное просто сбежал.

Борис Васильевич молчал несколько дней. А когда Елена, не выдержав, расплакалась при нем – чего раньше себе не позволяла, – он посмотрел на нее и тихо сказал:

– За что, Ленушка? – И сквозь зубы добавил: – Чертово Иркино семя. Сколько еще будем платить?

Ответить было нечего. Борис с Еленой уехали в санаторий. Путевки купила Ольга.

* * *

Странно, но в то время Ольга очень похорошела. Вернее, так – в моду вошли сухие, поджарые женщины среднего возраста. Умные, толковые и успешные. Короче говоря – деловые. Даже костюмы для таких дам назывались «офисные». Новое время, в котором так нелегко приходилось людям немолодым, диктующее свои, жесткие условия, ей, как ни странно, очень подошло. Это было ее время.

На канале она занимала теперь должность выпускающего редактора новостных программ. Настало время рекламы, и потекли рекой деньги. Как следствие – неплохие зарплаты. Ольга была начальником требовательным, жестким и справедливым. Сотрудники ее побаивались, но все были уверены – просто так, без причины, Ольга Борисовна не придерется, не тот человек.

Возраст, как нечасто бывает, Ольге тоже потрафил. Она носила короткую стрижку, волосы красила в медный цвет, который очень шел к ее светлым глазам. Но-

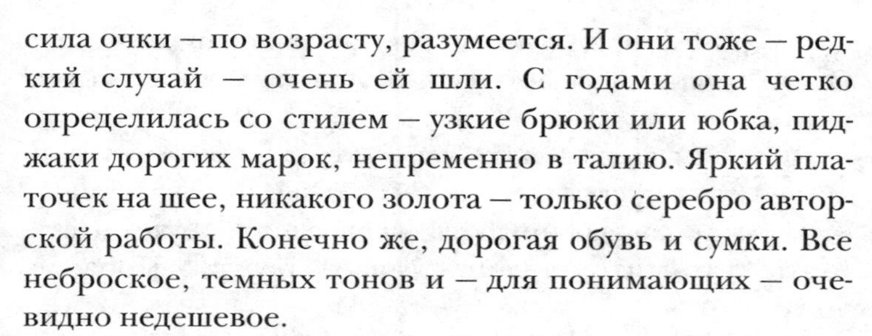

сила очки – по возрасту, разумеется. И они тоже – редкий случай – очень ей шли. С годами она четко определилась со стилем – узкие брюки или юбка, пиджаки дорогих марок, непременно в талию. Яркий платочек на шее, никакого золота – только серебро авторской работы. Конечно же, дорогая обувь и сумки. Все неброское, темных тонов и – для понимающих – очевидно недешевое.

Должность диктовала стиль – что тут поделать! Старые «Жигули» сменила новенькая иномарка.

Работала Ольга с самозабвением – все ей нравилось, все было интересно или, по крайней мере, любопытно. Тогда настали золотые времена для телевизионных гурманов и трудоголиков.

Конечно, она могла тогда позволить себе купить квартиру. Но... Пришла однажды в голову такая мысль и тут же испарилась. Как она уйдет с Гоголевского? Как оставит мать, отца и Машку? Нет. Невозможно. Все без нее пропадут. И дело тут вовсе не в деньгах. Деньги можно давать и так.

Просто она видела, как загораются глаза отца, когда она входит в квартиру. Как он, несмотря на протесты Елены – дай ребенку прийти в себя! – торопится поделиться с дочерью последними новостями. Почерпнутыми, естественно, из «Лелиного ящика».

Как теплеют глаза матери, которая ненароком погладит ее по плечу и бросится разогревать ужин. Как вдвоем они, ее «старики», будут сидеть на кухне, рядышком, напротив нее и открыто любоваться ею.

Как Машка, пронзенная капризной «амурьей» стрелой, будет болтаться под дверью ванной и канючить: «Лель, ну Лель! Ты скоро?».

Потому что ей надо *непременно* и *срочно* поделиться последними новостями с «влюбленного фронта».

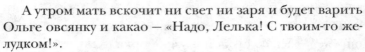

А утром мать вскочит ни свет ни заря и будет варить Ольге овсянку и какао – «Надо, Лелька! С твоим-то желудком!».

А отец с вечера обязательно натрет вонючим гуталином ее итальянские ботинки – о боже!

И, не признавая никаких нововведений, будет настаивать на том, что гуталин – лучшее средство. Проверено временем.

И в подъезде она будет снова оттирать бумажной салфеткой жирный вонючий гуталин с несчастных нежных ботинок.

Еще одним из домашних удовольствий, кроме перечисленных выше, было новое – наблюдать за отношениями родителей. Тоже вполне себе новыми.

Эти два голубя теперь не расставались ни на минуту. Завтрак, домашние дела. Отец при матери, не отходит. Принимает горячее участие даже в готовке обеда – натрет морковь или порежет лук.

Мать гладит белье – отец складывает в стопки. Мать моет пол – отец выжимает тряпку.

Дальше променад. Под ручку, чин-чинарем. Магазин, аптека, сквер.

Обед, дневной сон, телепередачи, вечерний чай и – ожидание. Машки и Ольги. И еще – звонка от Никоши. Непременного, и слава богу, теперь ежевечернего. Созвон с Гаяне: «Как давление, все ли в порядке?»

Любимая фраза отца: «Как же я счастлив, когда все дома!»

Только после всех этих обязательных дел он шел в свою комнату и принимался читать. С абсолютно блаженным и счастливейшим видом.

Ольга с удивлением наблюдала, как родители, жившие прежде каждый своей жизнью, чувствуют друг в друге такую неистребимую, просто «героиновую» потребность, что становилось даже страшновато. Мысли-то были всякие. Теперь, к старости, их жизни сплелись так тесно и так крепко, что казались они сиамскими близнецами, существование которых друг без друга физически невозможно.

Елена, постаревшая как-то внезапно и сразу, худая до прозрачности, а оттого словно стеклянная, хрупкая, и отец, такой же сухой и седой, смотрелись, словно брат с сестрой.

На лице Елены теперь постоянно блуждала слабая и нежная улыбка.

Улыбка счастливого и спокойного человека, не имеющего к жизни ни малейших претензий.

Как-то Ольга спросила:

– Не устаете друг от друга? Все-таки двадцать четыре часа вместе, без передыху.

Елена так удивилась:

– Что ты! Это самые счастливые годы моей жизни! ТАК с Борей у нас не было никогда. И знаешь, – грустно усмехнулась она, – я ведь в первый раз в жизни не думаю о деньгах! И это такое счастье! Представляешь? Просто не думаю, и все. А как это выматывало, Леля! Жизнь прошла в постоянном стрессе – хватит ли дотянуть до получки. Хватит ли на новые ботинки и куртки вам, детям. Надо откладывать на отпуск. На новый холодильник. Надо, надо. Одну прореху закроешь – на подходе другая. А сейчас... Благодаря тебе... Такое спокойствие! Уселись на шею дочке и радуемся! Ужас-то какой!

И она грустно и заискивающе, словно извиняясь, посмотрела на дочь.

– Да я так рада, мамочка! – воскликнула Ольга. И, покачав головой, тихо добавила: – Вот просто не может больше быть радости для ребенка, чем такие слова. От родителей, мам! Понимаешь? Шерочка с машерочкой вы мои!

Подробностей не требовалось – этим было сказано все.

* * *

Про Сережу никогда не говорили – не сговариваясь, словно тайным голосованием на эту тему наложено жесткое табу.

Ольга понимала – любой вопрос или воспоминание разбередят душу родителей и, как всегда, накроют непереносимым чувством вины.

После пожара на Сережу подали в розыск – единственное, что было сделано.

А что можно было придумать или предпринять еще?

Провести символические похороны? Уверенности в том, что он сгорел в том страшном пожаре, не было. Спокойнее было думать, что Сережа в бегах. Тем более история жизни его матери этому не противоречила вовсе.

Значит, если жив и если в бегах – оплакивать некого.

И Ольга понимала, что так, как сложилось, лучше для всех без исключения. Только это продлило родителям жизнь – отсутствие этого человека в их жизни.

Думать об этом было горько и стыдно. Стыдно признаваться в этом даже себе.

Елена о Сереже вспоминала нечасто, от случая к случаю. Иногда, когда показывали по «обновленному» телевизору передачи про беспризорников, коих расплодилось в новых реалиях бесчисленное множество (говорили даже, что больше, чем после революции и Второй мировой), она тревожно и опасливо вглядывалась в их лица и облегченно вздыхала, когда репортажи заканчивались.

Тогда ее тоже давило чувство стыда – был человек, и нету. Вот и весь сказ. Никто не грустит, никто не печалится. Все облегченно выдохнули – нет больше его в их жизни. Нет такого родственника.

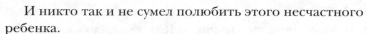

И никто так и не сумел полюбить этого несчастного ребенка.

Никто. Ни жалостливая долготерпимица-бабушка, ни ответственная Ольга, ни эмоциональная Машка, плакавшая над каждым бездомным котенком. Не говоря уже про деда – ну, тому, понятно, не до сантиментов.

Елена почему-то была совершенно уверена – больше в их жизни он не возникнет никогда. Откуда эта уверенность? Ниоткуда. Никакого анализа – просто чутье, и все.

* * *

Машкин страстно-пылкий, бездумный и безумный роман постепенно начал сходить на нет. Тихо-тихо, почти незаметно.

Они еще продолжали кипеть в «вулкане страстей», еще отчаянно, как в последний раз, ругались. Так же отчаянно и бурно мирились, тут же бросаясь в постель. Часами выясняли отношения по телефону. Спорили по любому поводу. Обижались, громко бросали трубки, которые снова хватали, чтобы позвонить, с самого раннего утра, после бессонной ночи.

Клялись друг другу в вечной любви, снова упрекали друг друга: «Я люблю тебя глубже и сильнее». Писали друг другу яростные или нежные письма, которые передавали при встрече. Готовили друг другу сюрпризы. Но...

Через какое-то время, не сразу, оба вдруг, словно случайно, отметили – каждый про себя – что все ЭТО стало носить несколько другой характер. Слегка показной, что ли. И шла вся эта чересчур бурная и страстная их жизнь словно по накатанной. По инерции?

Это уже был просто их стиль общения. То, к чему они привыкли и без чего не могли жить.

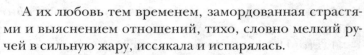

А их любовь тем временем, замордованная страстями и выяснением отношений, тихо, словно мелкий ручей в сильную жару, иссякала и испарялась.

Пока не высохла и не обмелела до самого дна.

Они все еще продолжали встречаться. В прежних «уголках» их любви, где раньше они были так оглушительно счастливы. В старых, известных местах – в случайно и временно свободных квартирах его друзей и ее немногочисленных подруг.

Но теперь она могла отложить эту встречу по причине совсем не огромной важности. Чего раньше не могло быть в принципе.

Да и он манкировал встречами теперь довольно легко:

– Тяжелый день, устал, болит голова, только бы доползти до кровати, – знаешь ли, милая, возраст! Или, к примеру, защита диссертации коллеги на кафедре. А потом – банкет, – притворно-тяжело вздыхал он.

С банкетов этих, кстати, он прежде всегда сбегал – невыносимо смотреть на представителей научной интеллигенции, хватающих перед твоим носом бутерброд с соленой семгой.

Теперь они не ругались – поругивались. И довольно вяло.

И оба торопились домой. Грустно.

Машку это открытие почти придавило – она еще верила в любовь до гроба.

И потом, ведь так – так, как у них, – не было ни у кого и никогда!

А он облегченно вздохнул – не нужно принимать никаких решений. Вот просто никаких!

Не нужно ломать свою жизнь и жизнь жены. Не нужно оставлять «сúротами» своих детей.

Еще не нужно разменивать квартиру, дачу и делить машину! Господи! Какое облегчение! Гора с плеч!

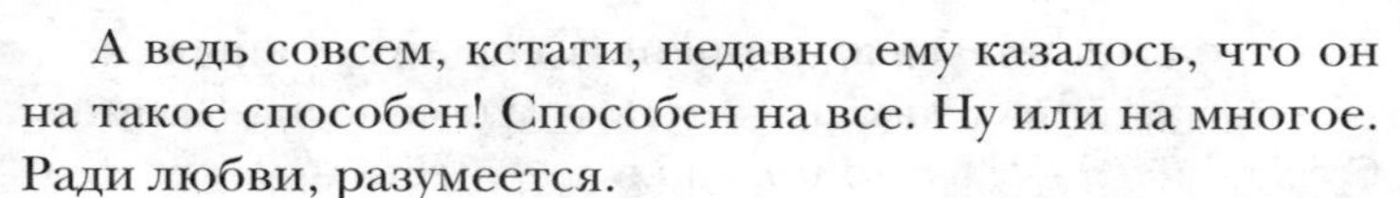

А ведь совсем, кстати, недавно ему казалось, что он на такое способен! Способен на все. Ну или на многое. Ради любви, разумеется.

А что это была любовь, он не сомневался. Совсем недавно не сомневался.

И вот как оно бывает! Как там в песне? Вот она была – и нету... Действительно, хм... Была – и нету.

Да и слава богу! Ведь тут без потерь не обошлось бы!

Жена его оказалась – даже сам, честно говоря, не ожидал – умницей. Большой умницей. Ни словом, ни жестом. Пережидала, усмехнулся он.

И – надо же – переждала! Кто бы мог подумать.

Правду говорят: жизнь прожить – не поле перейти. Столько нюансов, столько...

Как-то Ольга спросила Машку:

– Ну, как твой возлюбленный?

Та, выуживая из пачки печенье, словно мимоходом уточнила:

– Полюбовник.

Ольга смутилась:

– А что, есть разница?

– А то! – живо откликнулась Машка. – Еще какая! Неужто не понимаешь! Или прикидываешься?

Точное время расставания не определяли – мужества не хватало. Хотя оба понимали – вот эта встреча, скорее всего, предпоследняя. Ну или – предпредпоследняя. Так будет точнее.

Насмешка судьбы – в эту «предпредпоследнюю» Машка забеременела.

Расслабились, так сказать. Отпустили ситуацию. Потеряли бдительность.

Не виделись почти месяц – на свидании в Парке культуры (искать явочные квартиры обоим не хотелось) Машка довольно спокойно, в рабочем, так сказать, режиме, сообщила ему эту новость.

Он остановился как вкопанный и даже открыл рот.

Почувствовал, как липким потом покрылись ладони. Откашлялся – словно подавился – и тоненько, словно подросток, выкрикнул:

– И чего же ты хочешь? Чтобы я ушел из семьи?

Она подняла на него удивленные глаза и минуты две, словно видя его впервые, внимательно рассматривала.

А потом, легко вздохнув и посмотрев по сторонам, словно что-то потеряла, спокойно ответила:

– Что ты! Ни в коем случае! Как ты вообще мог об этом подумать?

И, словно сильно удивившись и даже его осуждая, медленно покачала головой.

Он нервно посмотрел на часы:

– Извини, важная встреча! Нужно спешить! – и залился краской.

Она важно кивнула и, словно проявляя заботу, поправила ворот его рубашки.

– Иди! – серьезно напутствовала она. – Конечно, иди!

Он нервно повел плечами, поспешно кивнул и, не оглядываясь, заторопился к выходу.

Она смотрела ему вслед – пока он не скрылся из виду.

Лицо ее было совершенно спокойно и, казалось, ничего не выражало.

Когда его силуэт почти растворился и смешался с толпой гуляющих, она вздохнула, поправила волосы и спокойно сказала вслух:

– Дурак. А в общем-то, жаль.

И поспешила в глубь парка – на озерцо. Посмотреть на лебедей.

Если они там еще есть.

Да! По дороге она купила стаканчик пломбира. С большим удовольствием, надо сказать, съела.

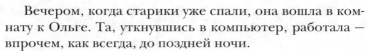

Вечером, когда старики уже спали, она вошла в комнату к Ольге. Та, уткнувшись в компьютер, работала – впрочем, как всегда, до поздней ночи.

Ольга ей кивнула:

– Сиди. Но – молчи.

Машка молчала недолго.

– Лель! А какие тебе нравятся имена?

– В смысле? – не отрываясь, спросила та.

– В прямом! Ну, мужские – Олег там или Владимир. Или Иннокентий, например. Или вот еще, из новых – Руслан или Мефодий.

– Какой Мефодий? Ты что, сбрендила? А вообще, все у меня как-то ассоциативно. Иннокентий – это Смоктуновский. Руслан – в паре с Людмилой. А Олег... Ну, который Вещий. Наверно, так. Да! – Она на секунду задумалась. – А вот Владимир... Нет, не нравится! Потому что мой начальник. И потому что вредный.

Она снова принялась печатать, как вдруг опомнилась и повернулась к племяннице.

– А это ты к чему? – спросила она и удивленно посмотрела на Машку.

Та, накручивая, как в детстве, на палец свой черный локон, спокойно ответила:

– Да так, для коллегиальности. Чтобы не было расхождений. В смысле, как назовем ребенка.

– Какого ребенка? – тихо спросила Ольга.

– Моего! – ответила Машка. И поспешно добавила: – В смысле – *нашего.*

Ольга откинулась в кресле, сняла очки и протерла глаза.

– Та-ак! А вот с этого места – поподробнее. Если, конечно, можно!

– Запросто! – рассмеялась Машка. – Только какие уж тут подробности! Дети возникают совершенно обычным и всем известным способом – всегда и везде, если ты забыла.

— Остроумничаешь? — уточнила Ольга. — Уже хорошо. И все же по порядку. Если ты не возражаешь.

* * *

Ключевое слово — «нашего», произнесенное Машкой, решило судьбу малыша еще тогда, в утробе его легкомысленной матери.

Мальчика, подтвердило новомодное УЗИ на очень раннем сроке, — а Машка сразу была в этом абсолютно уверена.

Растерянная семья — Ольга, Елена, Борис и, конечно, Гаяне (имеющая к этому ребенку, своему правнуку, самое непосредственное отношение) — пыталась унять тревоги, волнения и страх.

— Радуйтесь! — приказала Машка.

И все дружно старались следовать ее наставлению.

Гаяне, разумеется, кряхтела и охала. Елена пыталась взять себя в руки, понимая, как опять отменяется ее такая спокойная ныне и размеренная жизнь. Борис Васильевич долго молчал, а когда немного пришел в себя, спросил:

— Почему у нас всегда так?

Вопрос был адресован, разумеется, жене.

— Как? — уточнила и без того раздраженная и беспокойная Елена.

— Вопрос риторический, — объявил он обиженно и хлопнул дверью.

Не выдержав, спокойная Елена почти взорвалась:

— Потому! И прекрати задавать дурацкие вопросы, на которые ответа нет! И вообще, не гневи бога! Все живы и, слава богу, почти здоровы.

Муж обиделся и снова надолго замолчал.

Ольга пребывала в задумчивости и растерянности.

Нет, все правильно, надо рожать! Она в который раз вспоминала свою историю с Димой Колобовым. Жалела о сделанном? И да, и нет. Головой понимала — тот ее выбор был единственным и правильным. А вот сердцем...

Да что говорить – что сделано, то сделано. И сколько ситуаций бывает неисправимых! Безнадежно и безвозвратно неисправимых. Что говорить...

А Машке сам бог велел. Тогда она ей сказала: «Рожай, сколько бог даст». Она молодая, здоровая. Может рассчитывать на окружающих ее близких людей. Хотя... На кого, спрашивается? На постоянно болеющую, совсем дряхлую Гаяне? На Елену – тоже отнюдь не девочку, едва справляющуюся с проблемами и болезнями мужа? Про Бориса и говорить нечего – он и своих-то детей не очень воспитывал.

Она, Ольга. Да, еще в силах, еще на ногах. Но она – единственный их кормилец. И в этом и заключается ее помощь семье.

Вот только Машка была беззаботна. Тоннами поглощала маринованные огурцы и шоколад – несмотря на ворчание деда. До полуночи смотрела телевизор. На улицу выходила неохотно: «Да ну! Такая мерзючая погода!» И была в превосходном настроении! Вот такие чудеса.

Однажды Елена осмелилась спросить ее про отца ребенка.

Та легкомысленно отмахнулась:

– Да ну, Леночка! Поверь мне, что это совсем неинтересно! Хотя... – тут она задумалась. – Если тебя интересуют происхождение и гены... То здесь будь совершенно спокойна! И с тем, и с другим все обстоит замечательно! И ко всему этому прилагается богатая фактура – уж ты мне поверь! – И она, улыбнувшись легко и радостно, хрустнула откушенным яблоком.

Елена поверила. А что оставалось делать? Хотя бы это немного утешало.

Так, слегка.

И тему эту закрыла навсегда – слишком хорошо зная Машку.

Ольга не выдержала лишь однажды – с удивлением наблюдая беспечность будущей мамаши.

– А отец ребенка, собственно говоря, в курсе? – позволила себе осведомиться она.

– Отец? – переспросила та. – А какой он, собственно, отец? Так, биологический материал. Не самый, надо сказать, плохой. И вообще, какое нам до него дело? Свое дело он уже сделал! – И она рассмеялась своему каламбуру.

Ольга вздохнула и осуждающе покачала головой – та еще штучка, ее племянница! Что еще выкинет? Бог знает.

И все же после долгих и мучительных раздумий с «папашей» решила встретиться.

Караулила его у НИИ два дня. Узнала по фотографии, когда-то показанной влюбленной Машкой.

Он и вправду был хорош, этот Венедиктов. Хорош и, как казалось, вполне доволен жизнью.

Она окликнула его, когда он садился в новенькую блестящую машину.

Он обернулся и, оглядев Ольгу с головы до ног, обворожительно улыбнулся.

Она сухо представилась, наблюдая, как улыбка сползает с его породистого и довольного лица.

– И что вы хотите? – невежливо осведомился он.

Ольга замешкалась – хороший вопрос! И что на него ответить?

– Ответственности, – наконец нашлась она и почему-то сильно покраснела.

Он нехорошо ухмыльнулся.

– А простите, за что?

Она покраснела еще больше – теперь от возмущения.

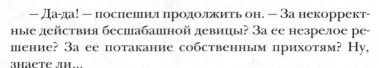

– Да-да! – поспешил продолжить он. – За некорректные действия бесшабашной девицы? За ее незрелое решение? За ее потакание собственным прихотям? Ну, знаете ли...

Он возмущенно и осуждающе покачал головой.

От такой наглости Ольга почти задохнулась.

– И это говорите вы? Вы? Женатый и взрослый человек? Который сошелся с девятнадцатилетней девочкой?

Венедиктов равнодушно пожал плечами:

– Вот именно – женатый! И Мария это прекрасно знала! К тому же, знаете ли, она была вполне совершеннолетней. Так что статьи за это не полагается. И случилось все по взаимному согласию, заметьте! Да и сколько она меня преследовала – вы не представляете! И вообще, – он посмотрел на часы, – извините, спешу. С сегодняшнего дня я, простите, в отпуске!

– Ну ты и сволочь! – промолвила Ольга и добавила: – Приятного отпуска и безмятежных снов.

Ощущение было такое, будто ее вымазали в грязи. А еще точнее – в дерьме.

Машка, разумеется, про ту встречу ничего не узнала.

И через четыре месяца родила прекрасного мальчика. Крупного, щекастого и очень хорошенького.

Родила очень легко. Потом говорила: «Родить – это раз плюнуть. Как в туалет сходить».

На семейном совете мальчика назвали Арсением.

Коллегиально – как и предлагала молодая мамочка.

Елена с Ольгой любовались малышом, умиляясь всему – крохотным пальчикам на ручках и на ножках, толстой розовой попке, темным кудельками и длиннющим, «девичьим» ресницам.

Это и вправду был *их* мальчик. Их общий мальчик, рожденный, как теперь они были уверены, на радость ВСЕМ.

Машка, наблюдая за квохчущими умиленными родственницами, широко зевнула и объявила, что идет спать.

– Да! И не заходите, пока не встану: устала, сил нет. Эти бессонные ночи – кошмар какой-то!

Ольга, не отрываясь от младенца, махнула рукой:

– Иди, иди! Дрыхни.

Только нам не мешай.

Обожать и умиляться.

* * *

Этот ребенок, такой неожиданный и такой нежданный, оказался обожаемым и залюбленным, окруженный непрестанным тревожным вниманием, беспрерывной утомительной нежностью и, разумеется, заботой – той, что со временем больше раздражает, чем умиляет.

Ни одной минуты он не находился в необходимом для младенца – хотя бы в воспитательных целях – одиночестве.

Он даже не успевал заплакать или расстроиться – только скорчить умильную кривую гримаску. Тут же начинались бестолковые шумные хлопоты и суета.

Елена – естественно. Чуть позже, примерно через полгода, Борис Васильевич. Дальше – Ольга, ходившая на работу теперь от случая к случаю – под предлогом работы дома. Что ей, слава богу, позволялось.

Если присутствовала прабабка, Гаяне, то переполоху становилось еще больше.

Кстати, Борис Васильевич, имевший теперь новое устойчивое прозвище «дедуська», к правнуку был так трепетен, нежен и чем-то постоянно озабочен, что никто его в этом качестве не узнавал – ни бывшая жена, ни действующая.

Ему было доверено самое важное, как он считал, занятие – прогулки с Сенечкой во дворе.

Под шепот домашних и их удивленные перегляды он вполне вписался в компанию молоденьких дворовых мамашек. И даже делился некоторыми познаниями и удивительными открытиями, касающимися воспитательных процессов младенцев, со своей семьей.

Под их, кстати, громкий хохот.

Гаяне взяла на себя гастрономическую часть забот. И, слыша восторженные похвалы бывшего мужа, густо покрывалась краской – от гордости и смущения перед Еленой.

Но и Елена похвал не жалела. И только приговаривала, как она жалеет Бориса, ущемленного в этом вопросе:

– Куда мне, Гаечка, до тебя! У кавказских женщин этот талант в крови. А я в этом вопросе совсем неспособная.

Гаяне краснела еще больше. И еще больше от этого страдала. А в душе... Немного собой гордилась. И желала угодить Борису еще сильнее.

Машка тоже не чуралась похвалы, уписывая за обе щеки долму, дюшпару – крохотные пельмешки, с ноготь, сваренные в мясном бульоне, кутабы – что-то вроде чебуреков, только с зеленью и сыром.

– Это во мне пенятся армянская кровь и бакинское происхождение! – оправдывалась она, поглощая шестой чебурек и подкладывая себе малюсенькие голубцы в виноградных листьях.

Гаяне часто оставалась ночевать.

Борис Васильевич поначалу дергался и нервно объяснялся с женой:

– Ну, знаешь ли, это, по-моему, немного чересчур.

Елена отмахивалась:

– Не придумывай. Просто бред, ей-богу! Пожилому человеку тяжело добираться на край Москвы. Да с ее-то больными ногами. Комната есть, кровать тоже. Нет, вот ты подумай! – И тут ее тихий голос переходил на крещендо: – Кто у нее есть, кроме Машки и Сенечки? И потом, – тут Елена усмехалась, – о чем говорить? Кто помнит, что это твоя первая жена? Вот именно, никто. Гая нам давно уже родственница. Причем самая близкая, – укоряла она мужа. – Да что говорить, времена обид и взаимных претензий давно прошли. Так давно, что, честно говоря, я не помню: а были ли они? Все и всех давно простили и со всем примирились. И все давно не просто пожилые люди, а, в общем-то, старики. И ты, Казанова, в первых рядах – уж извини!

Борис Васильевич ненадолго обижался – пока не подходил к кроватке правнука, где моментально забывал обо всем.

Любить младенцев – труд не тяжелый. К тому же своих, кровных. К тому же Сенечка был так очарователен, как может быть очарователен и восхитителен толстый, в перевязочках и кудрях, большеглазый ребенок. «Ну просто Купидон, а не младенец», – умилялись прохожие на улице, заглядывая в коляску.

Машка была матерью трепетной, но нервной. Уходя из дома, торопилась обратно. Влетая в квартиру, тут же бросалась к сыну, зацеловывала его, затискивала. А при малейшем его недовольстве – злилась и раздражалась. Если Сенечка капризничал – орала на него как резаная, вызывая справедливый гнев рассерженной родни.

Если у мальчика разбаливался живот или цеплялась другая хвороба, Машка принималась рыдать в голос. И все успокаивали мать, мгновенно отвлекаясь от ребенка.

Молодые мамки – «прогулочные» подружки – Машке откровенно завидовали: ну у кого была еще такая райская жизнь? Ни у кого, точно.

Никто у этих бледных и замученных женщин ребенка из рук не вырывал – ни мать, ни тем более свекровь. И даже наличие мужа не облегчало их жизни – мужья работали или валялись у телевизора.

А у этой... Гулял дед, стирала тетка, готовила бабка. Другая бабка тетешкалась, кормила и занимала ребятенка.

Утром его торопливо забирали из Машкиной комнаты – пусть девочка поспит.

Ее отпускали по делам и к подружкам. Предлагали поехать на море с компанией друзей. Отпускали в кино и кафе. И мечтали, что бы она устроила свою личную жизнь.

Да и сама Машка не переживала, что родила от любовника и жила без мужа.

Повезло девке, ничего не скажешь!

Когда сыну было почти год, Машка ускакала с подружкой в Питер – развеяться, на пару деньков.

В Питере закрутила роман и стала мотаться туда два раза в месяц.

На это ей тетка давала денег, бабка пекла пирожки для ее возлюбленного, а дед предлагал «не торопиться». Без тебя, дескать, всем нам спокойнее. А то ты, матушка, чересчур экзальтированна. И даже, я извиняюсь, можно сказать, истерична.

И Машка не возражала. Правда, названивала из Питера по сто раз на дню. Требовала подробных докладов.

– Не домогайся! – кричал дедуська. – Все у нас по режиму! – И, тяжело вздохнув, передавал трубку Елене.

Невозмутимая, как всегда, та спокойно и обстоятельно докладывала – как Сенечка поел, поспал и, извините, покакал.

* * *

Ольга спросила Машку, что у нее там и насколько серьезно.

Машка легкомысленно отмахнулась:

– Ничего эпического, так, тешу волюшку и тело. Не бери в голову, пустячное дело.

– Цинично, – усмехнулась Ольга.

Машка отмахнулась:

– А, перестань! Ты же не Леночка, в конце концов. Это она все еще верит в неземную любовь и верность до гроба.

Ольга кивнула:

– Да, правда. Поэтому она у нас такая счастливая.

Милые девочки. Наивные девочки. Наверно, так подумала бы Елена, услышав их разговор.

Ольга успокоилась – значит, в Питер мальчика не увезут! Это самое главное.

А остальное... Действительно, пустячное дело. На здоровье, что называется.

* * *

Поначалу только Ольга ездила в Коньково, в новый Никошин дом.

Елена отказывалась категорически. Борис Васильевич вяло занимал сторону жены. Вроде как и не возражал общаться с «немолодой» невесткой, а вроде как и не рвался.

Ольга называла себя «засланец семьи».

Ездила нечасто и докладывала родителям обстоятельно.

Елена сидела напротив и жадно слушала. Останавливалась на подробностях – как чисто в квартире, что на столе, обихожен ли Никоша.

Слегка морщась, интересовалась про Катиных детей – воспитанны ли, шумны, аккуратны, образованны? Как с Никошей? Вернее, как ОН с ними!

Ольга терпеливо повторяла:

– Чисто. И очень. Стол накрыт по-праздничному. Два салата (один – любимый Никошкин оливье). Второй – морковка с яблоком, витаминный. Суп из шампиньонов с гренками. Обалденный, кстати, суп! Надо и нам попробовать. На второе – котлеты с пюре, как

Никошка любит. Чай с вареньем и с пирогом. Покупным, мам! Расслабься! – Потом, раздражаясь, скороговоркой: – Унитаз блестит, волос в раковине нет, пыли на мебели тоже – а как же, проверяла! Белым платком! Дети замечательные. Воспитаны прекрасно. Во взрослые разговоры не лезут, говорят «спасибо» и моют руки перед едой. Все, мам? – желчно осведомлялась она.

Елена обижалась и начинала плакать.

Ольга брала себя в руки и терпеливо объясняла – в который раз:

– Мамочка! У них все хорошо! Поверь мне! Катя – хорошая и милая женщина. Невооруженным глазом видно, что Никошку она обожает! И он ее, кстати, тоже – уж извини! Детей Никошка любит, и они его тоже! У Кати вкусно и чисто. И вообще – в доме мир, лад и покой! Ну и что тебе еще надо? Может, наконец смиришь свою гордыню? Ради родного сына?

Да все давно понятно! Все и давно! И что Катя эта хорошая, и что Никошке там уютно и спокойно, и что чужих детей любишь зачастую не меньше, чем своих, кровных. Уж кому, как не Елене, об этом знать! Разве Машку-большую она не любила? А про Машку-маленькую и говорить нечего! Ни разу в жизни ей не пришла в голову мысль, что та ей неродная!

А маленький Сенечка? Такой восхитительный и обожаемый! И такой родной!

Вот ведь судьба – трое своих детей и ни одного кровного внука! И что?

А ничего. Счастье, что есть Машка и есть Сенечка. Вот что!

Просто было стыдно. Вот и все. За себя стыдно. За свой разговор с Катей тогда. За то, что не пошла на свадьбу. За то, что не ездила к ним все эти годы. За то, что не передала ее детям ничего и ни разу – ни игрушки, ни шоколадки.

За то, что звонила Никоше только на работу. За все.

И что ей сделала эта женщина, что? Чем навлекла такой гнев и ненависть?

«Не пара». Не пара ее драгоценному сыну, как казалось. А оказалось, что пара. И что жена – оказалось. И хозяйка, и приличная мать.

И что Никоше с ней хорошо. Это же очевидно, шесть лет прошло!

Просто надо попросить прощение. И все.

Хотя нет, не все. Еще надо надеяться на Катино великодушие.

И найти в себе силы поехать туда и покаяться.

Не так-то много. Хотя...

* * *

После блестящей защиты диплома Никошу пригласили в аспирантуру. Через два года он так же блестяще защитил кандидатскую – «Исследование механизма репрограммирования клеток культей и конечностей после удаления». Он написал несколько научных работ по изучению бластемы – скопления неоднородных клеток на раневой поверхности после ампутаций. Этими разработками заинтересовались фармацевты. Начались совместные работы в сфере практического применения лекарственных средств. Никоша был приглашен на международную конференцию в Лондон. Его исследования помогали в лечении инфарктов и инсультов.

Поехать наконец к Никоше Елену уговорила Гаяне – Ольга полномочия с себя сложила. Сколько можно биться с этой упрямицей? Надоело.

Гаяне тихо сказала:

– Его не жалеешь, себя пожалей! Сколько можно душу рвать? Ведь такой мальчик у тебя получился! Счастье, а не мальчик! – И, помолчав, добавила: – Эх, Лена!

Я бы на крыльях летела! Каяться, извиняться, молить! Было бы только к кому!

Через неделю поехали на Катины именины. Всем составом – Борис, Елена, Ольга и Машка с Сенечкой. Еле расселись в маленькой Ольгиной машине.

Гаяне поехала к себе:

– Ну я-то тут при чем? Дело семейное.

Елена даже обиделась. Ничего себе «при чем»! Все мы при чем и при всем.

Дверь открыла хорошенькая девочка с розовым бантом в толстой косе.

– Привет, племянница! – Ольга чмокнула девочку в щеку.

Елена окончательно смутилась – вон оно как? И восхитилась дочерью.

Вышли Никоша с Катей и с мальчиком в белой рубашке с крошечным галстучком.

Стол был накрыт в комнате, по-парадному. Белая скатерть, хрустальные бокалы. Закуски плотно покрывали поверхность стола.

Все, немного смущаясь, расселись. Дети чинно и тихо пристроились с краю.

Обстановку, как могла, разряжала Ольга. Катя, еще больше располневшая и очень, надо сказать, похорошевшая – ведь все женщины хорошеют от любви, – не присаживалась и хлопотала вокруг стола.

Елена разглядывала сына. Сейчас, здесь, он был совершенно другой. Не тот, что заходил к ним ненадолго в гости.

Сейчас перед ней был мужчина. Хозяин. Глава семьи. Взгляд которого ловили домашние – жена и дети. К тихому голосу которого прислушивались и мгновенно все исполняли.

Он смотрел на детей так... Как смотрят на своих детей, в общем. И Елена услышала, как мальчик, Катин сын, обращается к нему: «Пап!»

Она увидела, как смутились при этом Катя и старшая девочка.

Елена похвалила готовку невестки – и это было совершенно искренне.

Когда Катя собирала со стола посуду, Елена вышла вслед за ней на кухню.

Она плотно прикрыла дверь и увидела, как молодая женщина зарделась и даже как-то подобралась – от испуга, что ли. Словно была готова обороняться.

Елена подошла к ней и взяла ее за руку.

– Простите меня! – хрипло сказала она. – Ну, если можете – простите!

Катя вздрогнула и ответила:

– За что, господи? Не за что мне вас прощать, Елена Сергеевна! Только благодарить вас надо! За такого мужа! И еще – называйте меня на «ты». Ну, если вам не трудно. А то как-то на «вы»... Ну не по-родственному это. Неловко мне как-то!

Елена шагнула вперед и обняла ее.

Так они простояли несколько минут. И обе, наверное, почувствовали большое облегчение. Елена уж точно!

– Ну, давай ставить чайник! – выдохнула она и улыбнулась.

Катя кивнула. Губы и руки дрожали у обеих. А что тут удивительного? Нормальный, человеческий ход событий.

И все же самым счастливым в этот вечер был Никоша.

А обе женщины, молодая и старая, об этом как-то не подумали...

* * *

Несмотря на Ольгину загруженность, болезни стариков, воспитание Арсюши и прочее, прочее, она умудрилась внезапно «упасть» в роман.

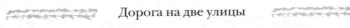

Совсем этого не ожидая. Роман казался окружающим — а все об этом узнали в первый же месяц как бывает со всеми подобными служебными историями, — банальным и в какой-то степени отдающим дань новой моде.

А дело было вот в чем: Ольгин любовник был моложе ее на добрых (или не очень) тринадцать лет.

И был, естественно, ее подчиненным. Посему в кулуарах (читай — курилках) был вынесен немилосердный вердикт: с ним — понятно. Ловкий мальчик желает сделать карьеру. А с ней уж тем более. Стареющая одинокая тетка жаждет молодого и крепкого тела — со всеми вытекающими, естественно.

Это было и так, и не так. Оператор Артем сделать карьеру, безусловно, хотел. Но и босс, то есть Ольга, ему нравилась, и очень. Как человек и как женщина. Воспитанный суровой бабкой, он тяготел к умным и взрослым, опекающим его женщинам. И, кстати, первая его жена была старше на восемь лет.

А банальность, конечно же, присутствовала. Куда ж в этих историях без нее? После очередного корпоратива трезвый (по причине обостренной язвы) Артем подвез до дома свою начальницу, Ольгу Борисовну. Развеселую и расслабленную — после асти-мартини и французского коньяка.

До дома подвез, да не до ее, а до своего — так уж получилось.

И опять банальность:

— А не выпить ли нам крепкого кофе? У меня привозной, колумбийский. Элитного сорта. Приятель возит — он там часто бывает. И варю я, кстати, в старой медной джезве, еще бабулиной. А ей привезли когда-то из Армении. Сто, примерно, лет назад.

Она улыбнулась — ну раз сто... Как не выпить? Из антикварной, можно сказать, турки.

Да и домой являться в таком состоянии не хочется.

Он удивился – это кого же она так боится? Мужа нет, живет вроде с родителями. Их, что ли? Ну совсем смешно!

Поднялись. Выпили. Кстати, она отметила, что кофе он варит отлично.

Поболтали о том о сем. И... строгая начальница, его леди-босс, уснула! Прямо в кресле, поджавши ноги.

За те десять минут, пока он варил свежую порцию кофе на крошечной кухне.

Он растерялся. Потом бережно взял ее на руки, уложил на диван и укрыл одеялом.

Она что-то пробормотала, почмокала губами и – еще крепче уснула.

Артем сел в кресло напротив и задумчиво ее разглядывал. Сейчас, при тусклом свете низкого торшера, она показалась ему совсем девочкой – тоненькой, хрупкой и мечтательной.

К середине ночи, когда окончательно затекли спина и ноги, он примостился на краю дивана – не раздеваясь и накрывшись старым махровым, еще отцовским, халатом.

Через полчаса, почувствовав, видимо, рядом живую душу, Ольга положила руку ему на грудь.

Он, молодой и уверенный, расценил это как приглашение.

Ночью все было просто волшебно – ну, по крайней мере, ему так показалось.

А вот утром... Ольга Борисовна была смущена и немного зла.

Даже желчно осведомилась:

– Доволен?

Он покраснел, как мальчишка, и уточнил:

– В каком смысле?

– В прямом, – усмехнулась начальница.

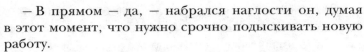

– В прямом – да, – набрался наглости он, думая в этот момент, что нужно срочно подыскивать новую работу.

Она быстро оделась и вышла, едва кивнув.

На работе оба усиленно делали вид, что ничего не произошло. Правда, он отмечал, что железная леди все же краснеет – при близких контактах.

И, кстати, не гнобит и не травит – значит, хороший человек, так получается.

А однажды они столкнулись у входа. Она стряхивала с зонта дождевые капли. Он ее обогнал и поздоровался.

Ольга как-то лихо улыбнулась и лукаво и кокетливо спросила:

– А что кофе ваш колумбийский? Закончился? Или еще остался?

В этот момент оба покраснели. Он сглотнул слюну, кивнул и ответил:

– Есть, а как же. Нового завоза.

– То есть совсем свежий? – уточнила она.

Он кивнул.

– До вечера? – еще раз уточнила она.

И он опять кивнул. Подумав при этом: «Ну и дела! Ни фига себе!»

Она вот ничего не анализировала. Поддалась, так сказать, «чуйствам», и все. Думать себе про все это категорически запретила.

Просто, банально и слегка примитивно – пусть будет. Имею право, в конце концов, и на личную жизнь. А здесь все без заморочек – и ему, и ей понятно, что им друг от друга надо. Значит, без выяснений, истерик, претензий и прочей любовной муры.

На что-нибудь более сложное ни сил, ни желания у нее не было.

От этих мыслей становилось грустновато и не очень ловко. Но... Жизнь, время и нравы, что называется, диктуют свое.

Свое диктуют возраст, здоровье, семейные проблемы и жизненный опыт. Две Ольгины истории, длительные, муторные, тяжелые и абсолютно нерезультативные, давали ей право думать так и так поступать – она так решила.

И все же, сама от себя не ожидая, прикипела к своему «мальчику» довольно быстро и крепко. Женщина, что говорить!

Конечно, «любовь, похожая на сон» не случилась. Были «теплые дружеские отношения». Поездки в города и страны, в пансионаты на выходные, походы в театры, кафе и выставки, – все это называется «личная жизнь». Приятная и необременительная, теперь она у Ольги была. Почти устойчивая, кстати – целых два года.

А на третий... Вот на третий, когда Ольга почти влюбилась и готова была себе в этом признаться, привыкла, прикипела...

Артем Тоболин влюбился. В хорошую девочку. Молодую (естественно) и вполне симпатичную – нового гримера Ксюшу Каминскую.

Ольга заметила перемены эти сразу – как оба, Тема и Ксюша, вспыхивают глазами и щеками, теряются, смущаются и... радуются друг другу.

Ольга и не думала, что все ЭТО будет приносить ей такие страдания. Как только она себя ни ругала – и старая, выжившая из ума дура. И маразматичка, и идиотка. Не помогало. Страдала все равно, сердце рвалось и ныло. А вот окончить эту историю смогла одним махом. Отрезала так, что он от радости чуть не помер. «Свобода!» – читалось в его глазах.

Разумеется, никого не уволила – пусть плодятся и размножаются. Закон природы. И все же видеть все это, наблюдать, отмечать, как светятся их молодые и счастливые глаза, было невыносимо больно.

Себя взяла в руки. Железная ведь леди! Видела, как за ней наблюдают десятки любопытных глаз. Дулю вам! Не получите! Кайф свой не словите!

Ну, как водится, все пошушукались и забыли. И еще оценили начальницу – молодец баба. Не стерва! И характер будь здоров! Ни ухом, ни рылом, как говорится! Вот это выдержка! И приклеилось еще одно прозвище – Железный Феликс.

Но Ольга об этом ничего, слава богу, не знала.

Артем и Ксюша вскоре поженились. Отмечали и на работе – молодые проставились, как положено.

Начальница подарила кофемашину. С намеком? Наверно. Жених смутился и растерялся. Невеста обрадовалась.

Боже! А чего это стоило начальнице... Не будем о грустном. Не будем. Праздник все-таки – свадьба!

* * *

Дома тоже приходилось держать себя в «ежовых». Чтобы никаких вопросов. Ни от матери, ни от Машки. Даже здесь не поскулить, не пожаловаться, не поплакать...

А они и не заметили – мать с отцом «буйнопомешанные» на правнуке, Машка в своих делах. Только Гаяне как-то странно на нее смотрела. Впрочем, может быть, кажется? У нее, у Гаяне, всегда в глазах плещется грусть и печаль. В прекрасных, бархатных глазах.

Нет, не показалось – подошла она как-то, вздохнула и провела по Ольгиным волосам:

– Девочка моя! Бедная девочка!

Ольга вдруг прижалась к Гаяне и разревелась.

Та – ни вопроса, ни слова. Просто обнимала и гладила – все.

А что еще, собственно, надо? Ничего. Просто чтобы пожалели.

Хотя бы – иногда.

И еще один осколок в сердце прибавился.

А через полгода, под самый Новый год, умер Борис Васильевич. Скоропостижно – лег спать после обеда и не проснулся.

«Легкой жизни я просил у Бога – легкой смерти надо бы просить».

Похоже, что он ее выпросил, легкую смерть.

Вскоре после его смерти Никоша с семьей уехал в командировку в Японию. Получить в свою лабораторию Николая Луконина, прекрасного специалиста в области дифференцирования тканей, было огромной удачей.

* * *

Эти два события, смерть мужа и отъезд сына, которого она недавно вновь обрела, резко и быстро подкосили Елену. Она потеряла интерес ко всему.

Смысл жизни, казалось, был безвозвратно утерян. Ей стало неинтересно даже читать – любимое прежде занятие. Раньше она с удовольствием пересматривала старые советские фильмы – те, что из ее молодости. Теперь, когда Ольга звала ее к телевизору, она отмахивалась: «Ну сколько можно, Леля!» Слегка оживлялась, когда в ее комнату забегал Арсюша. Но скоро утомлялась и просила его увести.

Она не хотела вставать с кровати, совсем потеряла аппетит, и любое общение, даже с любимой дочерью, было ей откровенно в тягость.

И даже скрывать этого она не хотела.

Теперь была только одна радость – звонки от Никоши. Иногда он был очень занят, и тогда трубку брала Катя. Катя подробно рассказывала ей об их жизни, посвящала в успехи Никоши, рассказывала про японскую кухню, которой сначала они были очень увлечены, а потом всем захотелось борща и селедки с черным хлебом. Присылала фотографии Токио – с подробным и тщательным описанием достопримечательностей. Уговаривала Елену приехать к ним погостить.

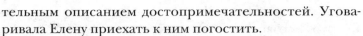

Елена могла ворковать с ней бесконечно. Даже Ольга смеялась: «Ревную, мам!»

– Какая она чудесная женщина! – заключала после разговора Елена. – Как же Никошке с ней повезло!

Ольга, Машка и Гаяне переглядывались и улыбались. А Машка ехидно, в своем стиле прокомментировала:

– Зрение, Леночка, пораньше надо было проверить!

– Зачем? – изумлялась Елена.

– Чтобы Катю быстрее разглядеть! – вздыхала Машка, сетуя на Еленину непонятливость.

Ольга не знала, чем угодить матери. Покупала в супермаркете всяческие деликатесы – от икры, рыбы, сказочных пирожных с фруктовым желе и свежей малиной до зимних арбузов и черешни, волшебным образом лежавших ныне на прилавках и по-прежнему удивлявших бывших советских неизбалованных граждан.

Елена только расстраивалась:

– Ну зачем такие траты, Леля!

– Поешь! – чуть не плакала дочь.

Елена вяло отламывала ложкой кусочек пирожного, больше похожего на нарядную брошку, съедала пару черных, размером со сливу, приторных черешен, откусывала кусочек от бутерброда с севрюгой, светящейся насквозь янтарным застывшим жирком.

Потом извинялась, видя расстроенные глаза дочери:

– Ну ты же знаешь, какой из меня едок!

Ольга подумала, что в принципе у матери аппетит по жизни (новое модное слово!) очень размеренный. Если не сказать – слабоватый. А точнее – никакой. Никогда ни от чего она не приходила в бурный восторг, никогда ничего страстно, по-женски, не желала. Не имела хрустальных и несбыточных «мечт». Всем была довольна и ни на что не роптала. И в этом, наверное, были ее мудрость и ее счастье – ей всего хватало.

В общем, ни желаний, ни жалоб. И что это – неизбывное, знаменитое русское долготерпение? То, которое сродни внутреннему рабству?

Или все-таки было недовольство жизнью, которое она мужественно и достойно претерпевала и перебарывала? Да и кто знает, что за демоны в чужой душе?

Прекрасная русская женщина, полная добродетелей и достоинств.

И сколько таких долготерпивиц в огромной стране?

Только плечи опускаются все ниже и голова...

А путь продолжается.

И еще мысль – вот такая вот жертвенность, с большой буквы, и есть единственный способ сохранить семью. То есть – быть «за мужем».

Такое вот открытие. Поздновато.

* * *

Примерно через полгода после смерти Бориса Васильевича мать и дочь начали разговаривать – так много, часто и подробно, как не говорили никогда. Вспоминали семейные события, веселые и грустные. Вот только совсем печальные старались обходить стороной.

Елене хотелось говорить о муже, вспоминать историю их любви, молодость. В голове всплывали совсем забытые и незначительные, казалось, подробности, которым теперь она придавала большой и глубокий смысл. Она, как часто бывает, совсем не помнила плохого – словно ни разу в жизни он не обидел ее, не расстроил и не огорчил. Сейчас он казался ей благородным, смелым, прекрасным – таким, которым хочет видеть возлюбленного любая женщина.

Она подолгу перечитывала его письма – те редкие послания, которые он посылал ей, когда она отдыхала с детьми.

Письма были довольно сухие, скорее бытовые – но она и в них находила между строк то, что ее трогало и радовало.

Еще она благодарила Бога за то, что он дал им так прожить последние годы – вместе, дружно и неразделимо.

– Нажились мы с отцом, – говорила она. – Так нажились – за всю нашу жизнь. Только тогда я наконец осознала, что он для меня значит. И он осознал, Леля, я это точно знаю. Чувствую. Он же не мог без меня ни минуты, помнишь? – Она требовала от дочери подтверждения. – Вот даже смешно – старые, больные, немощные. Пережившие столько горя... И мы были счастливы больше всего именно тогда, в последние годы! После таких потерь и растрат!

Говорить они могли допоздна, до полуночи. Потом Елена спохватывалась:

– Лелька, тебе же рано вставать! Совсем я рехнулась, дура старая! – И она гнала Ольгу спать.

Ольга уходила к себе, поцеловав мать на прощание. Уходила со щемящим чувством и мыслью – а ведь скоро этого не будет! Ну или не скоро, дай Бог, пожалуйста, дай! Или – когда-нибудь. И от этого «когда-нибудь» было не менее страшно. Так страшно, что она, как в детстве, долго плакала («Мама, а ты никогда не умрешь?») и не могла уснуть.

Даже нет, не как в детстве. Гораздо страшнее.

Потому что в детстве не понимаешь всей неотвратимости жизни. К счастью.

* * *

Дмитрий Андреевич Колобов позвонил ей поздно вечером, в полпервого ночи.

Спросил:

– Не занята?

Она удивилась:

– Что за любопытство? А если и занята? Ты что, положишь трубку?

Он согласился:

– Не положу.

– Говори, – вздохнула она. – И, пожалуйста, по делу и покороче. Завтра рабочий день, между прочим.

Он тяжело вздохнул, пару раз хмыкнул в трубку, откашлялся и наконец начал – после ее короткого и требовательно-раздраженного «ну!».

Он поведал, что умерла маман и посему он полгода в глубоком трансе и, можно сказать, в трауре.

Ольга молчала и соболезнований не высказывала.

Потом он еще покашлял и сообщил, что получил грант во Францию. Точнее – в Лион. Работа прекрасная, условия дивные, что у французов бывает нечасто.

Она по-прежнему молчала.

Он тоже на несколько секунд замолчал, раздумывая, видимо, стоит ли продолжать так красочно распинаться.

Делать нечего – продолжил. Пару минут он расписывал квартиру с двориком и пышным палисадником, прекрасный район, близость метро и магазинов. Еще раз упомянул про условия, в частности – жалованье и всяческие бонусы.

Ольга молчала. Наконец он не выдержал:

– Ну что ты молчишь? Неинтересно?

Она усмехнулась:

– В каком смысле?

– В общечеловеческом, – зло ответил он.

– А, в этом... – протянула она. – Тогда – да. Я очень за тебя рада! Очень, Дима. Можно сказать, счастлива.

– А почему столько неприкрытой иронии и цинизма? – осведомился он.

– Ой, прости! – в тон ему ответила Ольга. – Жизнь научила радоваться за других сдержанно. Понимаешь, о чем я?

– Какая ты стала! – удивился он.

– Какая? – уточнила она.

– Дерзкая. И сколько сарказма!

– Учителя были хорошие, – откликнулась она. – Замечательные были учителя!

Он замолчал и вдруг переменил тон:

– А знаешь, Лелька! – он рассмеялся. – Выходи за меня замуж! И вместе рванем во Францию!

Она ответила не сразу:

– Да... Разрешения больше спрашивать не у кого. Понимаю – свободен. К шестидесяти годам наконец мальчик осмелел и готов принимать решения. Ну поздравляю, что сказать. И очень за тебя рада! – И с каким-то сожалением добавила: – А ты дурак, Дима. Вроде все про тебя понимала... Что мозгляк, тряпка, подкаблучник. Подлец, наконец. А вот что дурак – не знала. Удивил!

И положила трубку.

* * *

Машка рвалась на работу. Ольга все понимала, но... Отдать Сенечку в детский сад казалось немыслимым.

Пришлось нанимать няню. Тоже убытки, но Машка стояла на своем.

Что непонятного – дома сидеть надоело, хочется общения, тусовки. Жизни хочется.

Машка умоляла устроить ее в «Останкино». Ольга поддалась, но к себе на канал не взяла – лишние разговоры ни к чему. Устроила на соседний. Редактором на знаменитое ток-шоу.

Машка была счастлива. Эта работа точно по ней – горячая, шумная, в огромном, постоянно бурлящем людском круговороте. Программы писались четыре дня в неделю, с утра до вечера. В ведущего, красавца и холостяка, моментально влюблялись все редакторши, гримерши и нерадивые героини программы.

Харизматичен он был до безумия – что правда, то правда. И так же ко всем равнодушен. Поговаривали о его нестандартных проблемах, но...

Это была чистая ерунда. И вскоре он женился – на девочке скромной, милой и совершенно не знатной. Обычной бедной, приезжей девочке. Тихая такая девочка, уже давно не ждущая от жизни подарков в цветной упаковке с шелковым бантом.

Рейтинг его как мужчины вновь подскочил – этакая сказка о Золушке и прекрасном принце.

Машка просиживала на работе до полуночи – то сбор материалов, то командировки в регионы, то запись.

Домой приползала – не приходила. И говорила, что никогда раньше не чувствовала себя такой нужной и счастливой.

Ольга вздыхала и качала головой.

– «Нужной». Ну ты скажешь! Нужны только рейтинги. И все! Как ты этого не понимаешь? И мир ты не изменишь, не надейся! Как я не изменила, когда уехала из Москвы в тмутаракань, в районную газету. Там все по-прежнему. Все так же пьют, завидуют, мордуют своих баб и не хотят работать.

Только еще всем интересно посмотреть на это со стороны, с телевизионного экрана. И удивиться – надо же, и у них так же! Так же нет дорог, газа, лампочек в подъезде. Так же пьют мужики и бабы, так же колется молодежь. Такая же гадина свекровь, сука невестка и пьяница теща. Так же нет работы, не уродился картофель, и у того дурака тоже угнали машину. А у этой – больной ребенок. И даже тяжелее, чем у меня. И сволочь докторишка вымогал деньги и тоже отвратительно сделал операцию. И им становится легче – под пивко с воблочкой. Легче и на душе спокойней. Вот для чего ВСЕ ЭТО сделано! Ты понимаешь? А вовсе не для того, чтобы изменить мир!

Машка качала головой, горячо пыталась оспорить сказанное теткой и... засыпала прямо за кухонным столом.

– Ладно! – уставала Ольга. – Сама скоро поймешь. Без моих подсказок! Поймешь, никуда не денешься! А говорю я тебе все это для того, чтобы ты поняла! И жизнь свою и здоровье не гробила – как я когда-то. Потому что есть вещи более важные – ребенок. Муж. Семья. А время, Машуля, летит быстро. Так быстро! – Ольга тяжело вздыхала и смотрела в окно. – Так быстро, что не заметишь. Вот они были – и нету! В смысле молодость и здоровье. Вот и подумай!

Все это она говорила убедительно и горячо.

Но понимала – она распинается напрасно. Машка все равно ее не послушает и сделает по-своему.

Это у них семейное, что поделаешь!

* * *

А к лету совсем разболелась Гаяне. Ходить почти перестала – ноги. Операцию делать отказывались – больное сердце, наркоз опасен.

Ольга моталась к ней три раза в неделю.

Совсем падая с ног от усталости, предложила матери забрать Гаяне к ним. А какой еще выход?

Предложила, как когда-то предложила забрать из больницы Машку-маленькую.

Елена, конечно же, согласилась.

– Так, Леля, тебе будет удобней. Хоть мотаться перестанешь. Да и Гаяне будет веселее. Что она там одна? Ни поесть толком, ни убраться. Да еще и Машку с Арсюшей совсем не видит! Но главное – ты. Чтобы легче было тебе, – повторила она.

Ольга вздохнула:

– Мама! Ну при чем тут я? Что думать обо мне? Думать-то надо о ней. О Гаяне. А я тут вообще ни при чем.

– Ты? – рассмеялась Елена. – Ты – при всем! Неужели ты этого не понимаешь?

Ольга пожала плечами, махнула рукой и вышла из комнаты.

* * *

Услышав о том, что Ольга с Еленой хотят ее забрать, Гаяне словно впала в ступор – отключилась, что ли, или так глубоко ушла в себя, в свои раздумья, что разговаривать по делу с ней стало совершенно невозможно.

Она так была огорошена Ольгиным решением, что от волнения совсем потеряла покой.

Спать по ночам она перестала – размышляла. Все понятно, она – человек абсолютно одинокий. Из родных на всем белом свете – только Машка с Арсюшей. Внучка и правнук. Из близких – только Елена и Ольга.

Ольга приезжает каждую неделю – и это при ее-то занятости. Елена звонит по телефону каждый день – при ее проблемах и неостывшем горе. Машка тоже не забывает – звонит, правда нечасто, и давно не появлялась, но... Сколько забот у нее! Такая работа, Арсюша. И наверняка личная жизнь. Разве тут до старой перечницы – бабки?

И все-таки... Она не одна и... Одна. Давно одна. С тех пор, как умерла свекровь – последний человек, кому она, Гаяне, была нужна, определенно нужна.

А для всех вышеперечисленных она только обуза. Большая, тучная, тяжелая обуза. В прямом и переносном смысле. И сейчас, когда им всем так тяжело и несладко, свалиться им на голову окончательно и бесповоротно, до самого конца?

Нет, нет и нет! Так поступить она не должна, не может. Так усложнять жизнь чудесных и дорогих людей!

Решила окончательно – этого не будет. А одна уже не справлялась. Ноги отказывали. Ходила с трудом – только по квартире. Иногда, в хорошую погоду, летом, спускалась к лавочке у подъезда. А там – местные старушки в рядок. Одни сплошные сплетни – про всех живущих.

Сплетни она ненавидела так, что начинало болеть сердце.

Решила – буду «гулять» на балконе. Правда, жаль, что так высоко – леса теперь не видно, все усыпано, как грибами, высокими башнями. Всюду окна, окна и – кусочек неба. Как правило, серого и хмурого.

А однажды подумала – надо оформиться в дом престарелых! Вот это – выход! И никому никаких хлопот. Доползла до поликлиники и собеса, принялась собирать справки.

Ни Елене, ни Ольге ничего, разумеется, не говорила. Решила, что скажет после того, как получит место и все будет сделано.

И – рассеянная дура – оставила собранные бумаги на комоде! Где Ольга их и обнаружила.

Как же она кричала!

– Как ты посмела? У тебя что, нет семьи? Нет родных? Ты что, сирота казанская? И ты думала, что мы тебе позволим *это* сделать?

Бумаги порвала – Гаяне только охнула и схватилась за сердце.

Ольга испугалась и присела на корточки, гладила ее по рукам, заглядывала испуганно в глаза.

Потом обе долго ревели – хором и наконец стали собирать вещи.

Собрали только носильное и посильное – то, что дорого было хозяйке. Книги, любимую тарелку и чашку, письма и фотографии. Все.

Выходя из квартиры, Гаяне оглянулась. Посмотрела прощальным взглядом – уходить было непривычно и страшновато.

Потому что понимала – уходит навсегда.

* * *

Странно, но с появлением Гаяне Елена ожила. Не потому что стало веселее – потому что осознала, что надо снова о ком-то заботиться.

Словом, делать то, чем она занималась всю жизнь.

И эта ответственность, эти заботы подняли ее на ноги – Гаяне стесняется, Гаяне робеет, Гаяне считает, что она сильно всех обременяет. Да и вообще – Гаяне не дома.

И надо сделать все, чтобы она поскорее обвыклась и перестала так думать.

Приободрилась и Гаяне – так много лежать, как раньше, ей было теперь неловко. Надо же быть чем-то полезной! Захребетницей она никогда не была. И она взяла на себя готовку.

Елена сидела с ней рядом на кухне и в который раз удивлялась: оказывается, кухня – такая наука!

Она внимательно, с интересом, смотрела на все еще быстрые руки Гаяне, ловко крутившие крохотные голубцы. Следила не отрываясь, как тонко она раскатывает тесто, как толчет в ступе орехи, перетирает их с душистой травой. Кидает в суп ароматные специи, купленные Ольгой на рынке – по списку «шеф-повара».

Елена была на подхвате – порезать лук, морковку, почистить картошку. «Подсобная рабочая», – смеялась Гаяне.

По кухне плыли волшебные запахи. Елена закрывала глаза и восторженно качала головой:

– Ты волшебница, Гая! А я... Варила всю жизнь только варево. Чтобы все наелись и были сыты. Щи дурацкие, тушеное мясо, котлеты – что попроще и побыстрей. А это, – она кивала на кастрюли и чугунки, – это, оказывается, целая наука. И еще – я уверена – талант. Вот научи меня сейчас всем точностям, всем пропорциям – и ничего не выйдет. Потому что я бесталанна в этих вопросах. Как я обделяла своих близких! Сколько я им недодала! Своими кашами, супами, котлетами.

Гаяне смущенно отмахивалась:

– Кавказские женщины рождены на кухне. Это у них в крови, с молоком матери. Все по наитию, из подсознания – сколько, чего и как. И еще память рук. А тебе было не до изысков – такая семья, столько народу! И вообще – учись! Еще ресторан откроем!

И они начинали смеяться.

С нетерпением ждали с работы Лелю и Машку. Чтобы усадить их за стол и... кормить, кормить и кормить!

И сидеть напротив, подперев руками голову, и наблюдать за всем этим счастьем. Как причмокивает Машка. Как ойкает и зажмуривает глаза Ольга. Как хватает с тарелки пирожок Арсюша.

А две *очень* пожилые женщины смотрят на это такими счастливыми и сияющими глазами, что...

Ольга, открывая входную дверь, с порога кричала:

– Богадельня! Вы как?

Обе старухи выползали из своих комнат и поспешно семенили в коридор.

– Лелечка! – торжественно объявляла Елена. – А у нас сегодня... – Пауза и дальше совсем загадочно: – Чебу-ре-ки! С картошкой и мясом!

Ольга тяжело вздыхала:

– Пожалейте мою печень!

А наевшись до отвала истекающих янтарным соком чебуреков, выносила вердикт:

– Обалденно! Кудесницы вы мои! – И тяжело вздыхала: – Вот скоро ни в одни брюки не влезу!

А Елена с Гаяне обменивались довольными взглядами – вот и хорошо, угодили. А брюки – ерунда. Придумывает Лелька.

Нет, конечно, были и другие интересы. Вспоминали детство, молодость. Говорили о Елизавете Семеновне. Осторожно – о Борисе. Гаяне рассказывала о Баку – совсем немногое и дорогое, что осталось в сердце и в памяти.

Елена вспоминала эвакуацию – маленькое зауральское село, единственную тощую корову Звездочку, на которую все молились – и взрослые, и дети. Огород с картошкой, которую начинали выкапывать раньше, чем она поспевала. Кашу из брюквы и репы, осеннюю радость – грибной суп из сыроежек и опят. Боровики берегли – сушили на печке на зиму. Мать, Нину Ефремовну, растапливающую сырым хворостом дымную печку. И подводу на вокзал в Пермь, на поезд. Который довезет их до Москвы.

Говорили обо всем. Кроме Машки-большой и Ирки. Та боль, их боль, никуда не пропала и не ушла. Торчала в сердце ржавым гвоздем – всю жизнь. Потому, что обе дочерей потеряли. Похоронили. Одна – в могиле, другая – в сердце. Жгучая боль. И кому больнее? Разве горем меряются?

Еще читали газеты и журналы, возникшие в новое, «нескучное» и предельно откровенное время, – сплетни, пугалки, дурацкие слухи и домыслы.

Читали вслух, возмущаясь и негодуя. И все же – читали. Чем очень веселили Машку и Ольгу.

– Ну, что нового-хренового? – осведомлялась любознательная внучка.

Елена возмущалась:

– Маша! Что за выражения!

Машка отмахивалась:

– Леночка! Мои выражения – ничто рядом с твоим увлечением!

И все начинали смеяться.

Дом, как ни странно, снова наполнился жизнью.

И конечно, всех объединяло одно – необъятная любовь к кудрявому шустрому мальчику. К их сыну, племяннику и внуку – к Арсюше.

В сад все-таки отдали, после трех лет. Наконец избавились от нянь и облегченно вздохнули. Чужой человек в доме есть чужой человек. Всегда сунет нос в семейные дела. Да и в сад походить не лишнее – адаптация к школе, что называется.

* * *

Новый год не заладился с самого начала – со стадии подготовки. Любимой в народе больше, чем само событие. Машка ускакала в командировку в Анадырь на пять дней. У Ольги был предновогодний завал – ушла в декрет одна из ее коллег, главная помощница. Народ праздник начал отмечать примерно с пятнадцатого декабря – ныне обычная практика. Всем было не до работы, мысленно они уже уехали – кто на Бали, кто в Ригу, а кто на подмосковную дачу.

Разболтанные и расслабленные сотрудники мотались по кабинетам и студиям, общались, пили шампанское и коньяк, зависали в курилках на лестничных площадках между этажами и обсуждали наряды и меню.

Ольга, вздрюченная и нервная, обегала известные места и пыталась собрать коллектив.

К тому же Арсюша из сада принес сначала ветрянку, а потом и сезонный грипп, который тут же подхватили Машка и Гаяне.

А Елена выкинула коленце еще круче – двадцать седьмого загремела в больницу с подозрением на микроинсульт.

Ольга, выбиваясь из последних сил и яростно мечтая о зимних каникулах, моталась с работы в больницу (на другой конец города, плюс предновогодние, бешеные столичные пробки), потом торопилась домой – что-нибудь сварить «болящим», хотя бы примитивный куриный бульон, по дороге заскакивала в магазин, в который раз восхваляя прелести капиталистической экономики – никаких очередей, даже перед праздником. Три человека в кассу – это не очередь для бывших советских людей.

И в результате, конечно же, свалилась – тридцатого, под самые праздники. Да как – с температурой тридцать девять!

В общем – лазарет! Инвалидный дом. И еще – тревога о матери.

Звонок в дверь раздался тридцать первого. В полвосьмого утра.

Со стоном подумала: «Божечки! Ну кого это принесло на мою больную голову! Какую еще сволочь?»

* * *

Она узнала ее сразу, в первую же секунду. Несмотря на годы, на дурацкий серебряный колпачок, криво надетый на все еще роскошные, распущенные по плечам кудри. Несмотря на то, что обладательница серебристого клоунского колпачка и рыжих волос здорово раздалась в груди и бедрах, и на очень ухоженном, по-прежнему красивом лице все же, как ни крути, уверенно угнездились морщинки – под глазами и около губ.

– Сюрпрайз! – радостно воскликнула «клоунесса» и сделала шаг в квартиру.

Ольга закашлялась и отступила назад. Первая мысль, мелькнувшая в голове, – какое счастье, что мама в больнице!

Хорошие дела.

Пока она отчаянно сморкалась в носовой платок, лихорадочно раздумывая, как себя повести, ее сестрица уже скинула блестящую шубу из какого-то немыслимого меха, отряхнув с нее снег прямо на пол и, стягивая с рук светлые тонкие перчатки из бархатистой замши, весело промолвила:

– Ну что, не ожидали такого сюрприза?

Ольга понемногу приходила в себя.

– Вот уж точно – не ожидали. К счастью, даже в голове не держали!

Ирка обрадованно рассмеялась:

– Эффект неожиданности – вот что есть главное в сюрпризах! Ну! И долго будешь меня держать в коридоре? В отчем, так сказать, доме?

– Проходи! – вздохнула Ольга и кивнула в сторону кухни.

Ирка деловито оглядывала пространство и наконец разочарованно вздохнула:

– Господи! Мир уже давно перевернулся. Двадцать первый век. А здесь... А здесь все так же. Словно и не прошло черт-те сколько лет! Даже мебель не поменяли. И что вы за люди?

Она пристально оглядела кухонный стул и со вздохом на него опустилась. Провела брезгливо рукой по клеенке. Наморщила нос и стряхнула с ладони крошки печенья, оставленные Арсюшей.

Ольга стояла у притолоки и внимательно смотрела на незваную гостью.

– А ты, смотрю, стала аккуратисткой! И как давно, интересно?

Ирка махнула рукой:

– Тебе не угнаться. У меня две горничные, садовник и повар.

– О как? – удивилась Ольга. – Ну, тогда за результат я не волнуюсь.

– А ты вообще не волнуйся! – согласилась та.

– Чай будешь? – подавив тяжелый вздох, спросила Ольга.

Ирка отрицательно покачала головой.

– А что, у тебя филиал больницы? – она кивнула на упаковки таблеток и банки с заваренной травой, стоящие на подоконнике.

– Болеем, – кивнула Ольга.

– Что не спрашиваешь, как живу? Неинтересно? – поинтересовалась Ирина.

– Учусь быть нелюбопытной. У тебя, – уточнила Ольга.

Ирка махнула рукой.

– Какой с меня спрос, сама знаешь! Ну разве я виновата, что родилась *такой*? Нелюбопытной, – ухмыльнулась она. – В семье, как говорится, не без урода!

– Это да, – подтвердила Ольга. – Невозможно оспорить.

– Ладно, не злись, – примирительно сказала Ирина. – Вот я появилась. Плохая, равнодушная, неродственная. Чужая. Ужасная, можно сказать. Блудная дочь.

Ольга утвердительно кивнула.

– Но я здесь! И мы – уж извини – должны общаться.

– Должны? – Ольга саркастически приподняла бровь. – И давно в твоем лексиконе появилось неизвестное ранее слово «должны»? Насколько я помню, а память у меня прекрасная, ты всегда утверждала, что никому и ничего не должна. И принципам своим, надо сказать, ни разу не изменила.

Ирина кивнула головой:

– Ты права. Все это так.

– И вот что интересно, вот любопытно просто! Как ты жила, ничего не зная про свою семью? Ну так, хотя бы в порядке интереса?

– Знала. Почему не знала? Про всех знала – про отца, про Юрку, про Сережу. Эдик доложил, Элькин сын. Он теперь тоже в Америке обретается. Эмигрировал, так сказать. Правда, ни дня не работал – ну, ты его знаешь! Все мечтал сладко пристроиться, даже ко мне клинья подбивал. Ничего, нашел потом какую-то старушку. Небедную, разумеется. Живет, не тужит. В казино старушкины бабки просаживает. – Помолчав, она подняла на сестру глаза и тихо спросила: – И что теперь? Я не имею право на прощение?

– От кого? – удивилась Ольга. – От умершего отца? Давно похороненной Машки? Бабки Лизы и бабки Нины? Брошенного тобой и сломленного Юры? И, наконец, пропавшего Сережи, твоего сына? Пропавшего или погребенного под руинами сгоревшего дома? Может быть, тебе нужно прощение от меня? Сомневаюсь, вряд ли. Это тебе было никогда не нужно. Я для тебя всегда была пыль. Вошь, невидимая даже под микроскопом. А что касается матери... – Ольга задумалась и посмотрела в окно. – Нет, – твердо сказала она, – думаю, что и ей это тоже не надо. Именно сейчас, когда она так стара, слаба и больна. Уверена, что не надо!

– Ну, знаешь, это решать не тебе! – вспыхнула Ирина. – Она дома?

Ольга медленно, словно раздумывая, покачала головой.

– Нет. В больнице. И, думаю, ей сейчас твой визит здоровья не прибавит.

– Ладно, – легко уступила гостья, – я тут надолго. На восемь дней! Еще все успею!

Ольга кивнула:

– Конечно. Конечно, успеешь! Так это просто – все, что наворотила за всю жизнь, исправить за каких-нибудь восемь дней! Ты ведь за этим приехала? Все исправить?

– Ну, если получится! – улыбнулась сестра. – И еще – посмотреть Москву! У вас тут, говорят, такие перемены!

– У тебя получится! Не сомневаюсь ни минуты! И исправить, и уж тем более – посмотреть!

– Ну, давай чаю! – Ирка была настроена миролюбиво. – И я тебе расскажу про свою жизнь. Тебе, как журналисту, ТАКАЯ судьба должна быть интересна!

– Цикл «Из жизни замечательных людей» я еще не начала. Прости! – ответила Ольга.

Пока закипал чайник, они молчали. Ольга налила чаю, поставила на стол сахарницу и открыла коробку с шоколадным зефиром.

– Помнишь, что я люблю? – обрадовалась Ирка.

Ольга покачала головой:

– Просто то, что в доме было. Совпадение, извини.

Она села напротив и смотрела, с каким удовольствием Ирка откусывает забытое, видимо, лакомство.

Потом налила чаю и себе, в горле сильно першило – от болезни и от волнения.

Съев четыре зефирины, Ирка откинулась на спинку стула и с удовольствием начала делиться подробностями собственной жизни.

– Про ТЕ времена не будем, про стародавние. Там столько всего было! На целую книгу! И не всегда веселого! Ты уж мне поверь! Абхазец мой, ну сухумский муж, – уточнила она, – сама понимаешь. Люди с гор! Богат был по тем временам, как Крез. Мандариновые плантации, подпольные цеха. Советский миллионер, уж мне ты поверь! Такой отгрохал домище! С собственным пляжем – и это в те времена! Ел не на серебре – на золоте. Хотя, конечно, не ел, а жрал. Свиньей был редкостной – вилкой в зубах ковырял, рыгал за столом. Гадость, короче. Огромный, волосатый, как шимпанзе. Денег на меня не жалел, а вот из дома не выпускал. Даже на пляж собственный – с охраной. Два головореза с дебильными мордами. Они, по-моему, и разговаривать не умели. Брюлики дарил тоннами – а куда они мне? Зачем? Если я никуда из дома... Пять шуб в шкафу – и это в Абхазии! И ревновал так, что страшно становилось, зверел просто. А самое обидное, что я была чиста, как овечка.

– Тяжелая жизнь, – согласилась Ольга.

– А вот зря иронизируешь, – вспыхнула та.

– Ну, да. Тебя же принудили за него выйти! Заставили просто – под пистолетным дулом.

– Жизни хорошей хотела, – миролюбиво согласилась Ирина. – А что, это преступление?

– Смотря какой ценой, – пожала плечами Ольга.

– Ладно, проехали. Сбежала я из гостеприимного Сухума. Дальше неинтересно, потому что скучно. Дела житейские, обычные. Жила с бедным художником в Тбилиси – хороший был мальчик, нежный. Это после своего шимпанзе я так приходила в себя. Потом нищета надоела. Обрыдла так, что хоть к шимпанзе возвращайся! Ну, это я так, шучу! А потом мне теплые страны поднадоели – устала я от шума и солнца. Тяжело с ними, сплошные эмоции. И опять же ревность. Ну, у них это в крови. Далее был фотограф один. Известный такой человечек в Питере. Жил богемно, красиво. Пыжился, а денег на все не хватало. Скупой был. С размахом сначала, с гонораров, а потом в бешенство впадал и за копейки бился – чеки из магазинов проверял.

После него функционер был. Пожилой такой дядечка, серьезный. Ну, там блага всякие наличествовали. Что в то время важнее денег было. Даже квартиру мне выбил. Правда, в Кронштадте. Был женат, естественно. Трусоват, но зато без страстей. Спокойненько. Я тогда отдохнула, душой и телом. Три года отдыхала. А потом его сняли – новая власть. Ну и я его «сняла», – рассмеялась она. – С должности любовника тоже слетел, бедняга.

Ну а потом всякая мелочь – финн, лыжник. Спортсмен известный. Спортсмен и пьяница – и так бывает. Тот замуж звал. Я поехала, посмотрела эту Суомию. Тоска. Бабы страшные, мужики пьющие. Леса, озера – скукота. Вернулась в Питер. И вот тогда, – она рассмеялась, – вот тогда появился Дэви. Англичанин. Познакомились в ресторане. Я тихонько сидела и кофе пила. Вокруг – одни путаны. И тоже по кофе. Они никогда в кабаках не жрали. Сидели томно, кофеек цедили и по сторонам глазели – по мужичкам, значит. И этот Дэви принял меня за одну из них! Ты представляешь! – Она опять рассмеялась.

– И это тебя все еще страшно веселит! – понимающе кивнула Ольга.

– Какое! Мы станцевали медленный танец, и я решила показать ему Питер. Гуляли до рассвета – такая романтика! Он мне потом рассказывал, что страшно удивлялся – в номер к нему не спешу, к себе не веду. Странная профессионалка – не спешит заработать. А я – ни сном ни духом. Гуляем, болтаем. Я ему город показываю. Говорю, что от мужа ушла. Проводила его до гостиницы и поймала такси – до дому. Он пытался такси оплатить, а я не дала: вы – гость нашего города, типа. Вот тогда он понял, что ошибается. И назначил свидание на завтра.

Свиданькались мы десять дней – он даже дела похерил. Потому что влюбился. Ну а через два месяца явился и сделал предложение. Я и сама не ожидала. Занимался он мехами – при Союзе в Союзпушнине, а дальше – и так понятно. Бывал на всех аукционах, во всем мире. Я понимала, что он не бедный. Но размеры и масштаб его богатства, честно говоря, не представляла. Он был вдовец и отец взрослого сына. Где жить, предложил на выбор. Дом в Калифорнии, дом на Гавайях. Квартира в Париже, квартира в Риме. Вилла в Эмиратах. Он любил тепло и никогда не оставался в осени, и уж тем более в зиме. Вот и попала я в такую сказку! И в мечтах не было. Он был англичанин, но с примесью южной крови – мать из Алжира, из бедняков, но красоты была немыслимой... Англию с ее климатом ненавидел и квартиру там намеренно не покупал. Мы ездили по всему миру – я всегда с ним. Почти семь лет абсолютно счастливой жизни. А потом... – она замолчала. – А потом он заболел. И оказалось, что поздно. Все поздно. И не помогли никакие деньги – Дэви умер спустя три месяца. Все, что могли сделать, – это избавить его от мук. Последний месяц он был в коме. И я разрешила его отключить... Надежды никакой не было – что человека мучить и не отпускать? И я отпустила. Его и себя. Ну, потом, разумеется, были суды с его «распрекрасным» сыном. Я не в обиде – на мою жизнь хватит. Так хватит, что спать можно спокойно. Так что теперь я – богатая вдова.

– И веселая, – сказала Ольга.

– И веселая, – подтвердила Ирина. – Потому что поняла, как быстротечна жизнь!

– И давно тебя на философию потянуло? Я-то думала, что ты с этой установкой родилась!

– Осуждаешь? – прищурила глаза Ирина.

– Нет, – покачала головой Ольга, – констатирую. Осуждать давно и никого не берусь – тоже жизнь научила. Даже тебя, вот что странно. Хотя ты для меня – загадка природы. Но я и разгадывать ее не рискну – знаю, что не получится. И понять тебя никогда не смогу. Как ты оставила ребенка. Забыла про родителей. Переступала через чужие судьбы.

– А ты? – возмутилась Ирина. – Ты – не переступала? За тобой никаких грехов? Ошибок, дрянных поступков?

– Наверняка, – подтвердила Ольга, – наверняка и несомненно. Но... Знаешь, колышки все сами расставляют. Сами определяют, куда шагнуть можно, а куда – ни-ни. Где черта, в смысле. И еще – ну просто диву даюсь, восхищаюсь даже в каком-то смысле: вот ты же ела с аппетитом, спала без снотворных. Покупала себе обновки. И знала, что где-то живет твой сын. Оставленный тобой. Твои родители. Которые не молодеют. Больной брат. Сестра. Бабка. И все это не отменяло твоего спокойствия, твоих удовольствий. Твоих любовей, страстей, путешествий и дальнейшего познания жизни. Верно?

– Верно, – ответила Ирина. – А вот что там было внутри... В душе... Этого ты не знаешь.

– Вот только про душу не надо! Умоляю! Я не удивлюсь, что ты стала ходить в церковь и просить прощение. Это вполне в твоем духе!

– Удивляйся! – рассмеялась Ирина. – В церковь, представь, не хожу и грехи не замаливаю. Не мое!

– Слава богу! Боюсь, что жизни твоей не хватило бы, чтобы все отмолить.

– А ты так хочешь, чтобы я расплатилась?

– Ну, по крайней мере, это было бы справедливо.

Ирка решила не комментировать.

Вдруг глаза ее наполнились слезами:

– Такое одиночество, Леля! Такое одиночество! Ни детей, ни близких – никого. У тебя есть мама, Машка. Семья. А у меня? Только отсутствие материальных проблем и прочих забот.

– Ну, отсутствие проблем и забот для тебя не новость. Под этим девизом ты жила всю жизнь. А что касается семьи... Так тут вообще смешно. Ты, если память не изменяет, отказалась от всего этого добровольно и без принуждения.

Дверь на кухню распахнулась, и на пороге появился босой и раздетый Арсюша, вытирающий ладошкой сопливый нос. Следом влетела разъяренная Машка и наподдала ему по попе:

– Голый, засранец! С температурой и голый! И босиком!

Ирка переводила растерянный взгляд с одного на другого.

– Познакомься! – предложила Ольга. – Твоя племянница. Маша. И ее сын, Луконин Арсений, четырех лет.

Машка резко замолчала и замерла с широко открытыми глазами. Несколько минут она разглядывала Ирку, а потом с тревогой посмотрела на Ольгу.

Ирина встала и подошла к Машке.

– Вот так выглядит чудовище! – улыбнулась она. – Тебя, наверно, мною пугали в детстве?

Машка неопределенно мотнула головой, покраснела и, переведя взгляд на Ольгу, беспомощно спросила:

– И как же так, Леля? Как теперь?

Ольга пожала плечами:

– Так. Твоя тетя Ира – большая мастерица всяких «сюрпрайзов», как она изволила выразиться. А как дальше... Не знаю. Наверно, мужественно, как всегда. Ведь нам с тобой не привыкать?

Машка в волнении сглотнула слюну и кивнула.

А что еще оставалось делать?

В своей комнате раскашлялась Гаяне.

– Кто там у вас? Призраки? – беспокойно дернулась Ирка.

– Призрак – это ты, Ира. А там – Гаяне. Если ты помнишь такую.

– И она теперь здесь? – Ирка удивленно вскинула брови. – Не родительский дом, а дом престарелых. А ты по-прежнему благодетельница! Мать Тереза просто!

Ольга согрела молока и пошла в комнату к Гаяне. Машка села напротив Ирки и с интересом ее разглядывала.

– Рогов нет, – рассмеялась та, – клыков тоже! Ну, что робеешь?

Машка опять покраснела.

– А парень у тебя отличный, – кивнула Ирина на притихшего племянника. – Хорошенький такой, кудрявый. Папаша имеется?

Машка отрицательно мотнула головой.

– Ясно, – вздохнула тетка, – мать-одиночка. Вполне в духе семьи.

Когда Ольга вернулась на кухню, чтобы сварить кашу для Гаяне, Ирка торопливо засобиралась.

– У вас тут лазарет. Боюсь заразиться. Ну, понимаешь, времени у меня не так много.

Она подошла к Машке, внимательно на нее посмотрела и провела ладонью по щеке. Потом потрепала по кудрявой голове Арсюшу и кивнула Ольге:

– Спасибо за теплый прием.

Ольга сделала книксен.

В коридор вслед за Иркой засеменила все еще ошарашенная Машка.

Ольга прижалась лбом к холодному и влажному оконному стеклу.

Как там говорится? Встретились, поговорили...

Голос крови, ау? Чушь все это. Никакого голоса нет и в помине.

Она смотрела, как сестра вышла из подъезда, села в ожидавшую ее машину и подняла голову. Увидев в окне Ольгу, она улыбнулась и помахала рукой.

Ольга от окна отошла. Все. Финита ля комедия.

Все. Все. Все.

Она быстро проскочила в свою комнату, легла в постель, закуталась в одеяло и... заплакала так горько и так громко, что к ее двери подбежала испуганная Машка – застыла и не решилась войти.

– Все, все, все, – повторяла Ольга как заведенная.

Все?

* * *

А через два дня пришлось встать. Куда деваться? Надо сварить обед, запустить стиралку, хоть как-то прибраться в квартире. Гаяне все еще температурила, и Ольга не разрешала ей вставать. Машка ковырялась с сыном – ингаляции, полоскания. Все со скандалом и с воем.

Сил совсем не было – какая же гадость этот грипп! И все равно – поднялась, налила в термос бульон и покатила в больницу к матери.

Елена, увидев дочь, запричитала:

– Господи, Лелька! Ну разве можно! Какой бульон, какие мандарины! Нужно было отлежаться, прийти в себя! На тебе же лица нет – белая, как парадная скатерть!

Ольга и правда еле держалась на ногах – опустилась на стул и платком вытерла вспотевшее от слабости лицо.

Елена продолжала возмущаться, но было видно, как она соскучилась – руку Ольгину не отпускала.

– Заберу тебя через три дня, – пообещала дочь. – Врач сказал, что можно.

Елена порозовела от радости и все пытала Ольгу, какие новости.

– Ну какие, мам? Какие у нас новости? Все дома, все болеют. Валяются на своих шконках и вытирают сопли.

Елена требовала подробностей – был ли участковый врач, слушал ли Арсюшу и Гаяне. Какие выписаны лекарства, ведет ли Гаяне температурный лист? Это очень важно – не пропустить пневмонию. Не дай бог, в ее возрасте и с ее легкими!

Ольга вяло отчитывалась и мечтала поскорее добраться до дома и рухнуть в постель.

После больницы пришлось заезжать в магазин и на рынок – в доме было пусто, хоть шары катай.

Нагрузив полную машину продуктов и всякого прочего баловства, заехала еще и в «Детский мир» – купить что-нибудь мальчику для поднятия настроения. Конструктор или машинку. Купила и то и другое. Заскочила в книжный – купить свежий детектив Гаяне и чего-нибудь детское, непрочитанное, для Арсюши.

Когда она, нагруженная, как ломовая лошадь, свалив пакеты и сумки у двери, пыталась выудить ключи от квартиры из бездонной, словно черная дыра, сумки, дверь распахнулась и на пороге показалась растерянная и дрожавшая Гаяне.

Она теребила воротник халата и испуганно смотрела на Ольгу.

– Что, господи? – крикнула Ольга. – Кто? Мама?

Гаяне мелко затрясла головой:

– Живы, все живы, Леленька!

Ольга схватилась рукой за сердце.

– Говори! Не тяни, ради бога!

– Уехали они, – шепотом сказала Гаяне и заплакала. – Собрали чемодан и уехали. На машине. Она их ждала внизу.

Ольга прислонилась к стене. Закружилась голова, подкосились ослабшие ноги.

– Иди в комнату, Гаечка! Иди! А то здесь так дует. Снова простудишься.

* * *

«Надо разобрать сумки», – пробежало в голове.

Сумки! Какая чушь. Чушь, а надо – вот что смешно. Так смешно, что...

Она затащила пакеты в квартиру. Машинально, словно робот, начала раскладывать продукты – сыр в сырную коробку, ветчину – в контейнер, масло – в масленку. Селедка, апельсины, печенье.

Взгляд упал на пакет из «Детского мира».

Господи! И за что ты мне посылаешь такие испытания! За что? Можно бить по щекам, по почкам. Можно. Но ведь не так – наотмашь! Так, что останавливается сердце!

Нет. Нет. Надо взять себя в руки. Потому что есть мать, есть Гаяне. Есть эти две старухи, за жизнь которых она отвечает.

Она заставила себя встать и пошла в комнату Гаяне.

Та сидела на кровати и смотрела в одну точку.

Ольга села рядом.

– Никто не умер, Гая. Все живы. У каждого свой выбор, в конце концов. Когда-то его сделала ты. Потом мама. Дальше я. – Ольга помолчала. – Теперь она. Все имеют право. И жизнь, кстати, вовсе не закончилась.

– Закончилась, – прошептала Гаяне. – Для меня – закончилась. Все у меня отобрали. Все. Ничего не оставили. Вот только вопрос – почему? За что, Леля?

Смотреть на нее было невыносимо. Слушать ее было невыносимо. Жить было невыносимо.

– Гаечка! – тихо и твердо сказала Ольга. – Мы с тобой все уже знаем. Мы с тобой – самые сильные. Но через два дня я забираю маму. Она еще очень плоха. И нам надо придумать, ЧТО мы ей скажем. Понимаешь? Ну хотя бы на первое время!

– Придумаем, – эхом отозвалась Гаяне. – Что-нибудь придумаем.

Ольга кивнула и встала с кровати.

– Выпей успокоительное и ложись. А потом будем обедать. Ну не пропадать же такой вкусноте!

Она вышла из комнаты и подумала: «Господи! Только дай силы! Пожалуйста! Дай силы пережить еще и это!»

* * *

Елена ходила по квартире и радовалась так, будто не была дома тысячу лет.

Сразу взялась протирать пыль и расставлять посуду на кухне.

Горевала, что в этом году не наряжали елку.

– Ну мам! Не до этого было, все же свалились, – вяло оправдывалась Ольга.

Мать продолжала ворчать:

– Ребенку все равно нужен праздник. Ощущение праздника, подарки под елкой, мифический Дед Мороз. Ты, кстати, Лелька, верила в Деда Мороза лет до одиннадцати! Слышишь, Гаечка! – И Елена смеялась.

Про Машку было придумано – уехала к подружке в Ригу.

С Арсюшей, разумеется. Переменить обстановку.

Елена сокрушалась и ругала дочь – отпустить в такую даль, после болезни! Ну хотя бы одну! А тут еще с мальчиком!

Ольга отмалчивалась и переглядывалась с Гаяне. Та крепилась из последних сил – только бы не навредить Елене. Это было сейчас главное, главнее собственного страдания.

Где-то через неделю Елена, словно что-то почувствовав, начала нервничать.

– Звонила Машка? – без конца спрашивала она. – Когда? На мобильный? Тебе на работу? А почему не домой? И со мной даже ни разу не поговорила – после больницы. И с Гаей. Нет, что-то здесь не так! На нее не похоже, – Елена, сомневаясь, качала головой. – Ты ей скажи, чтобы она НАМ позвонила! – теребила она дочь.

Однажды зашла в Ольгину комнату среди ночи.

– Леля, – потребовала она, – скажи мне правду! Я же чувствую – с Машкой что-то случилось! Или – с Арсюшей? – и она, побледнев, положила руку на сердце.

Ольга села на кровати и вздохнула.

– Не мучай меня, мамуль! Все в порядке с твоей Машкой. И с Арсюшей тоже! Все живы и здоровы! Вот как ты думаешь, могла бы я работать, есть, пылесосить, спать, наконец, если бы с ними что-нибудь случилось?

Елена пожала плечами:

– Не знаю, Лелька. Но чувствую – что-то здесь не то и не так!

Умная и спасительная мысль ворвалась в голову стремительно, как все неожиданное.

– Влюбилась твоя Машка! Там, в Риге! И не до нас ей теперь! Так накрыло, что она не в себе. Поселилась у своего возлюбленного, понимаешь?

Елена широко раскрыла глаза:

– Да что ты, правда, в самом деле? Нет, я, разумеется, за нее рада, но... – растерянно пробормотала она. – Но все равно – странно. Ведь не Ирка она, в самом деле! Чтобы так на все наплевать!

– Не Ирка, – тяжело вздохнула Ольга. А про себя подумала: а ведь недалеко, господи боже мой!

– И все же, – продолжала настаивать Елена, – ты ей скажи, пожалуйста, скажи – чтобы она позвонила домой. Мне и Гае. Мы только послушаем ее голос и успокоимся! Я тебе обещаю!

– Хорошо, мама, – устало ответила Ольга. – Скажу. Попрошу. Как только, так сразу. Но учти – она и мне звонит крайне редко! Видно, очень занята, – проворчала она.

* * *

Делать ничего не хотелось. Вот просто ничего. После переживаний и страданий наступил момент полнейшего безразличия. Не хотелось ни пить, ни есть, ни переодеваться, ни стричь отросшие и поседевшие пряди, ни делать маникюр.

Утром, тяжело сползая с кровати (как столетняя старуха, ей-богу), она еще долго не могла встать и заставить себя совершить простые, привычные и обязательные вещи – принять душ, вымыть голову, накраситься и выпить кофе.

А приходилось – на нее смотрели две пары встревоженных и родных глаз. Беспокойные и тревожные Гаяне, которая знала все, и ничего не понимающие, но не менее беспокойные и тревожные глаза матери.

Ольга натягивала на лицо приветственную улыбку, причмокивала – якобы с удовольствием – горячим кофе:

– Гаечка, вот никто, кроме тебя, так кофе не сварит!

Забирала бутерброды, приготовленные матерью.

– Мама! Ты опять! У нас три буфета на этаже и два кафе!

Красила в прихожей у зеркала губы, прыскала на шею духами. (Господи! Провались все пропадом! Вместе с этой помадой и этими духами!)

Надевала шубу и сапоги, а в это время в коридоре плечом к плечу стояли две ЕЕ старухи. Следящие за каждым ее шагом, за каждым действием. Внимательно, осторожно, тревожно. И с огромной любовью на усталых, измученных и морщинистых лицах.

Две ее старухи. Все, что осталось у нее в жизни.

* * *

Письмо на электронку пришло от Машки через два месяца. Письмо короткое, без подробностей:

«Леля! Прости! Не нашла смелости посмотреть тебе в глаза и озвучить всю правду. Потому что если бы наш разговор состоялся глаза в глаза, я бы никогда не смогла этого сделать. Прости и не осуждай! Если сможешь! Дело тут вовсе не в Ирке – она для меня чужой человек. Кстати, не такой плохой, как все вы думаете! Дело тут В ШАНСЕ. Который дается один раз в жизни. В Москве, несмотря на то что все меня (с самого детства) считали почти гением, ну или очень способным человеком, у меня ничего не получилось. Все коту под хвост, все не так. И на работе, и в личной жизни. Попробую здесь. Здесь, как считается, нужны только острые мозги, усилие воли и «каменная» задница. Тогда можно всего добиться. А когда еще есть и деньги и связи, которые никто не отменял!..

И еще есть Арсюха. Огромный дом, где у него три комнаты! Лично его, представляешь? Есть бассейн, площадка для гольфа, теннисный корт. Да! И лошади! Своя конюшня! Это, по-моему, привлекает его больше всего! И экзема у него прошла, представляешь! От солнца, океана, воздуха и продуктов! Еще у него англоговорящий, как ты понимаешь, воспитатель. Арсений целыми днями в конюшне и в бассейне. Спит так крепко, как не спал никогда. И ни разу, представь, не случилось ночного конфуза!

Еще раз попытайся меня понять. И простить. Хотя знаю, как тебе будет непросто. Решай сама, говорить Леночке всю правду или как-нибудь... Ну, ты понимаешь! Всем им привет – и Леночке, и бабуле.

Не сомневайся – я вас всех очень люблю. И все-все помню! Я не такая дрянь, как вы думаете. Хотя имеете на это право.

Просто я, как оказалось, большой и мерзкий трус. Ваша Машка. Как всегда – рассчитывающая на ваше великодушие!»

Она ответила. Всего три слова: «Желаю тебе счастья».

Больше ничего. Слишком больно.

На этом переписка закончилась.

* * *

Елена в придуманную сказку верила лишь вначале. Потом словно впала в ступор – как после смерти Бориса. Днями не вставала с постели и молчала. Ольга с Гаяне уговаривали ее поесть, принять душ и посмотреть телевизор.

Она просила оставить ее в покое и закрыть дверь в ее комнату.

— Надо сказать правду, — наконец сказала Гаяне.

Довод такой — неизвестность хуже всего. Мысли разные и страшные. Думает о самом плохом. Лучше эта правда, чем ее ужасные домыслы.

И Ольга решилась. Рассказала все и показала Машкино письмо.

Оказалось, что то, что произошло с Машкой, ее быстрые сборы и тайный отъезд, не произвело на Елену такого впечатления, как приезд Ирки.

Помолчав, она сказала дочери:

— Как ты могла? Как ты могла это от меня скрыть? Какое право ты имела решать, видеться мне с моей дочерью или нет? Прощать мне ее или нет? Это, Ольга, не в твоей компетенции! Это — моя дочь и моя жизнь! И это — самое ужасное, что ты сделала в своей жизни!

— Мама! — залепетала ошарашенная Ольга. — Я думала прежде всего о тебе! Ты была в больнице! Да еще с каким диагнозом! Я думала, прости, что это тебя просто убьет! Я испугалась, мама! За тебя испугалась!

— Испугалась! — горько усмехнулась Елена. — А ты не подумала о том, что, если бы я ее увидела, мне было бы не так страшно уйти из жизни? Она — моя дочь, Оля! Какая ни есть — моя дочь! И я ее все-таки жалела — за то, что душа ее родилась такой убогой. Она ведь несчастный человек, Ольга. Неужели ты этого не понимаешь? Я ее, представь, в душе давно простила. Хотя... — Елена вздохнула, — тебе этого не понять. Прости! Ты же не знаешь, ЧТО такое свое дитя! Даже самое ужасное и отвратительное.

— Мама! — закричала Ольга. — Как же ты можешь! Так! Ты же все знаешь про мою жизнь!

Елена отвернулась к стене.

Гаяне зашла в Ольгину комнату в этот вечер. Она принесла горячий сладкий чай, укутала дрожавшую, как в лихорадке, Ольгу вторым одеялом и сидела на краю кровати всю ночь, гладя Ольгу то по голове, то по рукам, приговаривая шепотом:

– Ты не держи на нее зла, Леля! Пережить такое нужно огромное мужество! Все пройдет, девочка! Ты мне поверь. И не такое проходит!

* * *

И правда, прошло. В смысле – все делали вид, что того вечернего разговора, самого страшного в Елениной и Ольгиной жизни, словно и не было.

Елена стала вставать с постели, пыталась помочь Гаяне с хозяйством, но быстро уставала и уходила в свою комнату.

Конечно, пробежавшая между ней и дочерью, любимой дочерью, «кошка», а скорее всего, зверь пострашнее, сразу не исчезла. Обе смущались и старались не смотреть друг другу в глаза.

Ольга первая решилась:

– Мамочка, прости! Если за все это можно простить!

Елена, не сдерживая слез, кивнула и обняла дочь. Покаялись обе. И стало, разумеется, легче.

Опять заговорили о ремонте, строили планы на лето – Ольга выбирала санаторий, в который могли отправиться ее «цацы».

Гаяне мечтала увидеть Баку – ну хоть один раз, последний!

Ольга задумалась: а может, взять бизнес-класс и махнуть? Для Гаяне это будет огромным счастьем. Для Елены – большим подарком. Снять гостиницу у моря, вечером прогуливаться по набережной – говорят, что она чудесна. Дышать морским воздухом и слушать шепот волны. Сходить на восточный базар – яркий, громкий и пряный. Устроить вот такой праздник души и тела.

Страшновато, конечно. «Цацы» еле ползают, честно говоря. Но врачи настаивают на том, что положительные эмоции и благодатные стрессы только способствуют здоровью и разгоняют медленную, ленивую старческую кровь.

Все оживились и вечерами обсуждали поездку. Конечно, старухи кудахтали, попеременно впадали в панику и отказывались ехать – то одна, то другая.

Но – билеты и гостиница были заказаны, и с этим пришлось смириться.

* * *

Двадцать дней честно отсидели в санатории – готовили «организмы» к поездке. Без конца пили валокордин и потихоньку от Ольги просили у врача каких-нибудь успокоительных. Ольга навещала свою «богадельню» по выходным. «Цацы» крепились изо всех сил, говорили, что чувствуют себя прекрасно, и были наигранно веселы.

– Стойкие оловянные солдатики, – смеялась Ольга.

И наконец наступил октябрь – безо всякого плавного перехода, сразу после короткого сентябрьского подарка – бабьего лета. И сразу с дождями, листопадом и холодом.

Долетели прекрасно, без приключений.

Важно пили предложенный сок, восхищались «полетным» обедом на пластиковом подносе, два раза просили кофе.

Долго прощались с любезной стюардессой и шумно благодарили за чудесный полет.

Выйдя из здания аэропорта на улицу, пахнувшую все еще летом, душноватой сладкой зеленью, раскаленным асфальтом, южной пылью и жареным мясом из придорожного ресторанчика, Гаяне замолчала и словно окаменела. Вытянулась в струну и беспокойно теребила поясок от платья.

Елена скинула плащ и обмахивалась журналом.

– Здесь всегда душновато, – тихо сказала Гаяне. – Влажность большая.

Елена растерянно кивнула и посетовала, что не взяла веер. Тот, «карменовский», что Леля привезла из Мадрида.

Сели в машину и двинулись в город.

Елена удивлялась незнакомым пейзажам – совсем мало растительности, длинные «шеи» нефтяных качалок. Овцы, пасущиеся на голых склонах.

Гаяне молча глядела в окно. За всю дорогу – ни единого слова.

Ольга приложила палец к губам – показала знаком матери: помолчи.

Елена обиженно поджала губы.

Наконец въехали в город, сразу поразивший густой обильной зеленью, чистотой, шириной проспектов и знакомым урбанистическим гулом столицы.

Окна гостиницы выходили на берег моря. Выключили кондиционер и распахнули настежь окно. Ворвался весело и рьяно свежий ветер, пахнувший соленым морем и солнцем.

Решили отдохнуть с дороги, а уж потом... Гаяне, строго сдвинув брови, сказала, что в первую очередь надо посетить базар (!), далее – старый город, а уж потом все остальное.

Елена листала путеводитель.

– Базар, Гаечка? – разочарованно удивилась она. – Ну есть же музеи, парки, памятники, наконец!

За Гаяне вступилась Ольга:

– Мам, ну ты же не знаешь, что такое восточный базар! Это тоже своего рода зрелище: и музей, и парк, и памятник – три в одном.

Елена вздохнула и согласилась.

Вызвали машину. Гаяне уселась рядом с водителем.

– На центральный, – коротко сказала она, но шоферу все стало ясно.

– Землячка? – спросил пожилой шофер. – Давно на родине не была?

– Давно, – коротко ответила Гаяне. – Лет сто, наверно.

– Жена моя тоже была армянка, – вдруг тихо сказал шофер. – Я ее *тогда* увез в село, к своим родственникам. Прятали, как могли. А потом она осмелела и вышла на улицу. – Он замолчал и затянулся сигаретой. – Больше не вернулась. Через месяц нашли, всю ножом исколотую. Там, в селе, ее и похоронили. А детей своих я в Нахичевань к родне жены отправил. А ты уехала и спаслась. – В его голосе прозвучала почему-то укоризна. И еще огромная и безутешная боль.

Все неловко молчали.

Восточный базар, он же центральный рынок, сразу обдал запахами зелени, горячего хлеба, специй, кофе и тлеющих углей.

От этих одуряющих, острых, пряных, густо перемешанных восточных ароматов у всех закружилась голова.

Гаяне важно ходила по рядам – со строгим, даже суровым лицом – и мяла, щупала, гладила, нюхала. Все – помидоры, огурцы, огромные пучки трав, перевязанные лохматой бечевкой. Яблоки, сливы, груши, виноград, дыни. Ольга с Еленой плелись следом – порядком усталые, притихшие, понимающие, что до конца этого действа еще очень и очень далеко.

Купили огромную, мягкую плетеную корзину. Нашелся и носильщик – шустрый пацаненок лет одиннадцати. Такой дохлый, что ему бы самому впору пришлась эта корзина.

Елена охала и переживала за носильщика, неловко прихватывала корзинку то с одного бока, то с другого, явно мешая парню исполнять нелегкое дело. А Гаяне, не обращая на ее стоны никакого внимания, уверенно продолжала свой путь.

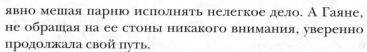

– Гаечка! – наконец взмолилась Ольга. – Ну, может быть, на сегодня хватит?

– Рыба еще, – коротко бросила та.

– Господи! Какая рыба! – застонала Ольга. – Куда мы ее денем?

Рыба оказалась сухой. Точнее – вяленой.

– Кутум, – объяснила Гаяне, – хранится долго. Можно отварить и с горячей картошкой. Пальцы откусишь, помяни мое слово.

Завершили покупкой специй, которые Гаяне перетирала пальцами и нюхала – для плова, долмы, курицы, жаркого.

Угнездились в машине, и Елена твердо сказала:

– Теперь – только зрелища! Хлеба достаточно.

А в номере все рухнули на кровати – таков был итог гастрономического исследования столицы Азербайджана.

* * *

Какая это была поездка! Конечно, пешком ходили немного – в основном ездили на машине. Но и сидели в парках – зеленых, тенистых, полных цветов и кустарников, прогуливались по набережной – красиво подсвеченной, сияющей от чистоты, полной нарядного и шумного народу.

Были на пляже. Купаться, естественно, рискнула только Ольга. Вечерами сидели в кафе на улице. Пили чай из маленьких фигурных стаканчиков, с вареньем из инжира, кизила и белой черешни. К чаю обязательно подавался тонко нарезанный лимон и блюдечко с колотым сахаром – давно позабытым москвичами и вкусным, словно конфеты.

Вот только посмотреть свой старый двор Гаяне не просила. Ольга понимала – ей страшно. Страшно было уехать оттуда и, наверно, еще страшнее – вернуться.

Старый город, как все старые города, пронизывали узкие мощеные улочки. Яркое лазоревое небо подпирали острием минареты. Раздавался заунывный стон муллы, призывающего к молитве.

Поехали и на старое кладбище, где покоилась мать Гаяне и остальная родня. А вот могилу не нашли – то ли заросла густым и колючим барбарисовым кустом, то ли просто исчезла – как часто бывает с заброшенными могилами.

Гаяне молчала два дня. На улицу не выходила. Тихо плакала и шептала что-то – так тихо, что слов было не разобрать.

О чем – можно было догадываться. Да и кто позволил себе любопытство?

И все-таки в старый двор съездили – вдвоем, Гаяне и Ольга. Елене в тот день нездоровилось.

– На Сарабского, – ответила Гаяне на вопрос водителя, куда везти.

– Похулдара! – понимающе кивнул шофер. – Только там все та-ак поменялось! Понастроили всего! Сплошные высотки теперь. Просто каменные джунгли! А из старых дворов только два и осталось – тридцать девятый и сорок третий! Такие дела! – вздохнул он.

– Нам в тридцать девятый, – тихо ответила Гаяне.

Шофер радостно кивнул и по-бакински, с размахом дал по газам.

Гаяне, бледная, с дрожавшими руками и губами, осторожно вышла из машины и медленным шагом, словно боясь оступиться, зашла во двор.

– Пойти с тобой? – крикнула вслед Ольга.

Та, не оборачиваясь, махнула рукой:

– Не надо. Я сама.

Ольга видела, как она, зайдя в старый двор, с огромным тутовым деревом, растущим в самой его середине, под которым стоял древний, потемневший от времени стол с куском линолеума, прибитым гвоздями к столешнице, села на лавку, сняла платок и подняла голову на окна.

Она долго вглядывалась в них, словно пытаясь сквозь плотные занавески, спасающие от южного солнца, увидеть знакомое лицо.

Но нет. Тщетно. Тогда она провела рукой по выцветшему, завернувшемуся по краям ободранной коркой линолеуму, словно гладя его. Подошла к туту и прислонилась к нему лицом.

Так она простояла несколько минут, а потом так же медленно, покачиваясь, пошла прочь со двора. Прочь от дома, где родилась. Где росла в большой и шумной семье. Прочь со двора, где когда-то, совсем в другой жизни, тут же, под этим самым тутовым деревом, стоял гроб с ее матерью, умершей родами, совсем молодой. Прочь от стола, стоявшего во дворе, за которым всегда собирались хозяйки, делились новостями, ругали мужей и детей, обсуждали обеденное и вечернее меню – и сплетничали, сплетничали изо всех сил: армянка Седа, грузинка Софико, азербайджанка Лейла, русская Тоня и еврейка Рахиль. И несмотря на многие разногласия, всем хватало воздуха, места, чая и солнца. Прочь от старой лавки, на которой сидели старики по вечерам, когда отпускала жара.

Прочь от взгляда отца, провожающего ее, непослушную и любимую дочь и главную помощницу, так похожую на покойницу-жену, в Москву – непонятную, пугающую, неизвестную. С молодым столичным хлыщом, увозящим его, Арсена, счастье и опору.

Прочь. Прочь. Прочь. От всего, что она знала, помнила, любила. От всех, кто так любил ее.

В новую, счастливую – да, конечно же, – жизнь.

Прочь и вперед! Она боялась тогда оглянуться и увидеть глаза отца и брата. Ускорила шаг – скорее, скорее! Там, за изгородью из винограда и хмеля, ждал молодой влюбленный муж. Скорее, скорее! И ноги были так легки, словно не касались земли.

И сейчас она чуть прибавила скорость – согласно возрасту, конечно. Чувствуя, как нелегко дается ей каждый шаг. Как нелегко, господи!

И все-таки – прочь! Поскорее!

Только никто не смотрит ей вслед, и никто не крестит ее в спину: будь здорова, девочка! Будь счастлива!

Она тяжело села в машину, оглянулась на Ольгу и улыбнулась:

– Ну, теперь – все!

– В каком смысле? – испуганно спросила Ольга.

– Можно ехать, – ответила Гаяне и тихо добавила: – И умирать.

* * *

Она умерла через полгода после той поездки. Умерла под утро – так сказал участковый врач, констатирующий смерть.

Скорее всего, это произошло во сне. И наверняка она ничего не успела понять и почувствовать. Умерла как жила – тихо и незаметно, никому не причинив беспокойства.

Похоронили ее в одной могиле с дочерью. Рядом, под соседним общим камнем, лежали ее бывший и единственный муж и любимая свекровь.

– Вот такой у нас семейный склеп получился, – горько вздохнула Елена. И добавила: – И меня туда, Лелька! К Боре! Слышишь? Ну и ко всем… нашим.

Ольга досадливо махнула рукой:

– Мам, ну как всегда – вовремя! И так черно на душе, а тут ты… Со своими «чудными» пожеланиями.

Пожелание пришлось исполнить очень скоро – в самом начале лета. Очередной гипертонический криз, из которых раньше всегда удавалось, по счастью, выскакивать.

Ольга и врач со «Скорой» настояли на госпитализации. Елена сразу, как-то очень быстро и почти без сопротивления, согласилась. Что было для нее не совсем обычно.

Ольга зашла в палату, поправила простыню, взбила подушку и принесла из буфетной стакан остывшего чаю.

Елена подержала ее за руку, медсестра измерила давление. Оно, слава богу, начало медленно падать, и Ольга, поцеловав мать, спокойно ушла.

– Принеси завтра лимоны! – выкрикнула ей вслед Елена.

Ольга кивнула:

– Разумеется, мам!

Ночью она спала спокойно. Утром торопилась на работу – поскорее закончить дела и поехать в больницу.

Купила на рынке лимоны и первую, дорогущую черешню – огромную, черную, похожую на некрупную сливу, словно облитую глазурью. Она вошла в палату и сразу все поняла. Еленина кровать была пуста и белье, небрежно и наспех содранное, валялось на полу. Нянька переворачивала полинявший полосатый матрас.

– Засикала, – сказала она Ольге, кивнув на него. – Перед смертью это бывает!

Ольга выскочила из палаты, бросилась на улицу и только там разревелась.

* * *

Поминальный стол устраивала Катя, приехавшая в Москву из Токио на пару недель по делам. Позвонили Никошке – он собрался в один день.

На кладбище Ольга сказала:

– Вот теперь мы с тобой сúроты, Никошка. Абсолютные и окончательные. Никого у нас не осталось – ты да я, вот и все Луконины. А сколько нас было!

Николай снял очки, вытер мокрые от слез и ветра глаза и обнял сестру.

– Ты и я – это не так мало. Все же семья. Какая-никакая.

– Два «я», Никош. А семья – это семь я.

– Ну, что есть, – вздохнул он.

И, обнявшись, они медленно пошли с кладбища прочь.

* * *

Ольга никак не могла привыкнуть к тому, что ей уже не надо спешить домой. Никогда! Первое время она смотрела на часы и проверяла, не разряжен ли мобильный. Нет, нет, не разряжен. И торопиться некуда.

Теперь она задерживалась на работе допоздна. Нехотя вставала со стула и медленно брела по бесконечным останкинским коридорам.

Парковка, обычно загруженная до предела, в это время была почти пуста. Одинокий голубой «пежик» терпеливо ждал неторопливую ныне хозяйку.

Она медленно ехала по освещенному городу, удивляясь вечерней загруженности центральных бульваров и улиц.

Дома, открыв входную дверь, она по привычке прислушивалась к звукам квартиры.

Было тихо. Только машины шуршали шинами, проезжая по Гоголевскому.

Она распахивала двери и включала свет во всех комнатах.

Открывала холодильник и вспоминала, что опять забыла заехать в магазин. Но всегда отыскивалось какое-нибудь подсохшее печенье, засахаренное варенье на дне банки, полупустая баночка «Виолы» и чай в цветастой жестянке.

Она пила чай, выскребала ложкой остатки сыра и варенья и смотрела на темную улицу.

Впрочем, темной теперь она не была – фонари горели ярко и красиво подсвечивались фасады домов. Старый центр – лицо города. Денег на «лицо» не жалели.

Сидела она все в том же отцовском кресле. И ловила себя на том, что сидит так же, как мать: подавшись корпусом чуть вперед и положив локти на край стола.

Засыпала она теперь только со снотворным – абсолютно отцовское «наследство». Он, как говорила Елена, пользовал вредоносные таблетки лет с сорока.

Да и со снотворным засыпала не сразу, только под утро.

* * *

Новый год шумно отметили на работе – деваться некуда и объяснять неохота. Ушла, правда, быстро. Точнее – сбежала.

Тридцать первого решила не вылезать из кровати – пошло все к чертям!

Надоело «брать» себя в руки. Надоело держаться.

Хочется согнуться, сгорбиться, втянуть голову в опавшие плечи и... Спрятаться от всех, что ли?

Ночнушку не снимала, волосы не расчесывала. Стакан чаю выпила в постели. Полистала журнал – боже, какую же пишут чушь! И еще получают за это деньги!

Громко зевнула и приготовилась уснуть.

Подумала: «Как же я устала! Даже в той, прежней, полной забот и хлопот, жизни, никогда я не чувствовала себя такой разбитой, расквашенной и опустошенной».

* * *

Звонок в дверь раздался через пару минут после того, как она блаженно закрыла глаза, поджала под себя ноги (поза эмбриона, любимая с детства) и положила ладони под щеку. Уже чуть-чуть начала «плыть» – самое сладкое мгновение.

Звонок настойчиво повторился.

– Вот какого урода, мать твою, – она села на кровати, чуть не заплакав. – Ну нет мне покоя! Нет и не будет!

Нашарила тапочки, накинула на сорочку халат, нацепила очки и поплелась в прихожую.

А «урод» – или уродка – продолжал настойчиво и нагло названивать.

– Палец не отсохнет? – проворчала Ольга. – Кто? – грубо спросила она.

– Я, – ответил радостный мужской голос.

– И кто у нас «я»? – ядовито переспросила она. – Не Дедушка ли Мороз?

– Почти, – засмеялся «голос».

Ольга откашлялась и сурово сказала:

– Дверью ошибся, дедушка! Мы подарков не ждем.

– А вот это напрасно, – продолжал острить «Дед Мороз». И добавил: – Открывай, Лелька! Открывай! Свои!

Она вздрогнула, узнав наконец его голос.

Зашелестела замком и распахнула дверь.

На пороге стоял вовсе не Дед Мороз. Там, широко улыбаясь вновь обретенными белоснежными зубами, стоял Дмитрий Андреевич Колобов. В коротком кашемировом вишневом пальто, в яркой клетчатой дурашливой кепочке с помпоном и широком зеленом шарфе, переброшенном, по последней небрежной моде, через плечо.

– Господи! – произнесла Ольга и сморщилась, словно от зубной боли.

– Вот тебе и «господи», – подтвердил он и шагнул в глубину квартиры. – Новый год, Леля, все-таки. Праздник! – сообщил он. – А ты... – Он оглядел ее с головы до пят. – А ты, право слово! – И он осуждающе покачал головой, доставая из многочисленных пакетов какие-то коробки и бутылки.

– Только тебя мне еще не хватало! Для полного счастья! – простонала она, плюхнувшись на табуретку.

– Неласковая ты, Оля. Нечесаная, неласковая и невоспитанная! – Он укоризненно вздохнул.

– Ну а посмотреть на тебя – так тут сплошные манеры! Припереться в чужой дом без приглашения. А ведь не день рождения, между прочим. Когда могут приходить все желающие. Хотя это я тоже не одобряю. Это – Новый год, Дима! Семейный и интимный праздник, между прочим! И с какого боку тут ты, позволь поинтересоваться? В каком статусе ты выступаешь? Тебя манерам вроде бы учили. Даже слишком рьяно занимались твоим воспитанием – лет до сорока, кажется?

Он усмехнулся:

– Так, по порядку. Первое – приперся я сюда, как ты изволила выразиться, на правах: а) старого друга и б) будущего родственника. А по второму вопросу – мамы моей так давно нет в живых, что трогать ее не надо, как мне кажется. И в-третьих, – он усмехнулся, – про интим. Я все про тебя знаю, Леля. Знаю, что ты одна. Извини, если эта информация засекречена. Нус! – оживился он. – Смотри, какие деликатесы! Прямо из Лиона! Свежак!

Он доставал яркие коробочки, баночки, контейнеры и с явным удовольствием оповещал:

– Фуа-гра! Устрицы в винном соусе! Устрицы в собственном соку! Террин! Мидии с лимонным соком! Паштет из прованской утки! Сыр... Сыр... Ветчина... Пирожные... Ну? – Он оглядел Ольгу взглядом победителя.

– Баранки гну, – буркнула Ольга. – Вот и ешь все это сам! А я пошла спать. Нечесаная, невоспитанная и грубая.

– Отдыхай, – легко откликнулся он, – а я пока тут похозяйничаю.

* * *

Она укрылась с головой одеялом и застонала: вот, опять подчинение чужой воле и чужим интересам! Надо было гнать Колобка прямо с порога. А считается, что она – сильная женщина. Глупости все это. Ерунда. Она-то про себя все знает. Всех жалко и всех за все готова простить. Потому что дура. Он так решил, видите ли! Захотелось ему поностальгировать с бывшей любовницей. Душевности захотелось, тепла. Видно, совсем ему там хреново, в этом Лионе. При хорошей жизни он бы про нее и не вспомнил. Пижон в идиотской кепульке.

Не заснула, только голова разболелась. От злости на него и главным образом на себя.

В одиннадцать встала, умылась, причесала волосы и подкрасила губы. Потом стерла – много чести! Еще возомнит, что это я для него стараюсь.

К столу, украшенному скатертью и еловыми ветками (подумайте только!), вышла в джинсах и майке.

Дима суетливо пытался ухаживать.

– Сядь! – пригвоздила она его. – Не трать понапрасну силы!

Он вздохнул и начал разливать шампанское – разумеется, «Дом Периньон».

Она вяло ковыряла вилкой французские деликатесы. Дима Колобов трещал без умолку и закусывал с явным удовольствием, постоянно интересуясь Ольгиными ощущениями.

– Вкусно, – однообразно отвечала она. – Вкусно. Отстань.

В два часа ночи под «грохот канонады» – так обозвал остряк Колобок взрывающиеся под окнами петарды – отправилась спать.

Кинула комплект постельного белья на диван в гостиной:

– Располагайся.

Дима тяжело вздохнул и принялся застилать постель.

Выспаться ей не удалось – за стеной раздавался мощный храп Димы Колобова.

– Женишок, – усмехнулась она. – Кавалер.

Завтракали молча. Ольга хмурилась и смотрела в окно. За ночь намело много снега, и трудолюбивые среднеазиаты с терпением и упорством боролись за удобство и комфорт столичных жителей, с больной головой и все еще хорошим аппетитом доедающих вчерашние подкисшие «оливье», «мимозы» и «селедки под шубой».

Дима предложил прогуляться по свежему снежку.

Она повернулась к нему со взглядом, полным тоски:

– Слушай, тебе надо – ты и прогуляйся! И по свежему, и по несвежему. Сходи на Арбат – это близко, если ты помнишь. На Красную площадь. В зоопарк. Куда еще ходят туристы?

Он пропустил ее остроты мимо ушей – планы были другие. И ссориться с ней в эти планы не входило.

Он помыл кофейные чашки – под ее насмешливым взглядом, протер кухонный стол и раковину.

– Пылесос в коридоре, – подсказала она.

– Наглостью ты прикрываешь смущение, – пояснил он. – И еще – радость. Радость от моего приезда, – продолжал хохмить Колобок.

– Это – да! – согласилась она. – Вот как ты догадался? Что радость моя огромна? Просто необъятна моя радость, думаю так!

В коридоре он долго надевал пальто, поправлял пижонистую кепочку и тщательно завязывал шарф.

– Значит, так, – лицо его было бледно и серьезно, – я ухожу. Чтобы вернуться. Завтра или через день. Двух дней тебе хватит?

– На что? – спросила она.

– На принятие решения. Я делаю тебе предложение. Второй раз в жизни и совершенно серьезно. Подумай! Всем обидам давно вышел срок. Амбиции тоже остались в молодости. А сейчас... Сейчас есть два одиноких и немолодых человека. Остро нуждающихся в близком плече и сочувствии. Имеющие огромный и непростой жизненный опыт за плечами. Горький опыт, надо сказать. Такие я сделал важные выводы, – назидательно проговорил он и поднял пухлый указательный палец.

– Я подумала, Дима. Однажды. Крепко тогда подумала и многое поняла. Так много поняла, что и вспоминать не хочется. Например, если человек предатель – это даже не надолго. Это – навсегда. И если человек трус, это тоже вряд ли временно. И если человек жлоб, подкаблучник и хам. Все это – навсегда, Дима. Невзирая на возраст и жизненные обстоятельства. И это мои важные выводы, Дима. И мой непростой жизненный опыт.

Он стоял, опустив голову в смешной клоунской кепке.

– Там, на подоконнике на кухне, лежит моя визитка. Если, ну, вдруг... – тихо сказал он.

Она кивнула:

– Если. Вдруг. Непременно.

Он шагнул за порог, и она закрыла за ним дверь. С облегчением, надо сказать, закрыла.

И даже пошла на кухню и, сварив новую чашку кофе, с удовольствием доела устрицы в винном соусе, мидии в лимонном и паштет из прованской утки.

А правда здорово вкусно! Просто потрясающе вкусно! И как она вчера этого не заметила?

Да! Димину визитку – ого, какая должность! Профессор, елки-палки! – она повертела в руках и... с легкостью выбросила в помойное ведро – порванную на мелкие кусочки: летите, голуби!

* * *

Странно, но после того чудного и нелепого Нового года ей стало немного легче. Объяснений этому она не находила, да и не искала. Отпустило чуть-чуть – и слава богу!

К весне все же решила сделать ремонт. Неохота, а надо. Уборка, даже генеральная, плодов уже не приносила – слишком все трухляво, изношено, старо. И обои, и потолки, и плитка. Вспоминала, в каком году родители делали в последний раз ремонт: да, после того как посадили маминого братца Мишу. Сто лет назад.

Ремонт начали шустрые и бойкие молдаване, сверкающие золотыми или железными зубами – в зависимости от материального статуса.

Бригадир, волоокий и чубастый Володя, подробно оглядывал квартиру и Ольгу, словно прицениваясь и к той, и к другой. Видимо, решил, что хозяйка ликвидна – с небольшой натяжкой, а квартира – и вовсе безо всяких натяжек.

Начал подкатывать – смешно, наивно, по-деревенски. Предлагал «посетить киносеанс» или «там какой-нибудь балет» – правда, про последнее сказал с явной тоской.

Как-то принес бутылку вина (разумеется, молдавского, какие там французы! лягушатники! что они понимают в вине!) и шоколадку. Предложил «культурно посидеть».

Ольга, понимая, что здесь надо строго и без юмора, ледяным голосом объяснила все как есть.

Он оказался понятливым, шумно и, кажется, облегченно вздохнул и сделал вид, что слегка обиделся.

С ремонтом, конечно, и напортачили, и обманули, и денег вышло больше, чем договаривались. И сроки сорвали – словом, все, как обычно, и все, как всегда.

Пришлось даже брать небольшой кредит, чтобы закончить эту тягомотину.

А вот на новую кухню – увы – не хватило. И на входную дверь тоже.

«Ладно, подкоплю, поднатужусь», – сказала себе Ольга, отчетливо понимая, что летнего отпуска ей не видать – как и своих ушей.

В августе, оставив кое-какие недоделки, наконец убрались.

Ремонт невозможно закончить – его можно только остановить. Чисто российская пословица, подумала Ольга. Вряд ли у других народов она есть.

И все же, несмотря на неимоверную усталость и окончательно расшатанные нервы, удовольствие от свежести и обновления жилья она все-таки получала.

Вечером садилась на новый диван, с наслаждением вытягивала затекшие ноги и любовалась. Новыми обоями, новыми шторами, старой, еще бабки-Нининой, люстрой – синие стеклянные чашечки, белые лепестки и свечечки лампочек – как когда-то давно, еще в «ельцовской» жизни. Мамин любимый ковер, давно уже старый, потертый, совсем блеклый – тот, что еще ее отец, профессор Гоголев, привез в пятидесятые из Душанбе, лежал на свежем паркете, словно заново наполненный и обновленный нежными, пастельными красками. Чудеса эти старые изделия! Вот что такое творение ловких и умелых человеческих рук!

Нет, не зря она все это затеяла. Не зря! Теперь даже хотелось домой. И призраки прошлой жизни, призраки и признаки, слегка отступили и дали ей наконец душевный отпуск.

* * *

В тот день накануне больших выходных она вернулась особенно усталой. Две летучки и вызов на ковер к начальству. Выползла из машины еле-еле. Шаркая, дошла до подъезда. Подняла голову и увидела свет в кухонном окне.

– Маразматичка, – ругнула она себя, – уже и свет забываю гасить!

Она вышла из лифта и открыла входную дверь.

Свет горел и в коридоре.

– Ну совсем из ума выжила, – вздохнула она. – Начало Альцгеймера, не иначе!

Она сняла мокрый плащ и скинула туфли. Села на банкетку в коридоре – перевести дух. Подумала, что голодна. Так хочется жареной картошки! А сил приготовить совсем нет.

Она прошла к себе, переоделась в домашнее и пошла на кухню. «Просто попью чаю», – подумала она. В холодильнике, кажется, есть козий сыр и остатки покупного винегрета. Вот и славно! Вполне себе хватит. И даже хорошо, что нету сил поджарить эту вреднючую картошку. Да и картошки, кажется, тоже нет.

Дверь в гостиную была плотно закрыта. С некоторых пор Ольга ненавидела закрытые двери – было ужасное ощущение, что там, за закрытой дверью, кто-то есть. Все еще есть.

Она толкнула дверь рукой.

На новом диване – серый гобелен в синий мелкий цветочек – обнявшись, спали...

Спала Машка-маленькая и длинненький кудрявый мальчик, положивший голову матери на плечо. Арсений. Арсюша. Сенечка.

Арсений Луконин.

Машка вздрогнула и приподняла голову:

– А, это ты, Леля! – пробормотала она. – Уже с работы? А который час? – Она повертела головой в поиске часов. – Ой! Ничего себе мы и продрыхли! – сказала она и села на диване.

Ольга, прислонясь к дверному косяку и держась непроизвольно рукою за сердце, тихо прошептала:

– Не разбуди Арсюху!

Машка махнула рукой:

– Да его пушкой не разбудишь, о чем ты. – И добавила: – Сэма. Он теперь Сэм. Они не могут выговорить «Арсений», как ты понимаешь!

Ольга кивнула. Сэм. Пусть будет Сэм. Пусть будет кто угодно! Только ПУСТЬ БУДЕТ! Какая разница?

– Есть охота, – зевнула Машка. – Знаешь, со сна всегда охота есть.

Ольга опять кивнула.

– Ой! А может, жареной картошечки, Лель? Как тебе эта идея?

– Отличная идея, – кивнула Ольга. – Главное, чтобы картошечка была! – Она вышла из комнаты и крикнула из коридора: – Пойду пошукаю!

Картошка нашлась – полпакета, вполне приличная, даже без ростков и темных пятен. «Потому что импортная, из супермаркета», – некстати подумала Ольга.

Она села за стол и стала чистить картошку. Нет, все-таки удобно – ровная, чистая, мыть не надо!

«Боже! О чем я думаю!»

Она бросила нож и расплакалась.

В кухню вошла Машка.

– Ты чего? – удивилась она. – Все же хорошо!

Ольга смутилась, кивнула. И быстро отерла ладонью слезы.

Машка подошла к окну и, привстав на цыпочки, сладко потянулась.

– Машка! – вскрикнула Ольга. – Ты, по-моему, беременная!

– И по-твоему, и по-моему, – подтвердила ее легкомысленная племянница. – И даже по общему мнению врачей, подтвержденному новейшей американской аппаратурой.

— И как же теперь? — тихо спросила Ольга.

— В смысле? — уточнила та. — Будем рожать. Ты же сама мне говорила, что рожать надо столько, сколько дает бог!

— А отец? — смутилась Ольга. — Есть у ребенка отец?

— Есть, — спокойно ответила Машка, усевшись на табуретку. — Как не быть? Не от святого же духа я залетела, как ты понимаешь! Только ты о нем не думай — все ерунда. Не стоит он того, чтобы тратить на него время, ты уж мне поверь! — И Машка громко захрустела соленым сухариком. — Да... — она оглядела кухню. — А здорово, что ты ремонт сделала! Классно так стало! Только зря мебель не заменила — кухню, я имею в виду.

— Денег не хватило, — ответила Ольга. — Ни на кухню, ни на новую входную дверь.

— А вот это хорошо! — засмеялась Машка. — В смысле — про дверь. Если бы заменила, мы бы с Арсюхой пять часов дрыхли под дверью! Ладно, пойду-ка я в ванную! Смою дорожную грязь и бремя грехов, — она притворно вздохнула, — если получится.

Крикнула из коридора:

— Лель! А старую Сенькину деревянную кроватку ты случайно не выкинула?

— Нет! — ответила Ольга. — Она по-прежнему живет на антресолях. Достать?

— Успеем! — откликнулась Машка. — И кроватку достать успеем, и тебя! Не сомневайся! — крикнула она из ванной.

Ольга качнула головой и рассмеялась:

— Милости просим! Велкам, как говорится!

Машка вернулась на кухню.

— А где взять свежее полотенце?

— В спальне, в шкафу, наверху! — ответила Ольга. — Тебе помочь?

– Справлюсь! – крикнула из комнаты Машка. – А ты, тетка, не расслабляйся! Ставь сковородку! А я все-таки в душ!

– Покомандуй мне! – прикрикнула Ольга.

Она зашла в комнату и посмотрела, спит ли Арсюша.

Мальчик спал, и, видимо, крепко. Она вернулась на кухню и стала строгать картошку на брусочки. Старалась потоньше. Поэлегантней, как говорила Гаяне.

Машка, разрумяненная после душа, зашла на кухню.

– Лель! Будет девочка! Точно! Врачи говорят, сто пудов!

– Вот и хорошо, – кивнула Ольга. – Девочка – это очень хорошо!

Машка сняла с головы полотенце и растерянно покрутила в руках.

– Вот я только думаю, – задумчиво сказала она. – Как мы назовем ее, девочку? Дочку *нашу*, в смысле?

Ольга обернулась.

– Елена или Гаяне?

Ольга растерянно молчала и лихорадочно подыскивала ответ.

– Хорошо бы, если б двойня, – вздохнула Машка. – Тогда – никаких вопросов!

– Иди переоденься в домашнее! «Двойня»! – прикрикнула Ольга и тоже тяжело вздохнула. – Время еще есть! Разберемся!

На сковородке зашипело раскаленное масло. Ольга бросила туда нарезанную картошку и села в отцовское кресло.

Как всегда, положив локти на край стола и смахнув ладонью со стекла оконную влагу, она стала смотреть на улицу.

Времени действительно было полно.

Для планов, раздумий, решений. Выводов.

Впрочем, при чем тут выводы? Жизнь продолжалась.

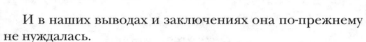

И в наших выводах и заключениях она по-прежнему не нуждалась.

И в этом было главное – ее продолжение.

И в который раз она выводила на перекресток – туда, откуда всегда есть дорога на две улицы.

На какую из них – ты всегда выбираешь сам. В одиночку. Такие правила.

Литературно-художественное издание

ЗА ЧУЖИМИ ОКНАМИ
Проза М. Метлицкой и А. Борисовой

Метлицкая Мария

ДОРОГА НА ДВЕ УЛИЦЫ

Ответственный редактор *О. Аминова*
Ведущий редактор *Ю. Раутборт*
Младший редактор *О. Крылова*
Художественный редактор *П. Петров*
Технический редактор *О. Лёвкин*
Компьютерная верстка *В. Шибаев*
Корректор *О. Степанова*

ООО «Издательство «Эксмо»
123308, Москва, ул. Зорге, д. 1. Тел. 411-68-86, 956-39-21.
Home page: **www.eksmo.ru** E-mail: **info@eksmo.ru**

Өндіруші: «ЭКСМО» АҚБ Баспасы, 123308, Мәскеу, Ресей, Зорге көшесі, 1 үй.
Тел. 8 (495) 411-68-86, 8 (495) 956-39-21
Home page: www.eksmo.ru E-mail: info@eksmo.ru.
Тауар белгісі: «Эксмо»
Қазақстан Республикасында дистрибьютор және өнім бойынша арыз-талаптарды қабылдаушының
өкілі «РДЦ-Алматы» ЖШС, Алматы қ., Домбровский көш., 3«а», литер Б, офис 1.
Тел.: 8(727) 2 51 59 89,90,91,92, факс: 8 (727) 251 58 12 вн. 107; E-mail: RDC-Almaty@eksmo.kz
Өнімнің жарамдылық мерзімі шектелмеген.
Сертификация туралы ақпарат сайтта: www.eksmo.ru/certification

Сведения о подтверждении соответствия издания согласно законодательству РФ о техническом регулировании можно получить по адресу: http://eksmo.ru/certification/

Өндірген мемлекет: Ресей
Сертификация қарастырылмаған

Подписано в печать 22.10.2013.
Формат 84×108 $^{1}/_{32}$. Гарнитура «НьюБаскервиль».
Печать офсетная. Усл. печ. л. 18,48.
Тираж 35 000 экз. Заказ № 8345

Отпечатано с готовых файлов заказчика
в ОАО «Первая Образцовая типография»,
филиал «УЛЬЯНОВСКИЙ ДОМ ПЕЧАТИ»
432980, г. Ульяновск, ул. Гончарова, 14

ISBN 978-5-699-68579-0
9 785699 685790 >

Оптовая торговля книгами «Эксмо»:
ООО «ТД «Эксмо». 142700, Московская обл., Ленинский р-н, г. Видное,
Белокаменное ш., д. 1, многоканальный тел. 411-50-74.
E-mail: **reception@eksmo-sale.ru**

По вопросам приобретения книг «Эксмо» зарубежными оптовыми покупателями *обращаться в отдел зарубежных продаж ТД «Эксмо»*
E-mail: **international@eksmo-sale.ru**

International Sales: International wholesale customers should contact Foreign Sales Department of Trading House «Eksmo» for their orders.
international@eksmo-sale.ru

По вопросам заказа книг корпоративным клиентам, в том числе в специальном оформлении, *обращаться по тел. +7 (495) 411-68-59, доб. 2261, 1257.*
E-mail: **vipzakaz@eksmo.ru**

Оптовая торговля бумажно-беловыми и канцелярскими товарами для школы и офиса «Канц-Эксмо»:
Компания «Канц-Эксмо»: 142702, Московская обл., Ленинский р-н, г. Видное-2,
Белокаменное ш., д. 1, а/я 5. Тел./факс +7 (495) 745-28-87 (многоканальный).
e-mail: **kanc@eksmo-sale.ru**, сайт: www.**kanc-eksmo.ru**

Полный ассортимент книг издательства «Эксмо» для оптовых покупателей:
В Санкт-Петербурге: ООО СЗКО, пр-т Обуховской Обороны, д. 84Е.
Тел. (812) 365-46-03/04.
В Нижнем Новгороде: ООО ТД «Эксмо НН», 603094, г. Нижний Новгород,
ул. Карпинского, д. 29, бизнес-парк «Грин Плаза». Тел. (831) 216-15-91 (92, 93, 94).
В Ростове-на-Дону: ООО «РДЦ-Ростов», пр. Стачки, 243А. Тел. (863) 220-19-34.
В Самаре: ООО «РДЦ-Самара», пр-т Кирова, д. 75/1, литера «Е». Тел. (846) 269-66-70.
В Екатеринбурге: ООО «РДЦ-Екатеринбург», ул. Прибалтийская, д. 24а.
Тел. +7 (343) 272-72-01/02/03/04/05/06/07/08.
В Новосибирске: ООО «РДЦ-Новосибирск», Комбинатский пер., д. 3.
Тел. +7 (383) 289-91-42. E-mail: **eksmo-nsk@yandex.ru**
В Киеве: ООО «РДЦ Эксмо-Украина», Московский пр-т, д. 9. Тел./факс: (044) 495-79-80/81.
В Донецке: ул. Артема, д. 160. Тел. +38 (032) 381-81-05.
В Харькове: ул. Гвардейцев Железнодорожников, д. 8. Тел. +38 (057) 724-11-56.
Во Львове: ТП ООО «Эксмо-Запад», ул. Бузкова, д. 2. Тел./факс (032) 245-00-19.
В Симферополе: ООО «Эксмо-Крым», ул. Киевская, д. 153.
Тел./факс (0652) 22-90-03, 54-32-99.
В Казахстане: ТОО «РДЦ-Алматы», ул. Домбровского, д. 3а.
Тел./факс (727) 251-59-90/91. **rdc-almaty@mail.ru**

Полный ассортимент продукции издательства «Эксмо»
можно приобрести в магазинах «Новый книжный» и «Читай-город».
Телефон единой справочной: 8 (800) 444-8-444. Звонок по России бесплатный.

Интернет-магазин ООО «Издательство «Эксмо»
www.fiction.eksmo.ru
Розничная продажа книг с доставкой по всему миру.
Тел.: +7 (495) 745-89-14. E-mail: **imarket@eksmo-sale.ru**